AF814873

Die Talente von Eos
Geheimnis des Lichts

Die Autorin

Mirjam Koller studierte Biologie, unterrichtet Jugendliche an einem staatlichen Gymnasium und schreibt seit ihrer Kindheit Fantasiegeschichten. Ihren ersten Roman »Verborgen« veröffentlichte sie unter dem Pseudonym Kristin Kox. Im Roman »Die Talente von Eos« vereint sie all das, was ihr am Herzen liegt: Schreiben, Schule und die Liebe zur Natur.

Mirjam unterrichtet auch kreatives Schreiben. Mehr über die Schreibkurse, die Autorin und ihre Bücher erfährst du unter www.fantastisch-schreiben.de

MIRJAM KOLLER

DIE TALENTE VON EOS

GEHEIMNIS DES LICHTS

Bibliografische Information der Deutschen Nationalbibliothek:
Die Deutsche Nationalbibliothek verzeichnet diese Publikation in der Deutschen Nationalbibliografie; detaillierte bibliografische Daten sind im Internet über dnb.dnb.de abrufbar.

Lektorat: Simona Turini. www.lektorat-turini.de
Korrektorat, Umschlagdesign, Satz, Herstellung und Verlag:
BoD – Books on Demand, Norderstedt

ISBN 978-3-7578-4889-7

Für Niklas und Linda

INHALT

1

GLAS

Schulverweis. Höchststrafe.

Die zwei Worte wiederholen sich in meinem Kopf wie das An- und Abschwellen einer Sirene. Verbissen trete ich in die Pedale und steigere das Tempo, fliege durch den Geruch nach Regen und feuchter Erde, der von allen Seiten auf mich eindrückt.

Wie konnte es nur dazu kommen?

Gerippe kahler Bäume rasen an mir vorbei, während der Fahrtwind an meinem Haar zerrt und mir eiskaltes Wasser ins Gesicht speit. Fluchend beuge ich mich noch tiefer über den Lenker meines blau-schwarzen Mountainbikes.

Schlamm schmatzt unter den Reifen, klatscht auf meine durchweichten Sneaker und die Jeans und hinterlässt große, tränenförmige Tropfen auf meiner hellgrauen Softshelljacke. Doch langsamer fahren ist keine Alternative. Ich muss vor dem Telefonanruf zu Hause sein, wenn ich das Schlimmste noch abwenden will.

»Das Schlimmste« ist nicht einfach nur Hausarrest, nein, es bedeutet, dass alle meine außerschulischen Aktivitäten auf Eis gelegt werden. Das darf nicht passieren. Nicht jetzt, nicht in dieser Phase des Projekts.

Mit vor Kälte tauben Fingern umklammere ich die Griffe. Der Eisregen in meinem Gesicht ist wie Schmirgelpapier. Meine Gedanken rasen wie mein Bike, spielen verschiedene Möglichkeiten durch, wie ich mich doch noch aus diesem Schlamassel herausreden kann, aber es fällt mir schwer, mich zu konzentrieren. Die Kopfschmerzen, die am Morgen noch kaum spürbar waren, haben sich zu etwas gesteigert, das ich so nicht kenne. Seit etwa zwei Wochen habe ich immer wieder ein dumpfes Pochen zwischen den Schläfen, direkt hinter den Augen, doch bisher war es nie so stark. Jetzt fühlt es sich an, als ob sich dort etwas spannt und droht, zu zerreißen. Vielleicht war das auch der Grund für meinen Aussetzer?

Selbst wenn, damit werde ich nicht durchkommen. Nicht bei dem, was ich meinem Mathelehrer an den Kopf geworfen habe. Buchstäblich. Warum nur habe ich nicht einfach die Klappe gehalten? Und warum ist dieser Tafelschwamm plötzlich durch die Luft geflogen? Ich habe ihn nicht geworfen, so viel ist sicher. Der Schwamm lag auf dem Pult, ganze drei Meter von mir entfernt.

Wie eine Antwort spuckt mein Gedächtnis die Erinnerung an den beunruhigenden Traum von letzter Nacht aus. An einem Ort voller Nichts und Dunkelheit steht diese Truhe vor mir, ein paar Meter entfernt. Es ist eine Art Schatzkiste aus dunklem Holz und mit einem schweren Messingschloss versehen. Aus jeder Ritze dringt gleißend helles Licht nach außen, als wäre eine Sonne darin eingesperrt.

Immer wieder träume ich von dieser Truhe und diesem Ort, bestimmt schon seit zwei Wochen. Oder besser diesem Nicht-Ort. Ich kann nicht erkennen, wo ich bin, denn es gibt keine andere Lichtquelle und auch kein Geräusch. Einfach nichts, außer dieser Truhe voller Licht.

Der Traum ist immer gleich. Das Licht pulsiert in der Kiste und etwas bewegt sich dadrin. Die Truhe ruckelt, als würde sich von innen etwas dagegen werfen. Holz knackt. Ich spüre Schweiß auf meiner Haut und wie sich meine Muskeln unwillkürlich anspannen. Ich muss unbedingt wissen, was dadrin ist, also gehe ich näher heran, doch kurz bevor ich sie erreiche, wache ich auf, schweißbedeckt, in einem völlig zerwühlten Bett. Jedes Mal.

Aber nicht heute Nacht. Das Pulsieren war kräftiger, das Knacken lauter. Wieder und wieder warf sich das Lichtwesen gegen das Holz, viel stärker diesmal. Das erste Brett splitterte und dann klaffte ein langer Spalt im Deckel. Gleißendes Licht ergoss sich in die Dunkelheit.

Ich wollte wegrennen, doch die Neugier und das absurde, alles überwältigende Gefühl, dass mein Leben davon abhängt, hielten mich auf. Immer mehr Risse durchzogen das Holz. Was auch dadrin war, war mächtig und kurz davor, durchzubrechen. Doch wieder wachte ich auf, bevor ich das Rätsel lösen konnte.

Es macht mich wahnsinnig, nicht zu wissen, was der Traum bedeutet. Was ist in dieser Kiste? Hängt es mit dem zusammen, was heute mit dem Schwamm passiert ist?

Der Weg wird abschüssiger. Glitschiger Schotter bedeckt den Matsch und endlich kommt die Abzweigung in Sicht. *Nur noch hundert Meter.* Ich schieße um die Kurve und registriere entsetzt den armdicken Ast, den der Regen über den Weg gespült hat. Reflexartig greife ich in die Bremse, habe aber keine Chance. Einen albtraumhaften Moment sehe ich den drohenden Crash voraus, mich selbst durch die Luft segeln und auf den Steinen aufschlagen. Ich wappne mich für den unvermeidlichen Aufprall.

Doch plötzlich wird das Pochen hinter meiner Stirn zu einem stechenden Schmerz und ein Bild blitzt vor meinem inneren Auge auf: Eine Kiste gefüllt mit Licht, das durch Risse nach außen dringt. Das Bild verschwindet sofort wieder und im selben Moment rollt der Ast wie durch ein Wunder zur Seite. Der Weg ist frei.

Was in aller Welt …?

Zwei Meter weiter komme ich schlingernd zum Stehen. Adrenalin schießt durch meine Adern und ich habe einen metallischen Geschmack auf der Zunge. Das Keuchen, das ich höre, ist wohl mein eigener Atem, doch es klingt weit entfernt. Die Welt um mich herum verschwimmt und wird an den Rändern grau. Wie ein Ertrinkender klammere ich mich an den Griffen meines Bikes fest und versuche, tief und gleichmäßig zu atmen. Ich weiß nicht, wie lange ich so stehe, doch schließlich beruhigt sich mein rasendes Herz.

Kaltes Regenwasser tropft mir in den Nacken und läuft meinen Rücken hinab, aber ich merke es kaum. Mein Mathelehrer, der Verweis, meine Strafe, all das scheint plötzlich weit weg. Was ist geschehen?

Ungläubig blicke ich zurück. Der Ast ist zur Seite gerollt, aber nicht durch die Schwerkraft und auch nicht durch das Regenwasser, das tiefe Rinnen in den Schotter gegraben hat. *Zur Seite.* Als hätte eine unsichtbare Kraft ihn bewegt. Wie bei dem Schwamm. Und dort sind eindeutig Schleifspuren im Kies.

Eine Gänsehaut breitet sich auf meinen Armen aus, aber sie hat nichts mit der Kälte zu tun. Ich ringe mit mir. Es zieht mich zurück zu dem Ast. Irgendetwas stimmt nicht damit, und ich muss herausfinden, was es ist. Aber noch dringender muss ich nach Hause. Sofort. Das Projekt ist zu wichtig. Widerwillig reiße ich das Fahrrad herum.

Wenig später lichten sich die Bäume und weichen kleineren Haselsträuchern. Dahinter taucht das Haus meiner Eltern auf. Die sonnengelbe Fassade bildet einen schreienden Kontrast zu dem öden Grau der Regenwolken. Durchnässt und mit immer noch wild schlagendem Herzen lehne ich das Bike unter der Überdachung zwischen Haus und Garage an die Wand. Ich fische den Schlüssel aus meiner Hosentasche, sperre die Tür auf und ziehe automatisch den Kopf ein. Doch niemand erwartet mich. *Ein gutes Zeichen.*

Oder?

Alles in mir ist in Aufruhr, doch ich zwinge mich zur Ruhe. Ich triefe, und den Boden zu versauen ist keine gute Idee, wenn man Ärger abwenden will. Also stelle ich den Rucksack auf die saugfähige Matte, die sich der Nässe annehmen wird, trete die verschlammten Schuhe von der Ferse und platziere sie daneben. Die tropfende Jacke hänge ich an einen Haken darüber.

Mit drei Schritten durchquere ich den Flur, vorbei an der Treppe, die von hier aus nach oben zu den Schlaf- und Arbeitszimmern führt. Die drei Türen im Erdgeschoss stehen wie gewohnt offen. Vorsichtig werfe ich einen Blick ins Wohnzimmer.

»Dad? Ich muss …« Ich verstumme abrupt.

Mein Vater steht mit dem Rücken zu mir am Fenster, ein großer, athletischer Mann Anfang vierzig, mit dichtem kohlschwarzen Haar, in dem sich bereits vereinzelte graue Strähnen zeigen. Er ist ein erfolgreicher Architekt mit eigenem Büro und einem guten Ruf, den er sich durch harte Arbeit und eine disziplinierte Lebensweise aufgebaut hat. Immerzu strahlt er eine selbstbewusste Gelassenheit und Autorität aus, sogar jetzt.

Dad hat den Hörer am Ohr und hebt eine Hand. Die Geste gilt mir.

Mein Herz sackt ein Stück tiefer und ich schließe frustriert die Augen. Ein leises Stöhnen dringt aus meiner Kehle.

»Hm. Hat er das, ja?« Dads grollender Tonfall verrät alles.

Zu – spät – zu – spät – zu – spät.

Das Ticken der antiken Standuhr an der gegenüberliegenden Wand verhöhnt mich, während Wasser von meinem Haar und der Jeans auf den Teppichboden tropft.

Das war's, ist mein erster Gedanke. Vorbei, den Spendenlauf kann ich vergessen. Jetzt fliegt mir alles um die Ohren. Dabei kann ich gar nichts dafür! Wut brodelt in mir. Auf keinen Fall kann ich hier stehen bleiben und das weiter mit anhören. Ich gehe ins Badezimmer, wo ich aus meinen nassen Sachen schlüpfe und mich abtrockne. Mein Blick streift den Spiegel über dem Waschbecken.

In meinem Gesicht ist mein kroatisches Erbe zu erkennen. Eine schmale Nase mit breitem Nasenrücken und ein Teint, der zwei Nuancen dunkler ist als der meiner Mitschüler. Dunkelbraune Augen mit kleinen goldenen Punkten darin, die jetzt vor Zorn blitzen. Nasse Haarsträhnen hängen in meine Stirn, sie sind ebenso kohlschwarz wie die meines Vaters. Ich wische sie zurück und dabei fällt mir der kleine silberne Anhänger ins Auge, der an einer feinen Kette um meinen Hals hängt. Es ist das Friedenszeichen, ein Geschenk meiner besten Freundin Maren. Mit den Fingerspitzen berühre ich ihn und schließe sachte die Faust darum. Wie immer gibt mir der Kontakt Kraft.

Also gut, neuer Plan. Rücke ich eben nach dem Telefonat alles ins rechte Licht.

Immer noch nervös angesichts dessen, was mich erwartet, aber befreit von dieser hilflosen Wut, hole ich trockene Sachen aus meinem Zimmer, einen schwarzen Kapuzenpulli und bequeme Jeans, ziehe sie an und trotte in die Küche, um mein Urteil entgegenzunehmen.

Melodiöses Summen und das helle Klacken von Stahl auf Glas begrüßt mich. Die Küche ist klein, nahezu winzig, doch es ist mein liebstes Zimmer im Haus, ein heimeliger Ort. Im Herbst riecht es hier nach selbstgekochter Marmelade, Zimt und Orangen und in wenigen Wochen wird der Duft frischer Wiesenblumen einziehen. Doch jetzt ist die Küche erfüllt vom würzigen Aroma der Cevapcici, die in der Pfanne auf dem Herd braten.

Meine Mutter, eine kleine, robuste Frau, steht leise singend an der Arbeitsplatte und schneidet Gurken und Tomaten für den Salat. Ihre rote Mähne fällt, von einer breiten Holzspange gebändigt, in dicken Locken über Schultern und Rücken wie ein Wasserfall aus Feuer. Sie strahlt Wärme und Herzlichkeit aus wie kein anderer Mensch, den ich kenne.

Ich schleiche zu dem breiten Esstisch unter dem Fenster und setze mich leise in die hinterste Ecke. So habe ich den Tisch als Sicherheitspuffer zwischen mir und der Wohnzimmertür. Wenn ich Moms sanfter Altstimme lausche, muss ich an Lagerfeuer denken und Menschen, die in seinem Lichtschein tanzen. Bei der Vorstellung, dass diese Geschichte ihr jeden Moment die Laune vermiesen wird, zieht sich mein Magen zusammen.

»Hi«, sagt meine Mutter, dreht sich kurz um und schenkt mir ein warmes Lächeln, bei dem ich mich noch mieser fühle.

»Hi«, presse ich zwischen zusammengebissenen Zähnen hervor, dann wende ich schnell den Blick ab.

Hinter dem Küchenfenster liegt unser Garten, der sich bis zum Waldrand erstreckt. Eine weitläufige Wiesenfläche, auf der im Sommer Inseln von Wildblumen blühen werden. An einem sonnigen Tag ist dieser Ausblick wunderschön, doch heute erstickt das Düstergrau jegliches Wohlbefinden im Keim. Nicht dass mir nach diesem Schultag viel davon geblieben ist.

Während ich die Bäume betrachte, pocht mein Herz plötzlich heftiger. Ein ungutes Gefühl beschleicht mich, als drohe vom Wald Gefahr. Fröstelnd wende ich mich ab. Ich kann das Gefühl nicht richtig einordnen, doch dann schiebe ich es auf die Situation. Immerhin steht mir wirklich Übles bevor.

Die schmale Tür zwischen Küche und Wohnzimmer ist offen, sodass ich jedes Wort mithören kann. Es sind nicht viele, mein Vater brummt lediglich ein paar Mal »War das so?« und »Ich verstehe«. Jeder Satz klingt gedämpfter. Ich versuche, in meinem weiten Kapuzenpulli zu versinken. Mom summt nicht mehr. Sie kennt diesen Tonfall.

»Ich werde gleich mit ihm reden«, sagt Dad. Dann nähern sich schwere Schritte.

Meine Mutter dreht sich zu mir um. Kleine Fältchen auf ihrer Stirn verraten ihre Sorge. Die Stille zwischen uns breitet sich unaufhaltsam aus. Ich möchte am liebsten schreien. Alles war doch so gut geplant, und jetzt das.

Mein Vater betritt die Küche. Sein Blick verheißt nichts Gutes.

»Also, was ist passiert?« Sein Tonfall ist bemerkenswert ruhig. Irgendwie macht es das nur noch schlimmer und vertreibt den letzten Rest *meiner* Ruhe.

»Pingler hat mich vor der ganzen Klasse zur Schnecke gemacht, und er hat mich nicht mal angehört«, fahre ich auf.

»So? Da sagt er aber etwas anderes.«

»Ist ja auch klar.« Pingler würde nie einen Fehler zugeben. Die nächsten Worte kommen aus meinem Mund, bevor ich etwas dagegen tun kann. »Weil er eine feige, charakterlose …«

»Jan!« Mom hat das Messer beiseitegelegt und sieht mich verblüfft an. Dann wendet sie sich meinem Vater zu. »Was ist hier los? Wer war am Telefon?«

»Die Schule. Jan hat einen Verweis bekommen. Anscheinend hat er den Matheunterricht geschwänzt …«

»Das ist nicht wahr«, gehe ich aufgebracht dazwischen.

»Lass mich aussprechen, Jan«, sagt mein Vater, immer noch erstaunlich beherrscht.

Ich verschränke die Arme vor der Brust und stoße verärgert den Atem aus. *Ruhig bleiben.*

»Außerdem hat er Herrn Pingler ziemlich übel beleidigt.« Er sieht mich an. »Mehrfach.« Auf dieses letzte Wort legt er eine besondere Betonung. »Und einen Schwamm nach ihm geworfen.«

»Um Himmels willen, Jan!« Mom schlägt die Hände vor den Mund.

»Das mit dem Schwamm war ich nicht!«, verteidige ich mich.

»Der Rest stimmt also? Du hast ihn beleidigt?«

Mist. »Ich …« Ich breche ab. Was soll ich dazu sagen? Ja, ich habe meinen Mathelehrer einen sadistischen Vollidioten genannt. Aber Pinglig hat mich provoziert! Nur weiß ich nicht, wie ich das meinem Vater jetzt noch klarmachen kann. Es würde doch nur wie ein schwacher Versuch wirken, die Schuld auf den anderen abzuwälzen. »Ich war zu spät, aber ich hatte einen guten Grund«, sage ich schließlich.

»Ach. Und der wäre?«

»Die Druckdaten für den Spendenlauf, Plakate und Flyer. Ich musste sie noch fertig machen. Das ist zur Zeit unser wichtigstes Projekt.«

Das Geld, das wir damit einnehmen wollen, ist für Ukrainer bestimmt, für Flüchtende, aber auch für diejenigen, die in ihrer Heimat ausharren.

Ich bin einer von drei Schülersprechern. Eigentlich haben wir geplant, in diesem Jahr ein effizienteres Mülltrennungssystem an unserer Schule einzuführen und die Installation von Solaranlagen auf dem Dach des Schulgebäudes voranzutreiben. Doch der Ukraine-Krieg hat alle Pläne über den Haufen geworfen, wie zuvor schon Corona. Diese Menschen brauchen jetzt unsere Hilfe, wir können diese Katastrophe und die Not nicht einfach ignorieren. Ich kann das nicht.

Aber auch der Klimawandel muss *jetzt* aufgehalten werden. Menschen zu retten, bringt doch nichts, wenn man ihnen eine kaputte Welt hinterlässt. Es sollte also beides sein: Spendenlauf und Umweltschutz.

Alles auf einmal zu stemmen, bedeutet jedoch Überstunden und Zeitdruck für alle. Da ich den Plan durchgesetzt habe, liegt die Verantwortung bei mir. Ich muss also den Spendenlauf in Rekordgeschwindigkeit organisieren.

»Heute mussten die finalen Dateien an die Druckerei geschickt werden.« Wieso muss ich mich eigentlich dafür rechtfertigen? Ich tue Gutes! Es ist ja nicht so, als ob ich wegen einer Partynacht oder Ähnlichem zu spät war. Das hier ist etwas vollkommen anderes. Ich bin sauer.

Aber wie kann ich meinem Vater klarmachen, was diese Sache für mich bedeutet? Wie lässt sich dieses elende, quälende Gefühl im Magen beschreiben, wenn ich daran denke, wie gut ich es habe, wo doch so viele Kinder Not leiden? Wie?

Ich halte dem strengen Blick meines Vaters stand. »Das ist wichtig.

Diese Menschen brauchen unsere Hilfe.« Ich lege so viel Nachdruck in meine Stimme wie möglich.

»Das sehe ich ein, aber du musst wichtige Dinge rechtzeitig erledigen, nicht auf den letzten Drücker. Die Schule, deine Ausbildung ist auch wichtig. Du musst lernen, um noch besser helfen und noch mehr tun zu können. Warum hast du die Druckdaten nicht schon am Wochenende fertiggemacht?«

»Hab ich ja, mit Maren. Sie wollte heute noch etwas ändern, aber dann war ihr Corona-Test positiv, deswegen musste ich einspringen. Dann war die Formatierung der Datei auf einmal weg und ich musste alles noch mal machen«, erkläre ich verbittert. »Die Pause hat nicht gereicht. Jeder andere Lehrer hätte dafür Verständnis gehabt, aber Pinglig ...«

»Das heißt immer noch Herr Pingler«, fällt mein Vater verärgert ein.

»Herr Pingler hat mich nicht mal ausreden lassen, er hat *mich* beleidigt, er hat mich vor der ganzen Klasse runtergemacht! Ehrlich, er ist ein ...«

»Jan!«, ermahnt mich Mom. Ihre Wangen sind gerötet.

Ich hole tief Luft und schlucke die Worte herunter, die mir auf der Zunge liegen. »Er ist ein mieser Lehrer. Er hasst Schüler, vor allem mich. Und das sag nicht nur ich. Alle sagen das.«

»Soso. Alle also.« Dads Tonfall verrät, dass er von dieser Aussage gar nichts hält.

Ich senke frustriert den Kopf.

»Hast du ihn beleidigt?«, fragt er dann.

Ich schlucke. »Ja«, gebe ich zähneknirschend zu. Ich bin zu weit gegangen, das weiß ich. »Aber was hätte ich machen sollen? Mich demütigen lassen? Von einer inkompetenten Null?«

Mein Vater bedenkt mich mit einem nachdenklichen Blick. Der Moment dehnt sich aus. Die Anspannung liegt greifbar in der Luft und der Druck in meinem Kopf nimmt plötzlich wieder zu.

»Ich bin enttäuscht, weißt du?«, sagt Dad schließlich.

Au. Ich sacke innerlich zusammen. Es wäre mir lieber gewesen, er hätte mich angeschrien.

»Wir haben dir beigebracht, warum gutes Benehmen wichtig ist. Egal, was du von einem Lehrer hältst, du hast ihm gefälligst ein Mindestmaß an Respekt entgegenzubringen. Und Unterricht geht vor, vor allem Mathe.«

Ich koche. Das kann ich auf keinen Fall so stehen lassen. »Nein. Menschenleben sind wichtiger als Mathe.«

»Jan«, mein Vater macht eine Pause und stemmt die Hände in die Hüfte. Er senkt den Kopf, sucht nach Worten, die es nicht gibt, und ich setze nach.

»Der Erlös geht an die Menschen in der Ukraine, Dad. Da sind Familien und Kinder, die nichts haben, keine Kleidung, kein Essen, keine Medikamente. Ich kann den Unterrichtsstoff nachholen, jederzeit, in meinem warmen Zimmer, mit meinem Computer und Lernchats.« Mit jedem Wort werde ich wütender. »Weil hier *keine* Bomben hochgehen und ich *nicht* um Essen betteln muss.«

In der darauf folgenden Stille klingen meine Worte lange nach. Mein Vater hebt den Kopf und sieht mich an.

»Du hast ja recht«, sagt er schließlich mit sanfter Stimme. Ich glaube, meinen Ohren nicht trauen zu können. »Und ich bin sehr stolz auf dich.«

Wumm. Plötzlich ist da die Wärme von Sonnenstrahlen in meiner Brust.

»Aber für dich gelten die gleichen Regeln wie für alle anderen. Das bedeutet, du hast jetzt einen Verweis in deiner Akte. Und wenn du wirklich Politiker werden willst, musst du lernen, solche Situationen diplomatisch zu lösen.«

Damit hat er recht. *Mist.* Verärgert schlage ich die Augen nieder. Es ist mein Traum, klar, irgendwann will ich selbst zu den Entscheidern gehören, mehr bewirken, die Großen und Mächtigen zum Umdenken bringen. Plötzlich kommt mir mein Verhalten kindisch vor.

»Ich entschuldige mich gleich morgen«, sage ich zerknirscht.

Mein Vater nickt langsam und bedächtig. »Und richte Pingler aus, dass ich in seine Sprechstunde kommen werde.«

Unwillkürlich stoße ich ein kleines Lachen aus. Der Gedanke hat etwas, unbestreitbar, aber ich möchte das nicht, nicht so. »Ist schon gut, ich kann das allein regeln, Dad, echt.«

»Ich weiß, aber ich will mir diesen Mann mal genauer anschauen. Nur so.«

Nur so, alles klar. Mein Vater hat eine Art, Menschen *nur so* anzuschauen, die alles andere als angenehm ist. Tief in meiner Brust löst sich etwas und ich bin mir der unerschütterlichen Liebe zwischen uns bewusst, diesem Band aus Harmonie, Vertrauen und Geborgenheit. Eigentlich müsste ich jetzt erleichtert sein.

Aber aus irgendeinem Grund bin ich es nicht ... Dieser Druck in meinem Kopf nimmt plötzlich wieder zu, doch das ist nicht alles. *Irgendetwas ist da draußen.* Ich sehe aus dem Fenster. Nie zuvor habe ich mich beim Anblick des Waldes derartig merkwürdig gefühlt, so, als ob ich beobachtet würde.

Und dann spüre ich plötzlich eine Furcht, die mich bis ins Innerste erfasst. Alles in mir zieht sich zusammen, während mein Herz wie wild hämmert. Das Gefühl kommt scheinbar aus dem Nichts, es ist völlig irrational, doch ich habe das drängende Bedürfnis, meine Eltern zu warnen.

Aber wovor? Spinne ich? Angespannt suche ich den Waldrand mit Blicken ab, das dichte Geäst der Büsche, die Schatten zwischen den kahlen Stämmen. Es ist nichts zu sehen, das meine Angst rechtfertigen würde. Und welche Gefahr kann schon von einem kleinen Stück Wald ausgehen? Das macht keinen Sinn.

Der Ast fällt mir wieder ein und wie er zur Seite gerollt ist. Dazu diese Sache mit dem Schwamm, Dinge, die sich von alleine bewegen, nur weil ich es mir wünsche. Kopfschmerzen. Träume. Und nun das Gefühl, dass etwas Gefährliches im Wald lauert. Irgendetwas stimmt nicht mit mir.

Ich schließe die Augen und massiere meine linke Schläfe, dort wo der Schmerz am stärksten ist.

»Jan?« Die Stimme meiner Mutter reißt mich aus meinen Gedanken. »Fehlt dir was?«

Ich wende mich ihr zu. »Nein, es ist nichts ...«

Plötzlich wird mir heiß und mein Mund trocken. Eine schreckliche

Gewissheit erfüllt mich. Etwas Furchtbares wird passieren. Eine Katastrophe.

»Raus!«, presse ich mühsam durch meine wie zugeschnürte Kehle.

Meine Eltern sehen mich nur fragend an, während ich von Todesangst erfasst werde. Jemand wird sterben. Ich muss sie hier wegschaffen. Das ist kein Gefühl mehr, das ist Gewissheit. Ich habe keine Ahnung, woher sie kommt, doch sie ist so stark, dass ich es nicht länger infrage stelle. Wenn ich nicht sofort handele, werden meine Eltern sterben.

Noch im Aufspringen schreie ich: »Runter!«, und mein Stuhl kracht gegen die Wand. Ich quetsche mich am Tisch vorbei und weiß, dass es nicht reichen wird, dass ich eine Millisekunde zu spät bei Mom sein werde. All meine Gedanken, all mein Flehen und Wünschen sind in diesem Moment auf meine Eltern gerichtet, die gleich sterben werden.

Ein kleiner grellroter Laserpunkt erscheint auf der Stirn meiner Mutter. Dann zuckt ein scharfer Schmerz durch meinen Kopf, wie ein Dolch aus glühendem Stahl.

Alles verschwimmt vor meinen Augen und ich habe das Gefühl, zu fallen, doch irgendwie machen meine Beine weiter, tragen mich um diesen dämlichen, viel zu breiten Tisch und quer durch die Küche. Ich sehe nichts mehr, höre aber ein Poltern. Eine hohe Stimme schreit, dann folgt ein Klirren wie von Sektgläsern, die aneinanderstoßen. Im nächsten Herzschlag bin ich bei Mom. Zu spät, ich greife Luft, sie liegt bereits auf dem Boden und ich breche hilflos neben ihr zusammen.

Helle Blitze tanzen vor meinen Augen. Immer noch ist da dieser unerträgliche, reißende Schmerz in meinem Kopf und ich spüre, wie etwas in mir bricht.

Im gleichen Moment explodiert Glas mit einem ohrenbetäubenden Knall. Im Reflex kauere ich mich über meine Mutter, schütze sie mit meinem Körper, während ein Regen aus Glassplittern auf uns niedergeht. Nasskalter Wind zieht fauchend über uns hinweg und dann ist der Schmerz weg, der Druck, das Stechen und das Reißen in meinem Kopf sind verschwunden. Meine ganze Welt ist ausgefüllt mit Furcht.

Sie krallt sich in meine Eingeweide und drückt erbarmungslos zu. Wie schwer ist meine Mutter verletzt? Lebt sie noch?

Mühsam rapple ich mich auf die Knie. Mein Sehvermögen kehrt langsam zurück, doch alles ist verschwommen. Wenigstens hat das Splittern aufgehört. Wir werden also nicht länger beschossen, denn das muss es gewesen sein. Schüsse, die die Scheiben zertrümmert haben, auch wenn es vollkommen absurd ist. Wer sollte auf uns schießen wollen? Das ergibt keinen Sinn.

»Mom? Dad?«

Ein Stöhnen erklingt neben mir und meine Mutter bewegt den Kopf. Erleichterung durchflutet mich. »Mom!« Ich taste nach ihrer Hand, die schlaff auf dem Boden liegt. »Nicht bewegen!« Oh Gott, sie blutet! Unter ihrem Kopf breitet sich ein scharlachroter Fleck aus. »Alles wird gut, nur nicht bewegen!«

Ich muss diese Blutung stillen. Wo kommt sie nur her? Wenn Mom von einer Kugel getroffen ... Ich wage nicht, den Gedanken zu Ende zu bringen. Doch zum Glück verblassen die Blitze vor meinen Augen und ich sehe klarer und deutlicher. Ihre Stirn ist glatt, unverletzt. An der Stelle, an der dieser rote Punkt geleuchtet hat, der Ziellaser einer Waffe, ist keine Schusswunde. Vor Erleichterung fange ich an zu zittern. Das Blut kommt von einer Platzwunde an ihrem Hinterkopf.

Aber was ist mit meinem Vater?

Ich will ihn suchen, doch jede Bewegung ist wie ein Kampf gegen eine zähe Masse, die mich festhält. Eine bleierne Schwere kriecht in meinen Körper, in Muskeln und Knochen, selbst meine Gedanken, und versucht, mich zu lähmen. Ich bin erschöpft wie nie zuvor in meinem Leben und brauche all meine Kraft, um mich zur Tür zu drehen.

Dort ist er. Mein Vater liegt am anderen Ende des Wohnzimmers, als hätte irgendwer oder irgendwas ihn quer durch den Raum geschleudert. Aber wer? Wie? Lebt er noch?

Ich robbe los, auf zitternden Händen und Knien, und wieder verschwimmt alles vor meinen Augen. Etwas Klebriges läuft an meinem rechten Arm herab. Der Ellenbogen dort tut höllisch weh, irgendwas Spitzes steckt dadrin. Auch in der linken Wade und in der Haut von Nacken und Händen spüre ich stechende Schmerzen. Müde frage ich mich, wie schwer ich selbst wohl verletzt bin, doch ich bin zu erschöpft, um nachzusehen.

Nie zuvor in meinem Leben war ich so hilflos. Ich hasse es. Eine Welle intensiver Gefühle überschwemmt mich. Wut über meinen Körper, der mir nicht mehr gehorchen will, und Angst, dass mein Vater stirbt, wenn es mir nicht gelingt, Hilfe zu holen. Die Welt zerfließt zu grauen Schemen. Wie dichter Nebel legen sie sich über mich, betäuben meine Sinne und ziehen mich hinab in tiefe Dunkelheit.

2

LICHT

Wieder der Traum, doch diesmal ist die Truhe offen. Gleißend helles Licht blendet mich. Reflexartig schirme ich die Augen mit den Händen ab und spähe vorsichtig zwischen den Fingern hindurch. Was ich sehe, ist unglaublich und wunderschön, wie eine Galaxie aus Licht. Lange, grellweiße Bänder kreisen um ein strahlendes Zentrum, als wäre es ihre Sonne. Ihr Leuchten ist so intensiv und hell wie ein Blitz. Sie sehen aus wie pure Energie.

Während ich es durch gespreizte Finger betrachte, schwebt das Lichtgebilde langsam höher und lässt sein hölzernes Gefängnis unter sich zurück. Dabei dehnt es sich aus.

Die längeren, breiteren Bänder ziehen geordnet ihre Bahnen wie Planeten auf einer Umlaufbahn. Andere dagegen, schmale, flinke Bänder, wechseln ständig die Richtung und schlüpfen zwischen den größeren hindurch, als würden sie Fangen spielen. Auf den ersten Blick wirkt dieses rotierende System chaotisch, doch je länger ich das Spiel des Lichts betrachte, umso stärker weicht dieser Eindruck dem Gefühl, dass eine unbegreifliche Ordnung in dem Ganzen existiert.

Und es verändert sich. Nach einiger Zeit wächst ein neues Band aus dem hellen Zentrum heraus. Erstaunlich schnell wird es länger und reiht sich in den Tanz der Bänder ein, die ihre Umlaufbahnen daraufhin nochmals ausweiten. Das Licht schwebt jetzt weit über der Kiste und hat sich auf mehr als das Doppelte ausgedehnt.

Je länger ich das Licht betrachte, umso mehr Einzelheiten entdecke ich. Aus dem hellen Zentrum sprühen einzelne rote Funken. Eine Zeit lang treiben diese glühenden Partikel zwischen den Energiebändern, dann verblassen sie allmählich und verglimmen wie Sternschnuppen.

Doch beständig nehmen neue Funken ihren Platz ein und es werden immer mehr.

Wie es sich wohl anfühlt, das Licht zu berühren? Ich gehe vorsichtig näher an das Gebilde heran und strecke eine Hand aus. Ein Anflug von Furcht durchzuckt mich – was, wenn es mich verbrennt? Aber die Neugier ist stärker. Angespannt bewege ich die Finger weiter auf eines der Energiebänder zu. Dann fasse ich es an, ganz leicht nur, und meine Anspannung löst sich, so schnell und so tief, dass ich beinahe vor Wohlbefinden aufseufze. Das Gefühl ist wie warmes Wasser, doch es durchdringt meine Haut, die Muskeln darunter bis in die Knochen. Fasziniert tauche ich den gesamten Arm ein und drehe ihn hin und her. Die Bänder gleiten mühelos hindurch.

Gerade als ich überlege, ganz in das Licht einzutauchen, trifft mich einer der roten Funken und heißer Schmerz reißt mich abrupt aus meinem Staunen. Obwohl der Partikel winzig ist, fühlt es sich an, als würden sich Feuerzungen durch meinen Arm fressen. Reflexartig zucke ich zurück, halte die Hand an meine Brust und wickle den Stoff meines Shirts darum, um die Flammen zu ersticken, die ich spüre.

Im nächsten Moment bin ich wach. Truhe, Licht und Schmerz – alles ist weg, bis auf ein dumpfes Pochen, wo der Funke aufgetroffen ist. Ich lasse meine Augen geschlossen und halte den Arm weiter schützend an meinen Körper. Vorsichtig betaste ich ihn. Er scheint unversehrt. Keine Brandwunden, nichts.

Langsam nehme ich meine Umgebung wahr. Etwas Warmes, Weiches hüllt mich ein, unter mir liegt eine Matratze, über allem schwebt der beißende Geruch von Desinfektionsmitteln. Ich öffne die Augen und zucke augenblicklich zusammen. Es ist viel zu hell. Ich will die Hände vors Gesicht heben, doch meine Muskeln sind ungewohnt schwer, wie mit Blei gefüllt. Als ich die Beine bewege, spüre ich es auch dort. Mein Herz hingegen pocht wie nach einem Sprint.

Was ist los mit mir?

Dann kommt die Erinnerung zurück. Kopfschmerzen, jemand hat auf meine Eltern geschossen. Ich habe sie – ja, was eigentlich? Ich wollte sie zur Seite stoßen, aber sie lagen bereits. Wie ist das geschehen? Warum bin ich so extrem erschöpft? Und was ist mit meinen Eltern?

Hinter meinen seltsam zittrigen Fingern öffne ich die Augen erneut, vorsichtiger diesmal, und warte, bis sie sich an die Helligkeit gewöhnt haben. Ich sehe eine weiße Bettdecke, einen billigen Fernseher an der gegenüberliegenden Wand und einen roten Alarmschalter darunter. Ein Krankenhauszimmer. Schlagartig bin ich hellwach. Meine Eltern – sind sie auch hier? Ich zwinge meine Bleimuskeln dazu, mich aufzusetzen.

»Hallo Jan.« Eine tiefe Männerstimme links von mir erschreckt mich.

Am anderen Ende des Zimmers steht ein Tischchen von der Größe zweier Essenstabletts und daneben zwei dieser praktischen Sitzmöbel, die man leicht reinigen und stapeln kann. Auf einem sitzt mein Vater, ganz offensichtlich unverletzt. Eine tonnenschwere Last fällt von mir ab.

»Es wird alles gut, Jan«, sagt er mit belegter Stimme.

Von dem anderen Stuhl erhebt sich ein kahlköpfiger Mann. Obwohl er nicht lächelt, wirkt er freundlich und ist mir aus unerfindlichen Gründen sofort sympathisch. Ein Arzt ist er sicher nicht, jedenfalls ist er nicht wie einer angezogen. Er trägt dunkelbraune Jeans und ein kakifarbenes T-Shirt. Ich schätze ihn auf Anfang vierzig, doch vielleicht täuschen mich seine athletische Statur und die sonnengebräunte Haut. Da sind zahlreiche kleine Fältchen in seinem Gesicht, aber vor allem der Ausdruck in seinen braunen Augen, besorgt, nachdenklich und irgendwie weise, verrät, dass er wahrscheinlich zehn Jahre älter ist.

Ich möchte wissen, wer dieser Fremde ist und was er hier will, doch eine andere Frage ist dringender. »Wo ist Mom? Geht es ihr gut?«

»Sie braucht noch viel Ruhe, aber sie wird wieder ganz gesund«, antwortet Dad.

Etwas löst sich in meiner Brust und ein komischer Laut kommt aus meiner Kehle. Dann vergrabe ich das Gesicht in den Händen, bis ich mich wieder unter Kontrolle habe. Meine Eltern leben. Ich lebe. Zwar zittere ich, aber ich sage mir dieselben Worte so lange auf, bis es nachlässt.

Mein Vater wartet geduldig, bis ich die Hände sinken lasse. Erst jetzt sehe ich die dunklen Ringe unter seinen Augen, die von zu vielen Sorgen und zu wenig Schlaf zeugen. Was immer auch geschehen ist, es ist noch nicht vorbei.

»Wer sind Sie? Und was ist passiert?«, frage ich den Fremden.

»Das werde ich dir gerne erklären. Mein Name ist Aidan Robinson und ich bin hier, um dir zu helfen. Doch zunächst einmal versichere ich dir, dass deine Eltern und du außer Gefahr seid. Diejenigen, die euch angegriffen haben, sind geflohen. Inzwischen sind sie weit weg. Und solange wir hier sind, werden sie nicht zurückkommen.«

Robinson spricht mit einem britischen Akzent. Seine Worte sind freundlich, doch er klingt wie ein Arzt, der einem Patienten eine schlimme Diagnose beibringen muss.

»Dann wissen Sie, wer uns angegriffen hat?«, frage ich ihn.

»Wir haben eine Vermutung.«

»Wer war es?«

»Alles der Reihe nach.« Plötzlich neigt Robinson den Kopf und sein Blick richtet sich in eine unbestimmte Ferne, als lausche er einer Stimme, die nur er hören kann. Es dauert nur einen Moment, dann werden seine Augen wieder klar und er dreht sich zu meinem Vater. »Herr Novak, Ihre Frau wird gleich aufwachen. Sie möchten bestimmt bei ihr sein, wenn sie zu sich kommt.«

Ich frage mich, wie er das wissen kann. Ein winziger Empfänger im Ohr?

»Sicher. Das ist eine gute Nachricht.« Mein Vater erhebt sich. In seinem Gesicht sehe ich Schmerz und Erschöpfung, als müsse er sich von einer Verletzung erholen oder Schlimmerem.

»Was ist mit dir passiert? Was um alles in der Welt geht hier vor sich?«, frage ich ungeduldig.

Mein Vater schüttelt leicht den Kopf, als ob er es selbst nicht weiß. Oder nicht wissen will. Dann sieht er mich an, als suche er etwas in meinem Gesicht. Antworten vielleicht. »Hör dir an, was er zu sagen hat, Jan. Auch wenn es dir nicht gefällt. Ich glaube ihm.«

Ich will nicht, dass er geht. Nicht solange ich keine Ahnung habe, was eigentlich geschehen ist. Aber meine Mutter braucht ihn auch. Das Ganze ist schon beängstigend genug, sie soll nicht auch noch alleine aufwachen. Also darf ich ihn nicht aufhalten. »Ist er von der Polizei?«, frage ich dennoch.

»Die Polizisten sind gestern Abend gegangen. Erzähl ihm alles, was du weißt, Jan. Alles, was gestern passiert ist.«

Gestern? »Wie lange war ich bewusstlos?«

»Etwas mehr als einen Tag.« Wieder dieser suchende Blick in mein Gesicht, dann lässt uns mein Vater allein.

Das gefällt mir nicht. Dann endlich klickt es bei mir. Kopfschmerzen, schlimme Diagnose, der Zustand meines Vaters, der um Jahre gealtert wirkt. »Habe ich einen Hirntumor?«

»Nein, das nicht.« Der Fremde lächelt kurz, dann wird er ernst. »Ich möchte über zwei Dinge mit dir reden, Jan. Das eine bespreche ich mit allen Jugendlichen, die dasselbe Talent besitzen wie du. Die andere Sache ist auch für uns neu.«

Ein Talent?

Robinson sieht mich ruhig und entspannt an. Er strahlt Gelassenheit und Selbstsicherheit aus, ein schroffer Gegensatz zu dem Aufruhr in meinem Inneren. Und allein indem ich ihn ansehe, geht ein Teil dieser Ruhe auf mich über.

»Aber das alles bespricht sich leichter bei einer Tasse Tee.« Robinson dreht sich zum Tisch und nimmt die rote Kunststoffthermoskanne.

Will er mich hinhalten? »Ich mag keinen Tee.« Mag sein, dass mein Ton etwas zu barsch ist, aber ich habe gerade mit ansehen müssen, wie meine Eltern fast erschossen wurden. Ich bin im Krankenhaus und etwas Beängstigendes passiert mit mir. Ich will Antworten, keine Teestunde.

Doch Robinson lässt sich weder von meinem Ton noch von der Ablehnung irritieren. Ungerührt schenkt er dampfenden Tee in die farblosen Einheitstassen. Dann heben die Tassen vom Tisch ab und schweben durch die Luft. Einfach so. Eine landet in Robinsons Hand, die andere kommt direkt auf mich zu und hält in Griffweite vor mir an. Einen guten Meter über dem Boden.

3

TALENT

Wumm. Es ist wie eine lautlose Explosion, ein ähnliches Gefühl wie vor neun Monaten, als die ersten Bilder vom Krieg in der Ukraine die Nachrichten fluteten. Ich bin wie betäubt. Die Welt, wie ich sie kannte, hat gerade aufgehört, zu existieren, was ich aber noch nicht ganz begreife. Ich werde in eine völlig neue Realität katapultiert und der harte Aufschlag steht noch bevor.

»Greif zu, es wird dir nichts geschehen.«

»Ach ja?« Das denke ich nicht. Es ist bereits etwas mit mir geschehen und egal, was dieser Mann mir erzählt, ich glaube nicht, dass ich in mein altes Leben zurückkehren kann. »Ich denke, es wird ziemlich viel mit mir geschehen, wenn ich diese Tasse nehme.«

Robinson lächelt. »Du hast recht. Ich meinte damit nur, sie wird nicht explodieren.«

Vielleicht ist es ja ein Trick. Langsam strecke ich die Hand aus. Ein Teil von mir hofft, die Täuschung zu enttarnen, dann berühren meine Finger das Gefäß. Nichts passiert. Alles passiert. Die Tasse zerplatzt nicht wie eine Seifenblase, und ich greife auch nicht ins Leere wie bei einer Projektion. Ich spüre den robusten Kunststoff und damit wird es real. Ich kann sogar den heißen Dampf fühlen, der mein Gesicht benetzt.

Hitze flutet meinen Körper. Mein Herz rast. Wenn das ein Trick ist, dann ein ziemlich guter. Ist es allerdings nicht. Unterschiedliche Gefühle wallen in mir auf, Überraschung, Unglaube, aber irgendwo tief in mir auch Erleichterung. Und eine vage Sorge vor der Bedeutung dessen, was Robinson mir in wenigen Sätzen offenbart.

Ich bin ein PSI-Talent, so nennen sie Menschen wie mich. Die Kopfschmerzen und die Träume waren Hinweise auf den bevorstehenden

Ausbruch dieser Fähigkeit. Telekinese. Ich kann Dinge bewegen, indem ich daran denke. Den Schwamm, den Ast. Das war ich. Angeblich.

Das klingt alles ziemlich unglaublich. Vielleicht habe ich doch einen Hirnschaden? Aber die Tasse in meiner Hand ist real. Robinson hat sie schweben lassen, ebenso wie ich den Ast bewegt habe. Auch die anderen Vorfälle werden durch seine Worte erklärt. Alles in mir sträubt sich dagegen, aber ich muss zumindest in Betracht ziehen, dass er die Wahrheit sagt. Und er hat sogar meinen Vater überzeugt. Also gebe ich ihm eine Chance.

Als Robinson fertig ist, lehnt er sich zurück, schlägt die Beine übereinander und trinkt aus der Tasse, aus der immer noch feiner Dampf aufsteigt. »Erzähl mir von dem Angriff.«

Ich berichte ihm alles, woran ich mich erinnere, bis zu dem Moment, als ich den Ziellaser auf der Stirn meiner Mutter sah. Wie ich versucht habe, sie rechtzeitig zu erreichen. Dass es unmöglich war und sie trotzdem noch lebt. Während ich erzähle, überzeuge ich mich zunehmend selbst. Ein Hirnschaden hätte meine Mutter nicht aus der Schusslinie schieben können.

Robinson hört aufmerksam zu, mit verschränkten Armen, zwei Finger der linken Hand an die Schläfe gelegt. »Das ist ungewöhnlich«, sagt er schließlich. »Es erfordert sehr viel Übung, diese Fähigkeit zu kontrollieren. Doch deine Kräfte gehen weit über das normale Niveau hinaus.«

»Woher wollen Sie das wissen?«

»Nur so haben wir dich über den halben Globus hinweg spüren können.«

»Auf der anderen Seite der Welt?«

»Unsere Kräfte erwachen meist langsam, in kleinen Schüben. Emotionaler Stress kann es beschleunigen und wir denken, das ist bei dir passiert. Es gab einen starken Ausbruch, als du die Gefahr gespürt hast, in der deine Eltern schwebten. Dein Geist hat alle Schranken niedergerissen, um sie zu retten. Die Energie, die dabei freigesetzt wurde, hat einiges an Zerstörung angerichtet. Allerdings haben wir dich dadurch finden können.«

Das Splittern, die Scherben, das war also ich? »Was habe ich zerstört?«

»Nichts, was nicht wieder repariert …«

»Ich erfahre es sowieso«, unterbreche ich ihn. »Ich habe es satt, beruhigt zu werden. Ich bin schließlich kein Kind mehr.«

Robinson sieht mich lange an, dann nickt er. »Fenster, alle. Einige Schränke sind umgeworfen, in einer Wand sind Risse.«

Vielleicht gibt es Leute, die das toll finden. Superkräfte, übernatürliche Fähigkeiten. Aber ich nicht. Wenn es wahr ist, was Robinson sagt, ist klar, was dieser Angriff sollte. Er galt mir, sicher, denn Menschen mit übernatürlichen Fähigkeiten sind mächtig und damit gefährlich. Nicht auszudenken, wenn Soldaten mit derartigen Begabungen in Kriegen eingesetzt würden. Leute, die kraft ihrer Gedanken Mauern einstürzen lassen können oder Raketen steuern.

Himmel! Mehr und mehr wird mir bewusst, was es bedeuten würde, sollte es PSI-Kräfte wirklich geben, sollte dies keine Science-Fiction sein. Menschen wie ich sind dann je nach Standpunkt entweder außergewöhnlich wertvolle Soldaten oder eine extreme Bedrohung. Ich bin zur Zielscheibe geworden, und meine Eltern hängen mit drin. Jetzt weiß ich, warum mein Vater so elend aussah.

Aber auf welcher Seite steht Robinson? Wer ist er? Und was hat er mit mir vor? Kommt er vielleicht von der Regierung? Ist er hier, um mich zu entführen?

Doch Robinson schüttelt den Kopf, ein Lächeln umspielt seine Mundwinkel. »Keine Sorge, die Regierung weiß nichts von uns, außer denjenigen, die zu uns gehören. Und ich werde dich nicht entführen.«

Ist das Telepathie? Ich erschrecke bis ins Mark, fühle mich nackt und bloßgestellt. »Lesen Sie meine Gedanken?«

»Nicht gegen deinen Willen«, sagt Robinson ernst. »Und es ist weniger ein Lesen als ein Hören. Ich kann deine Gedanken hören, aber nur, wenn du es aktiv zulässt. Wenn du mich rufst, sozusagen. Das gerade war lediglich gut geraten. Ich führe dieses Gespräch nicht zum ersten Mal.«

Ich erinnere mich an den Moment, kurz bevor er meinen Vater hinausschickte. »Vorhin, wer hat Sie da kontaktiert?«

Robinson lächelt. »Professor Nakoma. Sie ist bei deiner Mutter.«

»Wie geht es ihr?«

»Sie wird wieder vollkommen gesund, keine Sorge.«

Das beruhigt mich ein wenig, jedoch nicht völlig. Ich weiß immer noch nicht, auf welcher Seite er steht und für wen er arbeitet. »Woher weiß ich, dass Sie die Wahrheit sagen?«

Er zuckt die Schultern. »Menschenkenntnis.«

»Die sagt mir, dass ich Fremden nicht gleich alles glauben soll.«

Robinson lacht kurz auf. »Punkt für dich.«

Er ist immer noch ganz locker. Und sympathisch, obwohl mir das gerade ziemlich gegen den Strich geht. Mein Gefühl sagt mir, dass Robinson nichts Böses will. Aber es sagt mir auch, dass er unangenehme Informationen zurückhält. »Was wollen Sie von mir?«

»Ich will dich kennenlernen. Punkt eins.« Er wird wieder ernst. »Und ich will versuchen, dich für unsere Akademie zu gewinnen. Punkt zwei.«

Und schon ist mein Misstrauen wieder geweckt. »Was für eine Akademie soll das sein?« Womöglich soll ich dort zum Soldaten ausgebildet werden. »Wollen Sie mich rekrutieren? Für wen arbeiten Sie?«

Robinson bleibt ruhig, gelassen. Geduldig. Und wohlwollend. Als er antwortet, merke ich, dass er Lehrer sein muss, denn nur die sprechen so. »Nein, ich will dich einladen. Als Schüler.« Wieder lächelt er. »Wir sind eine unabhängige, private Schule. Unser Ziel ist es, PSI-Talente vor eben jenen Staatsgewalten zu schützen, die du fürchtest, sie auszubilden und anzuleiten, ihre Fähigkeiten zu nutzen. Talente wie du finden bei uns die Anonymität, die sie schützt, weil wir im Verborgenen leben.«

Pah. »Klingt ja wie bei X-Men. Und das soll ich glauben?«

»Nein, keiner von uns hat ein Adamantium-Skelett und du musst mir nichts glauben. Du kannst dich mit eigenen Augen davon überzeugen.«

»Wo ist diese Schule?«

»Ziemlich weit weg.«

Das gefällt mir nicht. Hier ist alles, was mir wichtig ist. Die Menschen, die ich liebe. Meine Eltern, Maren, die für mich wie eine Schwester ist, meine Schule, mein Leben. Ich kann hier nicht weg und ich will nicht weg. Außerdem müsste ich alles aufgeben, den Spendenlauf, die Solaranlage, alle meine Projekte. Ich sehe ihn an und schüttle langsam den Kopf. »Ich habe hier noch etwas vor.«

Robinson scheint diese Absage nicht zu beeindrucken. Wieder nickt er, als hätte er sich das schon gedacht. »Ich hatte gehofft, dass du das sagen würdest. Ich weiß von deinem Engagement und ehrlich gesagt hätte es mich enttäuscht, wenn du es so leicht aufgeben würdest. Aber ich bitte dich, dir anzuhören, was wir zu bieten haben, bevor du deine endgültige Entscheidung triffst.«

Die Art, wie er mit mir spricht, beeindruckt mich mehr, als mir lieb ist. Aber ich habe keine Lust auf eine Werbeveranstaltung. Ich will aus diesem Krankenbett raus und mich davon überzeugen, dass es meiner Mutter wirklich gut geht. »Ich bin nicht der Typ, der sich von Marmorböden-Schnickschnack beeindrucken lässt. Eigentlich würde ich das lieber überspringen.«

Robinson zieht einen Mundwinkel nach oben. »Kein Marmor«, sagt er. Seine Augen blitzen. »Du hast ein Talent, aber ohne Anleitung wirst du es nie richtig nutzen können. Bei uns lernst du, dein Licht zu entwickeln, zu stärken und damit Dinge zu tun, die du nie für möglich gehalten hättest.«

Licht. Das erinnert mich an die Träume. Ich bin neugierig, wie das mit dem PSI-Talent zusammenhängt und wie man damit umgeht, aber ... »Muss ich dann nicht von der Bildfläche verschwinden? Sicher darf niemand etwas von dieser Akademie erfahren, oder? Dann dürfte auch niemand wissen, dass es mich gibt oder was ich kann.«

»Wir haben eine plausible Alibi-Geschichte. Internat, weit weg, Schweiz, Neuseeland, etwas in der Art. Deine Eltern wären eingeweiht, aber ansonsten – ja, du darfst mit niemandem über die Akademie sprechen.«

»Was nützen mir Fähigkeiten, wenn ich sie nicht einsetzen kann?

Außerdem will ich Politiker werden. Ich wüsste nicht, wie mir eine geheime PSI-Fähigkeit dabei helfen soll.«

»Immerhin hat diese Fähigkeit gestern zwei Menschen das Leben gerettet.«

Ich versuche, mich zu erinnern. Der Ziellaser auf der Stirn meiner Mutter, der Tisch, der im Weg stand. Dann die reißenden Schmerzen. Meine Mutter lebt noch, obwohl das unmöglich ist. War das wirklich ich? »Hat sie das?«, hake ich nach.

»Wir haben Reste der PSI-Energie bei deinen Eltern gefunden. Nach allem, was du und dein Vater erzählt haben, gibt es keine andere Erklärung. Du hast sie mit Telekinese aus der Schusslinie gebracht.«

Schweigen. Ich überlege. »Punkt für Sie«, muss ich schließlich zugeben. Ich beschließe, mir anzuhören, was er zu sagen hat. »Also gut. Aber wie bekomme ich einen Abschluss von einer Schule, die es nicht gibt?«

Jetzt grinst Robinson. Schlagartig sieht er wieder jünger aus, dreißig, höchstens.

»Sagen wir mal so: Wir haben Kontakte zu Schulen, die anerkannte Zeugnisse vergeben. Du kannst bei uns jeden Abschluss machen, den du möchtest. Highschool, College, deutsches Abitur oder französisches baccalauréat. Das wird nicht das Problem sein.«

Ich glaube, jetzt kommen wir langsam zu dem Punkt, den ich gar nicht hören will. »Was wird dann das Problem sein?«

»Der Unterricht ist herausfordernder als alles, was du bisher erlebt hast.«

Ich hoffe, er übertreibt. Schließlich bin ich niemand, dem in der Schule alles zufliegt. Im Gegenteil, ich muss hart arbeiten, um den Stoff zu packen. Manchmal reicht nicht einmal das. In Politik und Deutsch bin ich richtig gut, Fremdsprachen sind okay, aber bei Mathe … Wenn es in Mathe anspruchsvoll wird, bin ich raus.

»Wie herausfordernd?«, frage ich so beiläufig wie möglich.

»Wir bereiten unsere Schülerinnen und Schüler darauf vor, Führungsrollen in der Welt zu übernehmen, um Kriege zu verhindern, die Umweltzerstörung aufzuhalten und das Klima zu stabilisieren.

Sie werden eines Tages in der Lage sein, mit den Ressourcen des Planeten so umzugehen, dass für jeden genug da ist: Nahrung, sauberes Wasser, medizinische Versorgung. Wir kämpfen dafür, dass die Menschheit die Grundlagen ihrer Konflikte beseitigen kann, für stabile Regierungen und die Chance auf ein gutes Leben für jeden.«

Ich bekomme eine Gänsehaut. Genau das will ich, wollte ich immer.

»Absolventinnen und Absolventen unserer Schule studieren nach ihrem Abschluss an Eliteuniversitäten wie Harvard, Oxford, Yale und dem MIT. Einige von ihnen arbeiten inzwischen bei der NASA, in der medizinischen Forschung, im Bereich künstliche Intelligenz und im Ökosystemmanagement. Manche sind bei amerikanischen und europäischen Geheimdiensten tätig sowie in den Beraterstäben zahlreicher Regierungen. Wir stehen nicht im Rampenlicht und niemand hält uns für Superhelden, aber wenn du eines Tages einflussreich sein willst, dann ist unsere Akademie der Weg zu deinem Ziel.«

Was Robinson aufzählt, ist genau das, was ich erreichen will. Dagegen wirken meine Projekte hier ziemlich unbedeutend.

»Dementsprechend viel wird im Unterricht verlangt. Dazu kommen Kurse, die der Kontrolle deines Lichts dienen. Du hast also schwerere Aufgaben als bisher und obendrein mehr davon.«

Wie soll ich nur an so einer Schule bestehen? »Ich dachte, Sie wollen mich anwerben, nicht abschrecken«, meine ich sarkastisch, doch er hat es schon fast geschafft. Wenn diese Schule nur halb so viel bietet, wie er verspricht, dann will ich dorthin.

»Ich bin nur ehrlich zu dir. Du sollst wissen, was auf dich zukommt.«

Ich kann es nicht verhindern, meine Gedanken machen sich selbstständig und beschwören ein Bild herauf. Nicht mehr von Pingler unterrichtet werden, sondern von Robinson und anderen seines Schlags. Das ist ein verlockendes Angebot. Aber ich kann nicht gehen, nicht jetzt. Das wäre einfach nicht richtig. Maren hat sich nur unter der Bedingung zur Schülersprecherin wählen lassen, dass ich auch dabei bin. Es wäre schäbig, wenn ich sie jetzt hängenlasse.

Ich schüttle den Kopf. »Ich muss hier noch etwas zu Ende bringen.«

Ein harter Zug erscheint um Robinsons Mundwinkel. »Wenn ihr hierbleibt, ist das riskant. Wir würden Kräfte zu eurem Schutz abstellen, aber der hätte Lücken. So weit von unseren Operationsbasen entfernt sind unsere Möglichkeiten begrenzt. Wir können dir und deiner Familie einen sicheren Ort außerhalb unserer Schule anbieten, aber dafür müsstet ihr umziehen.«

Dann ist mein Leben hier so oder so vorbei? Ich würde am liebsten aufspringen und abhauen, einfach nur laufen, bis ich mich abgeregt habe. Dieses Zimmer, Robinson und alles, was damit verbunden ist, hinter mir lassen, bis ich wieder einen klaren Kopf habe. Doch alles, was mein erschöpfter Körper noch zustande bringt, ist, mich in das Kissen sinken zu lassen und mit der Faust auf die Bettdecke zu schlagen. Himmel, ich bin so müde! Und mein Kopf fühlt sich zugleich wund und viel zu voll an. Irgendwie entzündet.

»Probier den Tee«, sagt Robinson leise.

Tee. Als ob das helfen würde! Ich versuche, ein frustriertes Schnauben zu unterdrücken, aber schaffe es nicht. Andererseits hilft Flüssigkeit wirklich gegen Kopfschmerzen, also trinke ich. Der Tee ist bitter, doch nach und nach entfaltet sich ein süßliches und fruchtiges Aroma auf meiner Zunge, ein Geschmack wie eine exotische Blumenwiese. Und er erfrischt mich. Nicht wie Kaffee oder Cola, nicht aufgeputscht, es ist wie nach ein paar Stunden Schlaf. Ich fühle mich ausgeruht, die Schwere in meinen Muskeln nimmt ab.

»Was ist das?«, will ich wissen.

»Eine Zutat, die dein Licht stärkt.«

»Eine Droge?«

»Die Blüten einer Pflanze, die regenerative Eigenschaften besitzt: Azunnah. Sie macht weder süchtig noch ist sie halluzinogen. Man könnte sie vielleicht mit Aloe vera vergleichen.«

Das habe ich einmal irgendwo gelesen. Der Saft der Aloe lässt Wunden schneller heilen.

»Die Blüten wirken regenerierend auf unser Licht. Du solltest es rasch spüren.«

Mein Kopf fühlt sich immer noch schlimm an, aber ein wenig besser ist es schon. Auch mein Körper ist erfrischt, zumindest ein bisschen. »Kann sein«, meine ich und trinke die Tasse leer. »Was ist dieses Licht?«

»Dazu kommen wir später«, meint Robinson, steht auf und kommt mit der Teekanne herüber, um mir nachzuschenken.

Währenddessen versuche ich, meine Gedanken zu ordnen. Irgendwie muss ich einen Weg finden, hierbleiben zu können. Das Problem ist die Gefahr durch die Angreifer. Robinson kann uns hier angeblich nicht ausreichend schützen, aber vielleicht ist das gar nicht nötig? Ich meine ...

»Ich kann mich selbst beschützen«, sage ich.

Robinson, der inzwischen zu seinem Platz zurückgekehrt ist und gerade die Kanne auf dem Tischchen abstellt, sieht überrascht auf. »Du weißt nicht ...«

»Ich habe es gespürt«, beharre ich. »Im Wald, auf dem Weg nach Hause und viel stärker kurz vor dem Angriff. Nur wusste ich noch nicht, was los ist. Jetzt weiß ich es. Und das bedeutet, dass ich schnell genug reagieren kann.«

Robinson schüttelt den Kopf. »Diese Leute sind gefährlicher, als du dir vorstellst.«

»Trotzdem habe ich sie aufgehalten, ganz allein, als Sie noch nicht einmal wussten, dass es mich gibt. Jetzt weiß ich, was ich kann. Wenn sie wieder angreifen, kann ich mich wehren. Ich kann uns schützen.«

Robinson sieht mich an. In seinen Augen spiegelt sich die Erfahrung eines langen Lebens. Er glaubt nicht, dass ich es alleine schaffen kann.

»Sie haben gesagt, dass ich viel stärker bin als andere«, setze ich nach.

Robinson faltet die Hände vor dem Gesicht und streicht nachdenklich mit dem Daumen über die Lippen. »Das bist du«, sagt er. »Aber du weißt nicht, mit wem du es zu tun hast.«

»Dann sagen Sie es mir.«

Ein Schatten huscht über Robinsons Gesicht. Ich habe das Gefühl, als müsse er eine persönliche Niederlage eingestehen. Irgendetwas an diesem Angriff setzt ihm zu. Aber was? Schließlich geht ein Ruck durch seinen Körper, er stützt die Arme auf den Oberschenkeln ab und beginnt, zu erzählen.

»Den Angriff auf euer Haus haben Söldner zu verantworten, Elitekämpfer, die von einem Mann namens Asker Savant angeheuert wurden. Es gab eine Reihe von Angriffen, die nach dem gleichen Muster verliefen. Wir nehmen an, dass er dich entführen wollte, genauso wie er es bei einigen unserer besten Schüler und Schülerinnen versucht hat.«

»Wer ist dieser Savant? Was will er?«

»Früher dachte ich, er ist derjenige, der diese Welt retten kann. Inzwischen glaube ich, er wird sie zerstören.«

Er macht eine kurze Pause. Das war keine richtige Antwort auf meine Frage, doch ich wage nicht, nochmals nachzuhaken. Robinson ist angespannt, zum ersten Mal in unserem Gespräch.

»Er war einer unserer Lehrer.«

Er stockt. Da ist noch etwas, das Robinson nicht sagen will. Etwas Persönliches vielleicht?

»Als Lehrer war er von unschätzbarem Wert für uns. Er ist der intelligenteste Mensch, den ich kenne, ein absolutes Genie, wenn es um Computer und Zahlen geht. Seiner Genialität ist es zu verdanken, dass unsere Schule überhaupt existiert. Er ist in der Lage, bis zur totalen Erschöpfung und darüber hinaus sein Ziel zu verfolgen, bis er es erreicht hat. Seine Hartnäckigkeit und sein Erfindungsgeist übersteigen alles, was mir zuvor begegnet ist. Er verfügt über nahezu unbegrenzte finanzielle und technologische Möglichkeiten und wenn er sich etwas in den Kopf gesetzt hat, findet er Wege, es zu erreichen.

Doch er hat sich von unseren Werten und Idealen abgewandt. Er hat den Glauben an unsere Prinzipien verloren. Und nach allem, was er vor seinem Weggang gesagt hat, müssen wir annehmen, dass er die Ordnung auf unserem Globus mit Gewalt verändern will.«

Das klingt nach Größenwahn, aber ich wage immer noch nicht, Robinson zu unterbrechen. Jetzt sieht er mich direkt an und in seinem Gesicht stehen Trauer und Sorge. »Wir wissen nicht, was genau er vorhat, doch er entführt die stärksten PSI-Talente, die man auf dem Planeten findet. Und er geht dabei äußerst skrupellos vor. Wenn man bedenkt, welche Mittel ihm zur Verfügung stehen, ist der Schaden, den er bewirken kann, unvorstellbar. Zumal er nicht aufgeben wird, bis er sein Ziel erreicht hat.«

Robinsons Worte verfehlen ihre Wirkung nicht. Mein Magen zieht sich zusammen und meine Kehle wird eng. Erst jetzt wird mir klar, wie viel Glück wir gestern hatten. Dass wir nur um Haaresbreite entkommen sind. Aber ... »Wenn er mich entführen wollte, warum hat er versucht, meine Eltern zu töten?«

»Wir nehmen an, sein Motiv ist kalte Berechnung. Er wollte dich heimatlos machen, indem er dir deine Familie nimmt, und dir dann ein neues Zuhause geben. Er inszeniert sich als Retter und liebender Vater, um Talente an sich zu binden. So versucht er, ihre Kräfte dauerhaft für seine Sache zu gewinnen.«

»Aber das hat nicht funktioniert, und da ich jetzt Bescheid weiß, kann dieser Plan nicht mehr aufgehen. Damit müssten meine Eltern doch außer Gefahr sein, oder?«

»Vielleicht, aber das glauben wir nicht. Durch deine Liebe zu ihnen bist du erpressbar, sollte Savant sie entführen.«

Dann sind meine Eltern wegen mir zur Zielscheibe geworden. Egal, was ich mir wünsche, egal, was ich mal vorhatte, all das wird damit zur Nebensache. »Können Sie sie schützen?«

»Hier nicht. Wie gesagt, der Schutz hätte Lücken. Und Savant würde sie finden.«

Obwohl ich das Gefühl habe, etwas sagen zu wollen und etwas sagen zu müssen, kann ich es nicht, denn meine Zunge und meine Stimmbänder sind starr.

Robinson spricht schnell weiter, bevor ich die Chance habe, durchzudrehen. »Wir bringen sie an einen sicheren Ort.«

Das klingt schon besser, aber es klingt auch nach *weit weg*.

»Der beste Weg ist, dich in der Akademie aufzunehmen. Wenn du mit uns kommst, schickst du ihm damit die klare Botschaft, dass ihr unter unserem Schutz steht. Damit macht es für ihn keinen Sinn mehr, deine Eltern anzugreifen. Er würde riskieren, in eine Falle zu laufen. Seine Analyse der Situation muss ihm das aufzeigen. Gleichzeitig ist es auch der wirksamste Schutz für dich: Die vereinte Kraft unserer Lehrer ist das einzige unüberwindbare Hindernis, das es für Savant gibt, und er weiß das.«

Ich leide immer noch unter den Nachwehen des Anschlages. Der Tee hat die Kopfschmerzen nicht ganz vertreiben können und mein Denkvermögen scheint irgendwie beeinträchtigt, denn ich brauche mehrere Anläufe, um zu begreifen, was Robinson gerade gesagt hat. Aber schließlich dringt die Information wie ein Hammerschlag durch den Nebel. Robinsons Worte bedeuten, dass die Entscheidung gefallen ist. Wenn meine Eltern nur in Sicherheit sind, wenn ich an diese Schule gehe, dann muss ich es tun.

Das bedeutet, Maren im Stich zu lassen. Beim Gedanken daran wird mir übel. Ich weiß nicht, was ich mehr hasse: Maren zu enttäuschen oder das Gefühl, keine Wahl zu haben. Der Druck in meinem Kopf macht es mir doppelt schwer, klar zu denken. So kann ich das nicht, ich brauche mehr Zeit.

»Wann muss ich mich entscheiden? Ich meine, wie lange können wir noch bleiben?«

So wie Robinson mich ansieht, wächst in mir das Gefühl, dass ich vielleicht doch ein bisschen Gedanken lesen kann. Ich glaube, er denkt: *Je eher wir gehen, desto besser.*

»Dein Vater ist über die Situation im Bilde und einverstanden. Deine Mutter braucht noch Pflege, sie ist jedoch transportfähig und ein Team steht bereit. An der Akademie wird alles vorbereitet.« Er schweigt kurz. »Wir sind bereit, wenn du es bist.«

Trotz Kopfweh wird mir klar, dass Robinson mich nicht drängen wird, die richtige Entscheidung zu treffen. Er wird warten, bis ich so weit bin, einfach stehen bleiben, wie eine Zen-Statue. Und wenn ich mich weigere, wird er es akzeptieren. Weil er nicht so sein will wie Savant. Robinson respektiert mich. Auch wenn ich in meinem Inneren heißen Zorn brodeln spüre, Robinson hat ihn nicht verdient.

Noch etwas wird mir klar: Auf keinen Fall will ich vor diesem Mann Schwäche zeigen. Irgendwie gibt er mir die Kraft, das Richtige zu tun.

»Ich brauche eine Stunde«, sage ich.

Er nickt, steht auf und geht zur Tür. Dabei bewegt er sich mit der unbewussten Anmut eines Tänzers und erneut wirkt er wesentlich jünger als seine Augen glauben machen. Bevor er den Raum verlässt, bleibt er kurz stehen, tippt sich an die Stirn und meint: »Ruf mich, wenn du so weit bist.«

Ich zucke zusammen. Nicht vergessen, ich muss meine Gedanken hüten. »Klar.«

Dann ist er weg und ich lasse mich frustriert ins Kopfkissen sinken. Ich habe eine Stunde, um alles zu regeln. Das will ich nicht, aber ich muss. Einen kurzen Moment bleibe ich liegen, dann raffe ich mich auf.

Es ist, als würde ich mich von einem üblen Kater erholen. Die Welt schwankt, als ich aufstehe, mein Kopf fühlt sich geschwollen an, drückend, und das Licht ist einfach nur zu hell. Am liebsten würde ich mich unter heißes Wasser stellen, aber das muss warten.

In dem schmalen Schrank neben meinem Bett finde ich außer Kleidung und Waschsachen auch mein Smartphone. Ich habe 37 verpasste Anrufe und eine Reihe von Nachrichten. Fast ausschließlich von Maren. Ich muss sie anrufen, aber zuerst muss ich das Chaos, das ich hinterlasse, so gut es geht für sie ordnen.

Also stelle ich eine Liste mit allem zusammen, was für den Spendenlauf noch zu tun ist, tippe eine kurze Mail und hänge alle Dateien an, die ich dazu habe. Dann mache ich eine zweite Liste mit allem, was wir für das Schuljahr geplant haben, und ergänze bei jedem Posten Namen von Schülern, Lehrern und Eltern, die bereits ihre Hilfe angeboten haben, sowie noch ein paar andere, die hilfsbereit sind, wenn man sie anspricht. Als auch diese Datei angehängt ist, schicke ich die Mail an Maren.

Dann rufe ich ihre Nummer auf und spüre, wie sich mir die Kehle zuschnürt. Doch es hilft ja nichts, also reiße ich mich zusammen und tippe auf das Hörersymbol.

Maren muss das Handy direkt neben sich haben, denn sie geht sofort ran. »Jan? Endlich! Was ist passiert um Himmels willen? Die Leute reden von einer Explosion in eurem Haus, die Polizei sperrt alles ab und da waren Krankenwagen. Dann bist du nicht erreichbar und ich hocke hier in Quarantäne und kann nichts tun! Hast du eigentlich eine Ahnung, welche Sorgen ich mir gemacht habe?«

Oh, oh. »Es tut mir leid, es ist alles gut.« Ich merke, wie dämlich das klingt und schließe den Mund, bevor noch mehr Mist herauskommt. Dann nehme ich einen neuen Anlauf. Ich erzähle ihr so viel wie möglich, ohne die Telekinese zu erwähnen, und ende damit, dass meine Eltern weiter in Gefahr sind, wenn wir hierbleiben. Als ich fertig bin, schweigt sie eine gefühlte Ewigkeit.

»Dann musst du gehen«, sagt sie schließlich in dem nüchtern-sachlichen Ton, den sie immer anschlägt, wenn sie sich mit einem überwältigend großen Problem befasst. Ich weiß nicht, was ich erwartet habe, Vorwürfe vielleicht. Aber Maren ist zu gut dafür. Besser, als ich es verdient habe.

»Hör zu, es tut mir leid, ich weiß, dass wir das zusammen machen wollten …«

»Sei kein Idiot«, fällt sie mir ins Wort. »Ich kann mir zwar nicht vorstellen, was deine Eltern angestellt haben könnten, dass jemand versuchen sollte, sie umzubringen, aber wenn es so ist …« Sie macht eine Pause und ich weiß, dass sie sich jetzt nervös durch die Haare fährt, die zur Hälfte eisblau und zur anderen Hälfte nachtschwarz gefärbt sind, und sich auf die Unterlippe beißt. »Dann gibt es nichts zu überlegen und nichts zu entscheiden. Du kannst nicht hierbleiben.« Sie gibt sich alle Mühe, gefasst zu klingen, aber am Ende wackelt ihre Stimme doch. »Was haben deine Eltern angestellt? Ich meine, wer verübt einen Anschlag auf sie? Das ist doch, ich weiß nicht, das ist so absurd.«

»Sie haben nichts …«, setze ich an, »das Ganze ist kompliziert und ich darf nichts darüber sagen.« Ich höre mich schon wieder an wie ein Idiot. »Ich habe dir eine Mail geschickt mit allem, was du brauchst, wenn du weitermachen willst. Mit dem Spendenlauf und all dem.«

»Natürlich mach ich weiter.« Sie klingt so trotzig wie ein Kleinkind am Süßwarenregal. Unwillkürlich muss ich lächeln. Dann überrollt mich eine neue Welle der Verzweiflung. Ich weiß gar nicht, wie ich ohne sie zurechtkommen soll. Sie wird mir so furchtbar fehlen.

»Ich komm zurück, sobald ich kann.«

Schweigen, eine lange Zeit sagt keiner von uns etwas.

»Blöder Virus«, presst sie schließlich hervor. »Jetzt kann ich dich nicht mal zum Abschied umarmen. Das ist so ätzend.«

»Ja, ist es.«

Es ist nicht so, dass ich in Maren verliebt wäre, also nicht so auf die romantische Art. Allerdings weiß ich es auch nicht, ich war noch nie verliebt. Vielleicht ist das ja auch ganz anders, als ich es mir vorstelle. Ich meine, eine bessere Freundin als Maren kann man sich nicht wünschen, und der Gedanke, sie nicht mehr jeden Tag zu sehen, schmerzt.

»Pass gut auf dich auf«, sagt sie leise und es ist, als würde ich denselben Schmerz in ihrer Stimme hören.

»Du auch«, sage ich, dann lege ich auf und schließe meine Augen, in denen Tränen brennen.

Hier wegzugehen, ist so falsch. Wut brandet in mir hoch, als mir klar wird, was dieser Savant mir genommen hat. Was ich verliere, wenn ich hier weggehe. Dass ich keine Wahl habe.

Mir bleiben noch fünfzehn Minuten. Schnell gehe ich unter die Dusche und drehe das Wasser ausnahmsweise heiß auf, so heiß, wie ich es gerade noch ertrage, um das elende Gefühl in mir wegzuspülen. Dann ziehe ich mich an und packe meine wenigen Sachen in eine kleine Reisetasche, die ebenfalls im Schrank liegt.

Schließlich versuche ich es.

Professor Robinson? Ich denke die Worte ganz bewusst und rufe mir dabei Robinsons Gesicht in Erinnerung.

Ob er mir antworten kann? Ob ich auch seine Gedanken hören kann?

Ich schließe die Augen und versuche, die Geräusche um mich herum auszublenden, die Schritte auf dem Gang, ein schwerer Gegenstand, der gerollt wird, das Klappern von Geschirr etwas weiter entfernt. Ich lausche darauf, ob eine Stimme in meinem Kopf erklingt. Aber da ist nichts. Doch plötzlich habe ich das Gefühl, warten zu müssen.

Ob Robinson das war? Ich bin nicht sicher. Wenn das Telepathie ist, dann wird der Umgang damit mehr als schwierig.

Als ich die restlichen Sachen aus dem Schrank in die Tasche packe, finde ich die kleine Kette mit dem Anhänger. Marens Geschenk. Nachdenklich drehe ich es zwischen den Fingern. Plötzlich kommt es mir noch viel wertvoller vor als bisher. Ich öffne den Verschluss und hänge mir die Kette um den Hals, dann lasse ich den Anhänger unter meinen Pulli gleiten. Er ist nur ein Symbol, ein kleines, aber ihn auf der Haut zu spüren gibt mir in diesem Moment so viel.

Dann ist Robinson zurück. Er klopft, wartet mein »Herein« ab und tritt ein. Seine Bewegungen sind nicht nur elegant, er ist gespenstisch leise. Sicher hat er ein besonderes Training absolviert, um diese Art von Körperbeherrschung zu erreichen. Ich frage mich, was es ist.

»War das jetzt auch gut geraten oder haben Sie meine Gedanken gehört?«

»Laut und deutlich.«

Ich erschauere innerlich. Das ist wie in einem dieser Träume, in denen man in der Schule plötzlich feststellt, dass man vollkommen nackt ist. Nur ist das hier schlimmer und ich werde sicher nicht aufwachen. Wie soll man an einer Schule überleben, an der Lehrer Gedanken lesen können?

»Kann man das abschirmen?«, frage ich.

»Das ist das Erste, was Professor Nakoma dir beibringen wird.«

Ahhh! Ich atme tief durch. »Gut.«

»Dann kommst du mit?«

»Ich habe ja nicht wirklich eine Wahl, oder?« Ich klinge schroffer, als Robinson das verdient. Er kann ja auch nichts dafür und ich ärgere mich über mich selbst.

Aber Robinson bleibt immer noch ruhig und gelassen. Er sieht mich mit ehrlichem Bedauern an. »Es tut mir leid, dass dir das passieren musste.«

Ich will kein Mitleid. »Werden Sie diesen Savant schnappen?«

»Wir werden ihn jagen.« Robinson ist jetzt gefährlich ruhig. Er wirkt wie ein Raubtier, das seine Beute fixiert. Eine Gänsehaut überzieht meinen Rücken.

Ich glaube ihm.

»Ich möchte nach Hause zurück, sobald er keine Bedrohung mehr ist.« Das ist nicht verhandelbar. »Ich werde dort nicht länger bleiben als nötig.« Besser, ich stelle das sofort klar.

Eine Falte teilt Robinsons Stirn. »Ich will dir nichts vormachen. Savant ist gerissen und zu allem entschlossen. Es kann dauern, bis wir ihn kriegen.«

»Aber wenn es vorbei ist, wenn Sie ihn haben, dann kann ich wieder zurück? Ich meine, sofort?«

Robinson nickt. »Das wäre schade, wir würden dich nur ungern wieder verlieren, aber es steht dir jederzeit frei, zu gehen.«

Dann verlassen wir das Zimmer. Auf dem Weg denke ich nach. Ich will nicht einfach darauf warten, dass Savant geschnappt wird. Im Warten war ich noch nie gut. Stattdessen werde ich so hart trainieren, wie ich kann. Damit ich zurückkommen kann, so schnell wie möglich.

4

EOS

Dann ist es so weit, ich muss mich verabschieden. Robinson führt mich zum Zimmer meiner Mutter. Mein Vater und eine Pflegerin sind bei ihr.

Im ersten Moment sehe ich nur eine blasse, zerbrechlich wirkende Frau in einem Krankenhausbett. Erst als ich näher komme, erkenne ich meine Mutter. Das ist ein Schock. Sie war immer so lebendig und stark, so voller Energie, aber jetzt ist davon kaum etwas übrig. Sie sieht aus, als hätte man ihr die Lebenskraft entzogen. Ihre Haut ist fahl bis auf dunkle Schatten unter den Augen, selbst das Feuer ihrer Haare scheint erloschen. In ihrem Gesicht bemerke ich Linien, die gestern noch nicht da waren. Mom wirkt nicht nur verwundet, sondern ernsthaft krank, was mich zutiefst erschreckt. Ich habe furchtbare Angst um sie.

Ich will ihre Hand nehmen, aber was, wenn ich ihr damit wehtue? Darf ich sie berühren? Hilfesuchend blicke ich zu meinem Vater, doch meine Kehle ist zu eng, um zu sprechen.

»Sie wird wieder gesund«, sagt die Frau, die ich aus den Augenwinkeln heraus für eine Pflegerin gehalten habe.

Ihre Stimme ist dunkel und rauchig. Sie strahlt Wärme, Freundlichkeit und die Würde reifen Alters aus. Zahlreiche Fältchen um ihre Augen verraten, dass sie oft und gerne lächelt. Doch jetzt liegt Sorge in ihrem Blick.

Sie hat die kupferfarbene Haut der nordamerikanischen Ureinwohner, dazu kastanienbraune Augen und hohe Wangenknochen. Ihr kräftiges schwarzes Haar ist am Hinterkopf mit einer Spange gerafft und fällt weit über ihren Rücken. Hier und da glitzert es silbrig und einige Strähnen sind mit Wolle in den Farben von Wald und Erde umwickelt und mit Holzperlen versehen. Ihre Kleidung ist schlicht, erdfarbene Leggins, darüber eine hellbeige Tunika aus Baumwolle, die ihr bis zu den Knien reicht. Ein Amulett aus fein gemasertem Holz, etwa handtellergroß, hängt an einem Lederband um ihren Hals. Das Schmuckstück sieht handgefertigt aus, kunstvolle Muster sind darin eingeschnitzt und mit kräftigem Rot, Orange und Gelb betont. Drei dazu passende hölzerne Armreife zieren ihre Handgelenke.

Sie steht am Kopfende des Bettes und ihre Fingerspitzen ruhen an den Schläfen meiner Mutter, dann zieht sie sie langsam zurück. Die Fremde sieht erschöpft aus, und ich frage mich unwillkürlich, was sie bei Mom gemacht hat.

»Professor Nakoma und ich bleiben in der Nähe«, sagt Robinson. Die geheimnisvolle Frau nickt knapp, dann verlässt sie zusammen mit ihm den Raum.

Als meine Mutter die Augen aufschlägt, bin ich erleichtert und erschüttert zugleich. Erleichtert, dass sie wach ist, erschüttert, dass ihr unvergleichliches Strahlen weg ist. Das ist, als würde man nach Hause kommen und feststellen, dass Einbrecher alle wertvollen Gegenstände gestohlen haben.

Er hat es ihr genommen, Savant. Er hat ihr das angetan. Ich verabscheue Gewalt, aber wenn er jetzt hier im Zimmer wäre, ich glaube, ich hätte mich nicht im Griff. Wie kann er dieser liebevollen, unschuldigen Frau so etwas antun? Ihr, die für jeden ein gutes Wort hat, dic immer nur das Beste in den Menschen sieht, die jedem Tier und jeder Pflanze Respekt zollt?

Und er wollte sie nicht nur verletzen, er hat es darauf abgesehen, sie zu töten. Erst als ich meine Mutter so sehe, begreife ich, was Robinson mir erzählt hat, und ein Sturm aus Wut und Zorn bricht in mir los. In diesem Moment fällt meine Entscheidung endgültig und ich schwöre mir, dafür zu sorgen, dass Savant ihr nie wieder wehtun kann. Ich werde alles tun, was nötig ist, um sie zu schützen: In die Akademie eintreten, meine Kräfte kontrollieren, Savant finden.

Nein, ich will Savant nicht nur finden, ich will ihn vernichten.

Es kostet mich meine gesamte Willenskraft, Mom nicht zu zeigen, was in mir vorgeht. Sie wäre entsetzt, denn sie verabscheut Gedanken, wie ich sie jetzt habe. Schnell schlage ich die Augen nieder und vergrabe meine Gefühle tief in mir. Irgendwie funktioniert es. In meinem Inneren brennt die Wut wie Säure, aber niemand bemerkt es.

Dann reden wir. Ich lasse alle gut gemeinten Ratschläge über mich ergehen, verspreche, dass ich genug esse und auf mich aufpasse, dass ich mir keine Sorgen machen werde. An dieser Stelle hake ich ein und verlange dasselbe von ihnen. Da lächelt meine Mutter bittersüß und drückt einfach meine Hand. Genau. Wir alle wissen, dass das so nicht funktioniert. Wir werden Angst umeinander haben. So lange, bis diese Situation überstanden ist.

Dann umarmen wir uns länger als je zuvor. Meine Augen brennen und ich balle die Hände zu Fäusten, dränge die Tränen mit Gewalt zurück. Wenn ich jetzt weine, würde es den Abschied noch schlimmer machen.

Als ich gehe, bestehe ich darauf, dass mein Vater mich nicht begleitet, sondern hier bei Mom bleibt. Sie braucht ihn dringender als ich. Robinson und die geheimnisvolle Professorin tauchen wie bestellt am Ende des Krankenhausflurs auf und bringen mich nach Hause.

Einen Rucksack darf ich mitnehmen, nur persönlich wichtige Dinge. Mit allem anderen werde ich in der Schule versorgt.

Unser Haus ist der nächste Schlag. Wohin man sieht, überall herrscht Zerstörung. Die Fenster sind notdürftig mit Folie und Holzbrettern abgedeckt, die meisten Glasscherben aufgefegt. Doch die gewaltige Kraft, die hier gewütet hat, ist allgegenwärtig. Letzte Splitter liegen verstreut herum, auf einer Kommode im Flur hat jemand die geborstenen Bilderrahmen gestapelt, Lampen sind aus ihrer Halterung gerissen und baumeln an Stromkabeln von der Decke. Der Boden in der Küche wurde gesäubert, doch der Fleck ist noch nicht ganz verschwunden. Wo Moms Blut auf das Holz getropft ist, ist es dunkler als zuvor. Anklagend.

Warum habe ich sie nicht besser beschützen können? Wenn ich nicht so mit mir und meinen Problemen beschäftigt gewesen wäre … Ich presse die Lippen aufeinander. Nie wieder, schwöre ich mir. Nie wieder werde ich so etwas zulassen.

Kalter Wind zieht durch Ritzen in den Folienfenstern. Ein wenig erinnert mich die Szenerie an Bilder vom Krieg. Ich haste in mein Zimmer, leere den Inhalt meines Schulrucksacks auf dem Schreibtisch aus und packe dann Tablet, Laufschuhe und ein paar Waschsachen hinein. Was brauche ich noch? An der Wand über dem Schreibtisch hängen Fotos. Meine Eltern und ich bei einem Ausflug in die Berge, Maren, ein paar Freunde und ich beim Pizzaessen. Zusammen mit meiner Prepaid Kreditkarte und so viel Bargeld, wie ich hier habe, etwas mehr als siebzig Euro, wandern sie in eine versteckte Innentasche.

Dann schlüpfe ich in frische Sachen, ein einfaches T-Shirt, mein Lieblingspulli mit Kapuze, irgendeine Jeans. Ich verlasse mein Zimmer, ohne mich umzudrehen. Kein Abschied, ich habe nicht vor, lange wegzubleiben.

Robinson und Nakoma warten vor dem Haus auf mich. Inzwischen ist es dunkel, und die etwa dreißig Meter entfernte Straßenlaterne verbreitet ihren trüben Schimmer. Doch da gehen wir nicht hin. Der Professor führt uns hinter das Haus, in den stockfinsteren Garten.

Erst sehe ich nichts, dann bewegt sich etwas direkt vor mir in der Luft. Ein Streifen weißen Lichts blitzt auf, der rasch größer wird. Mir bleibt buchstäblich der Mund offen stehen, denn was ich sehe, kann ich kaum glauben.

Mitten auf dem Rasen parkt ein auf Unsichtbarkeit getrimmter Jet. Er hat die Farbe von Ruß und verschmilzt mit der uns umgebenden Nacht. Doch nun, da eine Rampe am hinteren Ende aufklappt und sich senkt, fällt genug Licht aus dem Innenraum, dass die Konturen des Stealthflugzeugs sichtbar werden. Es ist etwa zehn Meter lang und zwei Stockwerke hoch. Das Cockpit hat die Form eines Vogelschnabels und geht nahtlos in den Rumpf und die Tragflächen über. Diese sind leicht gewölbt, sodass sie die darunterliegenden Triebwerke verdecken. Die gesamte Konstruktion ist schlank wie ein Falke im Sturzflug. Kein Radar kann es orten, also wird niemand uns folgen können.

Unwillkürlich schlägt mein Herz schneller. Das ist ein Hightech-Kampfflugzeug. Allein dieses Teil kostet ein Vermögen. Wie sieht die Schule dann wohl erst aus?

Über die Rampe gelangen wir ins Innere. Die Helligkeit blendet im ersten Moment und ich brauche ein paar Augenblicke, bis ich etwas erkenne. Wände, Boden und Decke glänzen chromsilbern und weiß. Zwei in die Deckenverkleidung eingelassene LED-Leisten fluten die Kabine mit Tageslicht. Ein gedämpftes Klicken ertönt, wie eine sich schließende Klappe. Das Licht wird gedimmt, bis man gerade genug erkennt, um nicht gegen die ledergepolsterten Sitze zu stoßen.

Es sind insgesamt acht, je vier auf beiden Seiten, getrennt durch einen schmalen Mittelgang. Die Sessel sind so angeordnet, dass man sich gegenübersitzt. Dazwischen kann man ein kleines Tischchen aufklappen, darüber hinaus gibt es keinen Luxus. Der Flieger ist eine Kombination aus Eleganz und Zweckmäßigkeit.

Die Sitze sehen bequem aus, aber es gibt weder Bildschirme noch Kopfhörer, keine Musik oder andere Ablenkungen. Dafür kann ich das Cockpit sehen. Eine Reihe von Displays und Steuerungsanlagen, ein breiter Hebel sowie zig kleine Schalter sind in eine chromglänzende Armatur eingefasst. Dort vorne gibt es nur drei Sessel. Vom linken erhebt sich die Pilotin und dreht sich zu uns um.

»Jan, das ist Professor Alator«, sagt Robinson.

Ich habe Mühe, den Schauder zu unterdrücken, der mich bei ihrem Anblick durchfährt. Das ist die furchteinflößendste Frau, die mir je begegnet ist. Mein Mund ist ganz trocken, doch immerhin bekomme ich ein krächzendes »Hallo« heraus.

»Jan wird uns nach Eos begleiten«, sagt Robinson zu Alator.

Die antwortet mit einem knappen Kopfnicken und der Andeutung eines Lächelns. Ich bin froh, dass sie sich gleich wieder setzt und anfängt, auf Knöpfe zu drücken und Hebel einzustellen. Alator erinnert mich an eine Raubkatze, elegante Kraft gepaart mit der stillen Wachsamkeit eines Jägers. Sie ist groß gewachsen und athletisch, mit azurblauen Augen und langem schlohweißen Haar, das von einem schwarzen Lederband straff zusammengehalten wird. Doch das ist es nicht, was sie so gefährlich erscheinen lässt. Quer über ihre linke Gesichtshälfte verläuft eine alte Narbe. Sie beginnt an der Stirn, durchtrennt eine zarte Augenbraue und zieht sich weiter über die Wange bis zum Kinn.

Ich frage mich, wer oder was ihr diese Verletzung zugefügt hat. Es muss ein Kampf gewesen sein, da bin ich mir fast sicher. Alles an ihr verrät, dass sie eine Kriegerin ist: Das Feuer in ihren Augen, der athletische Körper, ihre aufrechte, gespannte Haltung, die selbst im Sitzen Stärke und Selbstbewusstsein ausstrahlt.

Und ihre Waffen natürlich. An einem breiten Gürtel trägt sie rechts ein großes Jagdmesser und links ein langes schmales Samuraischwert, beides in fein gearbeiteten Lederscheiden.

Was sie wohl unterrichtet? Ich weiß nicht, ob ich hoffe, bei ihr Unterricht zu haben, oder mich davor fürchte. Vermutlich könnte sie mich mit dem kleinen Finger erledigen, wenn sie es darauf anlegt. Andererseits, wenn jemand wie sie – oder jemand, der von ihr ausgebildet wurde – auf meine Eltern aufpasst, dann sind sie definitiv in Sicherheit. Da wird mir klar, dass ich von ihr trainiert werden will, obwohl sich mir beim Gedanken daran alles zusammenzieht.

»Setz dich.« Professor Nakoma lächelt und deutet auf einen der Sessel im hinteren Bereich des Jets. Ich nehme das Angebot dankbar an. Meinen Rucksack lasse ich auf den Sitz neben mir fallen. Robinson wählt den Platz des Co-Piloten und Nakoma selbst setzt sich in eine Vierergruppe vor meiner, sodass ich im Moment ganz für mich bin.

Die Kabine vibriert, als die Triebwerke anspringen, dann werden wir wie in einem Fahrstuhl emporgehoben. Der Jet muss schwenkbare Triebwerke haben, um senkrecht starten zu können. Die Turbinen werden wohl durch irgendeine Vorrichtung schallgedämmt, denn man hört nicht viel mehr als ein Summen. Ich blicke aus dem Fenster und sehe mein Zuhause rasch kleiner werden. Dann sind wir über der Stadt, einem See funkelnder Lichter, doch auch sie lassen wir zurück.

Etwa eine Stunde lang schaue ich nach unten, als könnte ich dadurch den Menschen nahebleiben, die mir jetzt schon fehlen. Ich denke an den Abschied zurück, spüre die Umarmung meines Vaters, sehe die stummen Tränen meiner Mutter. Schnell schiebe ich die Erinnerung beiseite, bevor sie mich erdrückt. Doch das Versprechen, das ich mir gegeben habe, brennt in mir, während das Land unter uns dahinrast und mein Zuhause am Horizont verschwindet.

Der Mond ist aufgegangen und taucht alles in gespenstisches Licht. Winzige Straßen schlängeln sich durch Wiesen und Felder, verschwinden in Wäldern und tauchen wieder auf. Mit jeder Minute der Ruhe spüre ich mehr, wie müde ich bin. Die bleierne Schwere ist zurück, also versuche ich, eine bequeme Position zu finden, und schließe die Augen. Aber ich bin zu aufgewühlt, um abzuschalten. Irgendwann gebe ich auf und schaue wieder aus dem Fenster.

Wir überfliegen Seen, die glitzern wie mit Diamanten besetzte Seidentücher. Dahinter ragt eine verschneite Gebirgskette auf. Geografie ist nicht mein bestes Fach, aber die Alpen erkenne ich, auch wenn ich noch nie hier war. Irgendwie habe ich erwartet, nach Großbritannien zu reisen. Oder Amerika. Meine Vorstellung von einer Privatschule hat mit efeuumrankten Gemäuern zu tun, einer alten englischen oder schottischen Burg, abgelegen in den Highlands. Aber dahin fliegen wir offensichtlich nicht.

In die Schweiz vielleicht? Oder in eines dieser kleinen, von der Welt vergessenen Fürstentümer? Ich sehe schon große Speisesäle mit Granitboden und teuren Kronleuchtern vor mir, feine weiße Tischdecken und edles Porzellan. Kristallgläser. Von Hand bestickte Schuluniformen. Jegliches Inventar edel und luxuriös. Nirgendwo würde ich mich unwohler fühlen.

Ich versuche, mich nicht von meinen Gefühlen erdrücken zu lassen, aber mit jeder Minute wird mir klarer, wie alleine ich bin. Ich habe mein Zuhause verloren und meine Eltern werden an einen geheimen Ort gebracht, so geheim, dass sie ihn nicht einmal mir verraten. Ich lasse meine Freunde zurück, ich lasse Maren zurück. Mein Leben wird nie wieder sein, wie es war. Ich habe keine Ahnung, wohin ich gehe und was mit mir passieren wird, außer dass mindestens ein Lehrer an meiner Schule Gedanken lesen kann. Das ist das Erste, wogegen ich mich wappnen muss. Wenn ich nur wüsste, wie.

Ich kann das Nachdenken nicht abstellen. Ein gefährlicher Verrückter hat versucht, meine Eltern zu töten. Und er wird es wieder tun. Weil ich – was? Superkräfte habe? Super-Zerstörungskräfte, wie es aussieht. Die Bilder unseres Hauses verfolgen mich. Die geborstenen Fenster, die Lampen, das war ich. Wie knapp es gewesen sein muss. Meine Eltern waren so nah bei mir und ich habe sie umgestoßen mit dieser Kraft. Nur ein bisschen mehr davon und ich hätte sie verletzt. Es war pures Glück.

Als das nächste Gedankenrädchen einrastet, bricht mir der Schweiß aus. Oder habe ich das …?

Ich erinnere mich an meine Mutter im Krankenhausbett, kraftlos und zerbrechlich. Nakoma an ihrer Seite, erschöpft. Und dann fällt der Groschen. Mein Magen wird zu einem kleinen, harten Ball und das Atmen fällt mir schwer. Ich habe es getan. Ich habe sie verletzt. Was immer aus mir herausgebrochen ist, hat Mom getroffen. Deshalb war sie so blass und schwach.

Schuldgefühle überwältigen mich und eine Weile kann ich nichts weiter tun, als krampfhaft zu versuchen, Sauerstoff in meine Lunge zu ziehen. Ich glaube nicht, dass ich mich jemals in meinem Leben so elend gefühlt habe. Wieder und wieder spiele ich die Szene in Gedanken ab und suche verzweifelt nach einer anderen Erklärung. Aber die gibt es nicht. Ich versinke in meinem Sitz.

Die nächste Stunde verbringe ich damit, aus dem Fenster auf eine Wolkendecke zu starren, die vom beinahe vollen Mond erhellt wird wie Schnee in einer Winternacht. Immer wieder spiele ich diesen Tag durch. Wie ich den Ast bewegt habe, wie ich spürte, dass meine Eltern in Gefahr sind, und dann … Dann ist alles verschwommen. Ich weiß nicht, was ich getan habe. Wie soll ich verhindern, dass es noch mal passiert?

Ich muss lernen, es zu kontrollieren. Sofort.

Professor Nakoma sitzt nach wie vor eine Reihe vor mir, mit geschlossenen Augen und gerunzelter Stirn. Doch sie schläft nicht, stattdessen bewegt sie die Hände über eine Landkarte auf dem Tisch vor ihr, als würde sie etwas suchen. Oder jemanden.

Ich muss sie unbedingt fragen, ob ich meiner Mutter das angetan habe, aber ich wage nicht, sie zu stören. Nach kurzer Zeit lässt sie die Hände sinken, seufzt und schlägt die Augen auf. Ich fühle mich ertappt.

»Nein.« Ihre Stimme ist wie Rauch über einem Lagerfeuer. »Du darfst dir nicht die Schuld geben. Savant hat den Angriff befohlen, seine Soldaten haben die Befehle ausgeführt. Du hast nur versucht, sie zu retten. Was geschehen ist, war nicht dein Fehler.«

Wenn das so einfach wäre. »Aber sie hat etwas von meiner Kraft abbekommen, oder?«

»Du konntest nicht wissen, …«

»Sagen Sie es mir«, falle ich ihr ins Wort und schicke verspätet ein »Bitte« hinterher.

»Also gut.« Nakoma lehnt sich zurück und schlägt ein Bein über das andere.

Ihre Augen werden noch dunkler und dann ändert sich die Atmosphäre im Jet. Die Beleuchtung wird weich wie Kerzenschein und die Geräusche dumpfer. Statt der Turbinen höre ich ein schwaches Rauschen wie von einem Wasserfall, dazu Vogelgezwitscher und zirpende Insekten. Es ist beruhigend, wenngleich es meine Anspannung nicht völlig vertreiben kann.

Als Nakoma erneut spricht, ist ihre Stimme wie Wald und Wasser. Wie eine sanfte Naturgewalt, leise und dennoch kraftvoll. Es fühlt sich an, als würde allein dieser Klang etwas in mir heilen.

»Der Ausbruch des Lichts ist wie eine Explosion. Einige Partikel verursachen physische Verletzungen an Körper und Gehirn und damit auch dem Geist. Normalerweise entsteht dabei kein großer Schaden. Betroffene fühlen sich etwas benommen, schwindelig vielleicht, manch einer bekommt Kopfschmerzen. Aber in diesem Fall war es anders. Du warst gezwungen, dein Licht einzusetzen, als es ausbrach. Diese rohe Gewalt hätte niemand kontrollieren können. Noch dazu ist dein Licht viel stärker als das von gewöhnlichen Talenten.«

»Und meine Mom war genau in der Schusslinie.«

Nakoma nickt. »Sie wird sich erholen. Ich konnte alle Partikel aus ihrem Geist entfernen. Es wird einige Zeit dauern, aber ihre Kraft wird zurückkehren.«

Ich bin sicher, dass sie diesen Trick mit ihrer Stimme gezielt einsetzt, denn sie weiß, dass mich ihre Worte treffen wie ein Schlag. Irgendwie mildert sie es ab. Dennoch, was sie sagt, ist eine Katastrophe. Ich bin gefährlich. Ich habe Menschen verletzt.

»Dann müssen Sie es mir beibringen. Wie ich das kontrollieren kann. Jetzt gleich.«

Nakoma schüttelt entschlossen den Kopf. »Du musst dich ausruhen. Man benötigt ein hohes Maß an Konzentration.«

»Ich kann das schaffen«, beharre ich.

»Nicht an einem einzigen Tag. Es braucht regelmäßige Übung.«

»Dann ist es umso wichtiger, dass ich jetzt gleich anfange, bevor diese Kraft erneut ausbricht. Jede weitere Minute ist ein Risiko, oder nicht?«

Vor allem hier. Ein Ausbruch und wir stürzen alle in den Tod. Warum sitzt sie noch so ruhig neben mir?

»Nicht wirklich«, entgegnet Nakoma gelassen. Wie kann sie da so sicher sein? Hat sie etwa ... »Ja, ich habe deine Kraft blockiert. Für eine gewisse Zeit.«

Damit hat sie mein Argument ausgehebelt. Ich kann nichts mehr einwenden und sie weiß das. Nakoma wendet sich wieder der Landkarte zu und hebt die Hände darüber.

»Aber das kostet Sie Energie«, sage ich. Nakoma erstarrt mitten in der Bewegung. »Kommen Sie, Sie haben doch Wichtigeres zu tun, als meine Kräfte zu kontrollieren. Sie müssen Savant finden.« Ich mache eine kurze Pause. »Bevor er noch mehr Menschen ermordet.«

Nakoma senkt die Hände. Ihre schwarzen Augen fangen mich ein. »Du hattest ein mentales Klasse-fünf-Trauma und warst mehr als 24 Stunden bewusstlos. Selbst wenn du dich schonst, wirst du noch vier Tage Kopfschmerzen haben. Die empfohlene Ruhezeit beträgt in so einem Fall eine Woche. Wenn nicht, ...« Nakoma lässt den Satz im Nichts enden. Aber es ist klar. Das wird wehtun.

Vermutlich werde ich bereuen, was ich jetzt sage. »Fangen wir an.« Mir ist immer noch etwas mulmig, doch gefährlich kann es für uns nicht werden, nachdem Nakoma meine Kräfte so mühelos unter Kontrolle hält.

Sie nickt. Dann holt sie fünf metallisch glänzende Kugeln aus einer Falte ihrer Tunika. Gedämpfte Musik füllt die Kabine, doch es ist keine Melodie, sondern eine Abfolge beruhigender Frequenzen, gemischt mit Klangschalen, die in einem konstanten Rhythmus angeschlagen werden. Ich spüre, wie meine Gedanken zur Ruhe kommen, mit jedem Gongschlag etwas mehr.

Dann erheben sich die Kugeln aus Nakomas Hand und schweben zwischen uns auf Kopfhöhe. Sie kreisen, jede auf einer eigenen Bahn, doch alle um ein gemeinsames Zentrum. Es ist ein faszinierender Tanz. Nakoma verzieht keine Miene. Nichts weist darauf hin, dass dies anstrengend für sie ist.

»Nun schließe die Augen.«

Ich tue, was sie sagt, doch ich sehe die kreisenden Kugeln in meinem Geist wie ein Nachbild.

Atme gleichmäßig ein und aus. Folge deinem Atem. Nakomas Stimme erklingt in meinem Kopf. Ich befolge ihre Anweisungen und fühle mich dabei seltsam schwebend. Das sanfte Vibrieren des Jets und die meditativen Klänge füllen mein gesamtes Empfinden aus. Meine Unruhe ist weg, meine Sorgen auch.

Die Quelle deiner Kraft liegt in dir. Stell sie dir vor wie ein Licht, das in deinem Inneren leuchtet.

Nakomas Gedankenstimme klingt genauso wie ihre echte, tief und rauchig. Bilder erscheinen vor meinem geistigen Auge, meine Eltern, Maren, der Wald hinter unserem Haus, Scherben auf dem Boden und Blut. Ich komme nicht daran vorbei.

Blende alles andere aus. Konzentriere dich darauf, dein Licht zu finden. Nichts anderes ist von Bedeutung.

Ich versuche, die Bilder wegzuschieben, dann, sie nicht zu beachten. Das macht mir Kopfschmerzen. Endlich verblassen die Erinnerungen und hinter all dem sehe ich Dunkelheit und schließlich, wie in großer Ferne, ein helles Leuchten. Aufregung befällt mich und mein Herz schlägt schneller.

Konzentriere dich, atme im Rhythmus der Musik.

Ich tue, was sie sagt. Die Klänge werden intensiver, sie durchdringen mich, als würde ich sie mit dem Atem in Körper und Blut aufnehmen. Mit jedem Anschlagen der Schalen treibe ich näher an das Leuchten heran und das Bild wird klarer.

Dann bin ich direkt davor. Es ist dieser gleißend helle Wirbel aus Licht, das Bild aus meinen Träumen. Er pulsiert im Rhythmus meines

Herzschlags, unglaublich schön, wie eine rotierende Galaxie aus Sternenstaub, umringt von Bändern aus purer Energie. Doch es sind jetzt viel mehr, sie sind viel dichter, ein Gedränge wie in den Straßen von New York in der Rushhour.

Das ist gut, dein Licht wächst. Solange du es nicht verbrauchst, musst du jeden Tag etwas davon entweichen lassen. So.

Als Nakoma auf mein Licht zugreift, ist es wie ein Zupfen in meinem Kopf. Ein Strahl bildet sich, der vom Zentrum des Lichts nach außen in die Dunkelheit führt. Die Galaxie wird kleiner und die Bänder schlanker. Sie umkreisen sich jetzt langsamer und mit größerem Abstand und der Druck in meinem Kopf lässt nach.

Versuch es.

Ich konzentriere mich auf das Licht, bis sich ein dünnes Fädchen davon nach außen schlängelt. Das ist so anstrengend wie Mathematik. Die Kopfschmerzen werden stärker, ein dumpfes Pochen, das zwischen den Schläfen beginnt und sich tief in den Schädel bohrt. Himmel, dabei habe ich noch kaum etwas getan! Ich umfasse die Armlehnen meines Sessels, fokussiere den Lichtfaden und schaffe es, ihn zu kräftigen. Die Energie fließt ab, wie heiße Luft, die aus einem Dampfkochtopf entweicht.

Erst jetzt fällt mir auf, dass die roten Funken aus meinem letzten Traum weg sind. Ich erinnere mich an den brennenden Schmerz und bin erleichtert. Anscheinend waren sie nur das Nebenprodukt des Ausbruchs.

Gut. Führe die Übung jeden Abend durch und auch, wenn der Druck größer wird. Verbinde dein Bewusstsein mit dem Licht. Jetzt verändere die Bewegungen der Bänder. Richte deine Aufmerksamkeit zunächst auf eines, lenke es, verlangsame es. Bring es dazu, zu tun, was du möchtest.

Ich versuche es, doch es ist wie mit einem dieser Geschicklichkeitsspiele. Kugeln, die in einem Gehäuse gefangen sind, in einem Labyrinth mit Barrieren und Löchern. Man kann die Kugel nur durch Kippen des Labyrinths bewegen und sie darf nicht in eine der Öffnungen fallen. In diesen Spielen war ich nie gut.

Das hier ist wie eine besonders vertrackte Version davon. Ich will

Licht mit Gedanken fangen. Mehr als zehn Anläufe sind nötig, bis ich irgendetwas an den Bändern verändern kann. Und mein Kopf pocht jetzt schon.

»Das ist gut. Übe weiter.«

Das ist furchtbar, aber was soll ich sonst tun? Also beiße ich die Zähne zusammen und ignoriere das Pochen.

Irgendwann gönnt mir Nakoma eine Pause. Mein Schädel fühlt sich an wie eine ausgepresste Zitrone. Als ich auch noch lernen will, wie man Gedanken abschirmt, lässt sich Nakoma nicht überreden. Kein Bitten und keine vernünftigen Argumente helfen.

Ich starre in die Dunkelheit und sehe eine riesige, dunkle Fläche unter uns. Vereinzelte gelbe und rote Lichter, von denen manche blinken. Schiffe vielleicht, oder Signalbojen. Eine Stunde lang rätsele ich, über welchem Meer wir sind, bis Nakoma sich erneut meldet.

Stell dir den Ort vor, an dem deine bewussten Gedanken Gestalt annehmen. Für die meisten ist es der Bereich direkt hinter der Stirn.

Das ist nicht schwer. *Okay.*

Webe nun einen Teppich aus Licht zwischen deinen Gedanken und der Stelle, an der sich die Stirn befindet. Nimm ganz feine Fäden aus deinem Licht. So.

Wieder spüre ich dieses Zupfen. Dann schwebt ein Hauch von Licht aus dem rotierenden System und saust von rechts nach links, dann von oben nach unten. Wie ein Schiffchen auf einem Webrahmen taucht es zwischen den ausgelegten Lichtfädchen hindurch. Innerhalb von Sekunden entsteht ein dichtes Netz.

Dann soll ich es versuchen. Ich gebe mir alle Mühe, doch mein Faden flackert ständig hin und her. Das ist viel schwieriger, als es aussieht. Das Pochen zwischen den Schläfen wird mit jedem Atemzug stärker.

Du lernst schnell.

Ich finde nicht, dass ich ein Lob verdient habe, doch Nakomas Gedankenstimme klingt ehrlich.

Übe weiter. Umgib dein gesamtes bewusstes Denken mit einem feinen Netz.

Als sie sich aus meinen Gedanken zurückzieht, fühlt sich das an, als ob jemand aus dem Zimmer geht. Ich bin alleine mit meinem Licht, der sanften Klangschalenmusik und dem anschwellenden Kopfschmerz. Nach einer weiteren Stunde habe ich Schweiß auf der Stirn und bin so erschöpft wie nach einem schweren Test in der Schule. Jetzt will ich nur noch schlafen, habe aber immerhin ein halbwegs passables Netz zustande gebracht. Meine Gedanken gehören wieder mir. Oder?

Ich teste das besser. Professor Robinson sitzt immer noch auf dem Co-Piloten-Stuhl, ich sehe seinen kahlen Hinterkopf.

Professor Robinson, rufe ich leise in Gedanken. Nichts passiert. Okay, dann etwas lauter. *Ich werde diese Schule hassen.* Nichts, nicht das kleinste Zucken.

Ich sehe Nakoma an. *Können Sie mich hören?*

»Ich weiß, dass du etwas gefragt hast, aber ich weiß nicht, was.«

»Gut!« Ich versinke vor Erleichterung im Sessel. Alles in meinem Schädel pocht, doch das war es wert.

»Du musst es täglich erneuern, es löst sich nach und nach auf.«

War ja klar, denke ich frustriert. Doch ich verkneife mir einen Kommentar. Immerhin sitze ich hier allein mit drei Lehrern zusammen, von denen mindestens eine ein paar tödliche Waffen am Gürtel trägt. Ich bin viel motivierter als sonst, meine Gedanken für mich zu behalten.

Aber wenn Maren hier wäre, würde sie mir unbemerkt einen Blick zuwerfen und mit den Augen rollen.

Maren. Sie fehlt mir schon jetzt, als hätte ich einen Körperteil verloren. Wie von selbst wandert meine Hand zu dem kleinen Anhänger und umschließt ihn.

Als ich erwache, dringt zartes Tageslicht in die Kabine. Ein Blick aus dem Fenster zeigt eine endlose blaue Fläche tief unter uns, die sich in alle Himmelsrichtungen bis zum Horizont erstreckt. Schimmernd wie ein Seidentuch, glatt und unbewegt. Hier und da zaubert das Sonnenlicht funkelnde Diamanten auf das Wasser. Die grenzenlose Weite ist überwältigend. Kein einziges Schiff ist zu sehen, weder Tanker noch

Segelboot, und am Himmel kein anderes Flugzeug. Wir sind mutterseelenallein, so weit das Auge reicht.

»Beeindruckend, nicht wahr?« Nakoma tritt in meinen Sitzblock und nimmt gegenüber Platz. Sie sieht jünger aus als gestern, die Fältchen um ihre Augen sind weniger geworden. Wie hat sie das gemacht?

Wie als Antwort auf meine Gedanken reicht sie mir eine Tasse, aus der feiner Dampf aufsteigt. Dasselbe Aroma wie gestern dringt mir in die Nase, der Tee aus diesen regenerativen Blüten.

Widerwillig trinke ich das bittere Gebräu. Ich muss jede Möglichkeit nutzen, diese Kräfte zu kontrollieren, denn während ich geschlafen habe, hat Savant vermutlich schon die nächste Todesfalle für meine Eltern errichtet. Jetzt kann ich nur hoffen, dass Robinsons Schutz so gut ist, wie er denkt, und ihnen nichts zustößt. Dennoch bleibt ein ungutes Gefühl, als würde mir die Zeit davonlaufen.

»Wo sind wir?«, frage ich und nehme einen weiteren Schluck. Der Tee verbrüht mir die Zunge.

»In einer abgelegenen Ecke des Südpazifik«, sagt Robinson plötzlich neben mir. Er nickt Nakoma zu, die sich daraufhin erhebt und ins Cockpit zurückzieht. Robinson nimmt ihren Platz ein, während ich diese Information verdaue.

Südpazifik – das ist mehr als 10.000 Kilometer von zu Hause entfernt. »Das ist am anderen Ende der Welt.« So unendlich weit weg von allem, was mir wichtig ist.

Robinson nickt nur, als wäre das nicht weiter interessant. »Hier sind wir in Sicherheit, verborgen vor den Augen der Welt.«

Das ergibt Sinn. Der Pazifik ist etwas mehr als 160 Millionen Quadratkilometer groß, mehr als die Fläche aller Kontinente zusammen. Hier gibt es Hunderte kleiner Inseln, von denen etliche nicht bewohnt oder gar unbekannt sind. Ein Reiskorn in der Wüste zu finden ist einfacher, als diese Schule aufzuspüren.

Neugier packt mich und ich versuche, einen Ort zu entdecken, an dem wir landen können. In der Ferne sehe ich ab und zu dunkle Flecken im Wasser, darauf etwas Grün. Kleine Inseln vielleicht, aber sie sind noch weit weg.

»Wir sind da.« Robinson deutet aus dem Fenster. »Willkommen auf Eos.« In seiner Stimme höre ich Freude und auch etwas Stolz.

Unter uns liegt eine Insel wie aus einem Traum. Ein grünes Juwel inmitten des türkisblauen Meeres. Weiße Sandstrände säumen einen dichten Dschungel, der die gesamte Insel überzieht. Wie groß sie ist, ist von hier oben schwer zu bestimmen, denn man sieht nichts, das einen Größenvergleich zuließe. Man kann sie von hier überblicken und ich schätze, man kann sie nicht an einem Tag umrunden, zumindest nicht zu Fuß. Im Norden ragt ein Berg auf, dessen Gipfel ein Krater ist. Ein erloschener Vulkan vielleicht. Weiter im Westen und Süden gibt es ein paar kleinere vorgelagerte Inseln. Die Wellen brechen sich an ihnen und lassen weiße Gischt explodieren, die aussieht wie der Atem eines riesigen Wales.

Ein Stück voraus lichtet sich der Wald etwas, und Glas blitzt auf, doch dann fliegen wir tiefer und ich kann nicht erkennen, worum es sich handelt.

»Eos?«, frage ich verwundert.

»Nach der griechischen Göttin der Morgenröte. Sie steht für die aufgehende Sonne. Wir fanden das passend. Anfangs waren wir nur zu zweit, Savant und ich. Wir lernten uns an der Universität kennen, teilten dieselben Gedanken, was das Elend dieser Welt angeht. Krieg, Terror, Klimawandel, Menschen, die hungern, die keine Perspektive haben, denen alles genommen wird, wofür sie gearbeitet haben. Und das nur aus machtpolitischen Interessen.«

»Warum dann Eos?«

»Uns war klar, dass etwas passieren muss, etwas Großes«, Robinson sieht aus dem Fenster, er wirkt gequält. »Täglich werden wir Zeugen der gnadenlosen Ausbeutung der Natur und der Menschen dieser Welt. Wir diskutierten, wie die Lösung aussehen könnte. Doch nicht nur das, wir waren entschlossen, unsere Ideen in die Tat umzusetzen. Jung, voller Ideale und Tatendrang, sehnten wir uns danach, die Welt zu verändern. Das Ergebnis ist die Akademie. Hier soll der neue Tag in der Geschichte der Menschheit beginnen.«

»Der Morgen einer neuen Welt.«

Erneut blicke ich aus dem Fenster. Inzwischen haben wir deutlich an Höhe verloren, das dichte Blätterdach des Dschungels ist nun viel näher. Es rast unter uns dahin. Doch das Grün ist noch immer undurchdringlich und ich frage mich, was darunter verborgen liegt.

Dann reißt eine Lücke auf. Es ist eine Lichtung, in deren Mitte ein futuristisches Gebäude steht. Das Bauwerk ist rund und etwa so groß wie ein Fußballfeld. Die Fassade besteht fast nur aus Glas und das kuppelartige Dach ist ein Mosaik aus Solarzellen, an dessen äußerem Rand ein Ring aus tropischen Pflanzen gesetzt ist. Sie wuchern über die Kuppel hinaus und bilden an den Wänden grüne Vorhänge, die bis auf den Boden reichen. Direkt hinter dieser Riesenglaskuppel befindet sich ein zweiter Bau derselben Art, nur ist dieser deutlich kleiner. Ein lang gezogener Glaskorridor verbindet beide Trakte, sodass sie aus der Luft aussehen wie eine gigantische Schildkröte.

»Ist sie das?«, frage ich. »Die Akademie?«

Neben der Schildkröte ist eine quadratische Fläche von jeglichem Pflanzenbewuchs freigehalten. Ein großes schwarzes Kreuz prangt darauf, wie bei einem Helikopterlandeplatz. Ich stelle mich darauf ein, hier zu landen, doch der Jet lässt die Lichtung hinter sich und wir fliegen erneut über dichten Dschungel.

Robinson schüttelt den Kopf. »Nein, das große Gebäude ist das Biozentrum. Das kleine daneben gehört ganz den Physikern. Sie haben da unter anderem ein Erdwärmekraftwerk installiert. Von hier aus wird die Anlage mit Strom versorgt. Grünem Storm.«

»Aidan?« Alator unterbricht den Professor. »Eine Nachricht für dich.«

»Entschuldige mich«, sagt Robinson und geht zügig nach vorne. Ich verrenke mir den Hals, doch außer einer blinkenden Anzeige kann ich nichts erkennen.

Ich sehe wieder aus dem Fenster. Die Insel sieht aus wie ein Paradies, doch für mich ist sie ein Gefängnis, denn ich kann nirgendwo anders hin. Nirgends bin ich sicher.

Ich versuche, nicht allzu genau darüber nachzudenken, dass es gerade in den Tropen extrem giftige Tiere gibt, doch irgendwie gelingt es mir nicht. Diese Frösche kommen mir in den Sinn, deren Haut ein so stark konzentriertes Toxin abgibt, dass bereits eine Pfeilspitze davon ausreicht, einen Menschen zu töten. Dann sind da noch die

Spinnen und Schlangen, Skorpione und Fledermäuse, Mücken, die tödliche Krankheiten übertragen, und Parasiten, die sich in die Körper ihrer Wirte fressen. Pflanzen, die Nervengifte produzieren oder ihre Beute in Säure ertränken.

Ich habe mich immer für den Schutz der Tropen eingesetzt, aber auf Demos und Vorträgen habe ich genug mitbekommen, um zu wissen, dass ich in einen Dschungel besser nicht reingehen sollte. Ich hoffe, die Schule liegt am Strand.

Plötzlich fällt der Wald steil ab und ich erhasche einen Blick auf einen Wasserfall, der über eine Felswand stürzt. Weit unter uns schwebt eine Wolke aus Milliarden feinster Wassertröpfchen über einer türkisblauen Lagune. Dann wieder Dschungel. Dicht, geheimnisvoll und lauernd.

Endlich kommt das Meer in Sicht. Maren würde durchdrehen, wenn sie das hier sehen könnte. Ein hellblaues, glänzendes Seidentuch und davor ein schmaler Streifen weißen Sandstrandes. Sie liebt das Meer und alles, was damit zusammenhängt. Strandspaziergänge, schnorcheln, tauchen, surfen.

Ich bin hin- und hergerissen. Soll ich das alles für sie fotografieren, um ihr so viel wie möglich davon mit nach Hause zu bringen? Oder soll ich es ihr verheimlichen? Wäre vielleicht besser. Wenn ich mir Schauergeschichten über Speisesäle mit edlem Porzellan, superreiche verwöhnte Snobs und öde Benimm-Kodizes ausdenke, hat sie wenigstens nicht das Gefühl, ihren Lebenstraum zu verpassen. Andererseits – ich würde es wissen wollen. Maren würde es wissen wollen. Und ich fühle mich sowieso schon schlecht genug, weil ich ihr die Sache mit den Talenten verheimlichen muss.

Schnell hole ich mein Smartphone aus dem Rucksack und mache ein paar Aufnahmen. Wenigstens die kann ich ihr mitbringen. Und etwas Sand, vielleicht einige Muscheln. Außerdem nehme ich mir vor, ihr aufzuschreiben, was passiert. Jeden Tag.

Ich suche den Strand nach einer Schule ab. Eine kleine, mit Palmwedeln bedeckte Holzhütte schmiegt sich im Schatten unter ein paar Palmen an den Waldrand. Sonst ist da nichts. Nada.

Damit ist klar: Die Schule muss inmitten der grünen Hölle liegen.

5

DIE AKADEMIE

Der Jet drosselt sein Tempo und bleibt schließlich über einer mächtigen Felszunge stehen, die den Strand am südlichen Ende begrenzt und weit ins Meer hineinragt. Dann sinken wir. Kahle Felswände tauchen vor den Fenstern auf und schieben sich Stück für Stück höher. Das Tageslicht schwindet zu einem immer schmaleren Streifen. Dann werden wir vom Fels verschluckt.

Wir sinken, bis die Öffnung im Fels etwa drei Stockwerke über uns ist, und rollen in eine Art Parkplatz. Die Maschinen werden abgeschaltet, während die rechteckige Plattform, die uns runtergebracht hat, auf Hydraulikzylindern wieder nach oben fährt und die Öffnung verschließt. Mattgrüne Leuchtstoffröhren springen an.

Als wir aussteigen, ist es kalt und feucht. Der schwere Geruch von Maschinenöl sticht in meine Nase. Robinson führt uns an einem imposanten Flugpark vorbei, Nakoma und Alator bilden die Nachhut. Ich erhasche einen Blick auf eine Reihe Helikopter und riesenhafter Truppentransporter, die ganze Busladungen voller Menschen aufnehmen können. Sie sind in dem für die Tarntechnologie typischen Mattschwarz lackiert, das jegliches Licht zu schlucken scheint. Ich komme nicht darüber hinweg, wie viel das alles gekostet haben muss.

Während wir laufen, hallt das konstante Tappen und Klacken unserer Schritte auf Beton von den Wänden wider. Dann erreichen wir einen Fahrstuhl. In der kleinen verspiegelten Kabine verfängt sich das gedämpfte Licht in Alators schneeweißem Haar und bringt es zum Leuchten. Es passt zu dem Feuer in ihren Augen.

Mit einem Ruck fährt der Aufzug an und wir bewegen uns nach unten, nur kurz, dann halten wir wieder. Die Tür öffnet sich in eine halbdunkle Höhle, die etwa zehn Meter weiter vorne auf den Strand führt. Im Freien wird es schlagartig heiß. Obwohl es noch früher

Vormittag ist, brennt die Sonne auf meiner Haut. Die Luft schmeckt nach Salz und grelles Licht, das von Milliarden feinster Sandkörnchen reflektiert wird, blendet mich. Ich brauche einen Moment, um mich daran zu gewöhnen, dann sehe ich mich um.

Feinster weißer Sand liegt vor uns. Linker Hand erstreckt sich das Meer in schillerndem Türkis bis zum Horizont, seidenglatt und so klar, dass man bis auf den Grund sehen kann. Im knietiefen Wasser treibt eine faustgroße, durchsichtige Qualle gemächlich dahin, ihre meterlangen Tentakel wie Schleppnetze hinter sich herziehend. Bunte Fische flitzen umher und an einer etwas tieferen Stelle eine Wasserschildkröte, die träge mit den Flossen schlägt.

Wir überqueren den Strand in Richtung der Bambushütte am Rand des Dschungels. Der weiche Sand saugt an meinen Turnschuhen. Eine leichte Brise weht vom Meer heran und bringt Abkühlung. Ein paar Schritte vor mir verschwinden Robinson und Nakoma in einer Lücke zwischen Kokospalmen und breitblättrigen Büschen. Ich folge ihnen und tauche ein in den schweren Geruch von feuchter Erde und Milliarden Blüten. Wir sind auf einem schmalen, sich schlängelnden Pfad.

Sofort ändert sich die Beschaffenheit der Luft. Der Wald schwitzt durch jede Pore warmen Nebel aus, der alles überzieht: Kleidung, Haut, Haare. Nach wenigen Minuten fühle ich mich wie ein nasses Handtuch, und mit jedem Schritt wird es heißer.

»Durch die hohe Luftfeuchtigkeit kann dein Körper sich nicht durch Schwitzen abkühlen, weil der Schweiß nicht verdunstet«, sagt Alator hinter mir.

»Und was passiert dann?«, frage ich.

»Du gewöhnst dich dran«, sagt sie, »oder du kollabierst.«

»Und dann frisst mich der Dschungel?«, frage ich sarkastisch.

Es sollte eigentlich ein Scherz sein, doch Alator lacht nicht. »Wenn dich nicht vorher jemand rettet.«

»Verstehe.«

»Deshalb darf niemand alleine in den Wald.«

Während ich über ihre Bemerkung nachdenke, suche ich die Vegetation nach Gefahren ab. Durch das dichte Kronendach dringt kaum

Licht, dafür gibt es umso mehr Schatten. Hier ist alles dunkel und es gibt so viel Grün, wie ich in meinem Leben noch nicht gesehen habe. Es ist satt, kräftig und erdrückend in seiner Fülle, wuchert und bedrängt uns von allen Seiten.

Der Boden ist überzogen mit Farnen, bemoosten Wurzeln und rankenden Pflanzen. Nur der Pfad wird offensichtlich gepflegt, denn er ist frei von jeglichem Bewuchs und mit Rindenstückchen bedeckt, das Einzige, was hier nicht grün ist. Zwischen den Bäumen und Büschen gibt es kaum Lücken. Das Blattwerk ist dicht und schafft zahllose Verstecke. Armdicke Ranken verbinden die Gewächse miteinander wie übergroße Spinnennetze. Auf den Ästen sitzen noch mehr Farne und andere Pflanzen, deren Wurzeln wie Fransenteppiche herabhängen und dem Wald noch mehr Möglichkeiten bieten, Fallen zu stellen.

Zwischen all dem Grün leuchten die Blüten von Orchideen, Bromelien und anderen Exoten in knalligen, bunten Farben wie eine Warnung.

Schritte, Worte, selbst das sonst raue Rascheln meiner Jeans, alles klingt gedämpft, als würde der Dschungel die Geräusche aufsaugen. Seine eigene Stimme ist jedoch viel lauter als die der Wälder bei uns zu Hause. Unter allem liegt ein Teppich aus dumpfem Brummen und Summen, wie ein Bienenvolk, das sich zum Schwärmen versammelt. Es kommt von überall her, aus den Baumkronen ebenso wie dem Boden, sogar aus den Bäumen selbst. In den Schatten zwischen den Büschen erklingen Klickgeräusche und ein Knistern, als würden harte Schalen von kräftigen Kiefern geknackt. Im Blätterdach über uns hört man schnarrende Rufe, Warnschreie von Vögeln und krächzende Laute, die ich keinem Tier zuordnen kann. Dann ein schriller Schrei, der abrupt abbricht.

Während wir weiter in das Innere vordringen, kommen immer mehr Geräusche dazu, als wäre der Großteil der Waldbewohner uns bisher stumm gefolgt. Der Dschungel gluckst und knarrt, summt und zischt. Doch die Tiere sind nicht zu sehen. Es ist unheimlich. Ich spüre, wie sie uns beobachten, Tausende Augen, die einschätzen, ob wir eine lohnende Beute sind.

An einer Stelle ragen riesenhafte Blätter in den Weg, größer als mein Oberkörper. Ihre Oberfläche ist von einem zarten Flaum bedeckt, der aussieht wie Samt. Darauf glitzern Wassertropfen wie Diamanten. Es reizt mich, dieses Wunder zu berühren, und ich strecke die Hand aus, doch Alators Schwert saust herab und kommt eine Winzigkeit über meinen Fingern zum Stehen.

Reflexartig ziehe ich die Hand zurück.

»Es ist besser, du fasst hier nichts an, solange du nicht weißt, worum es sich handelt.« Ihre Stimme ist wie ein trockener Zweig. Ich sehe sie fragend an. Der Dschungel um uns herum mag tödlich sein, aber an dieser Pflanze kann ich nichts Gefährliches erkennen.

»Sieh hin!« Alator hebt ein kleines Stück Holz auf und wirft es gegen das Blatt. Blitzartig rollte es sich zusammen und ich höre ein leises Knacken.

»Das hätte deine Hand sein können.«

»Verstehe.« Die grüne Hölle will mich anlocken und fressen. Trotz der Hitze überzieht eine Gänsehaut meine Arme.

Dann gehen wir weiter. Leuchtend blaue, tellergroße Schmetterlinge umschweben uns neugierig. Irgendwo in der Ferne schreit ein Affe. Je tiefer wir in den Wald eindringen, umso mächtiger sind die Bäume. Sie sind doppelt so hoch wie die größten Bäume bei uns zu Hause und ihre Stämme sind breit wie ein Haus. Vereinzelt dringen ein paar Strahlen durch kleine Lücken im Blätterdach und silbriger Dunst steigt vom Boden auf, wo die Sonnenstrahlen ihn erwärmen. Nach etwa einem Kilometer weicht die Vegetation zurück.

»Willkommen in der Akademie!« Professor Robinson betritt eine Art Lichtung von der Größe mehrerer Fußballfelder.

Streng genommen ist es keine richtige Lichtung, eher ein getrimmter Wald. Jeglicher Unterwuchs an Pflanzen ist entfernt, doch die Baumriesen hat man stehen lassen. Dazwischen befindet sich die Schule. Kein altehrwürdiges Gemäuer, kein Efeu. Stattdessen Bambus, helles Holz und Glas. Alles ist mit dem Wald verflochten, als wäre es gewachsen und nicht von Menschen erbaut. Beim Blick nach oben wird mir klar, weshalb ich beim Flug über die Insel die Schule nicht gesehen habe: Das dichte Kronendach der Bäume überspannt die gesamte Anlage wie ein riesiger Schirm. Aus der Luft ist sie unmöglich aufzufinden.

Durch das Blätterdach ist es schattig, doch nicht düster wie zuvor. Alle Gebäude sind an und zwischen den Bäumen gebaut, deren Stämme und Äste als Säulen und Verstrebungen dienen. Am Rand des Komplexes winden sich hölzerne Treppen spiralförmig um die Baumriesen, an denen sie wie zierliche Schmuckstücke wirken. Sie führen zu Baumhäusern in unterschiedlicher Höhe. Holzbrücken, Netze, raffinierte Seilkonstruktionen und Rutschen verbinden die einzelnen Einheiten miteinander und machen den äußeren Ring zu einem riesigen Klettergarten.

Im Zentrum der Lichtung steht ein bombastisches, hell erleuchtetes Gebäude aus Bambus und Glas. Tausende Bambusstangen bilden Zierstreben, Dachüberhänge und Verbindungsbrücken zu weiteren Bauwerken. Ich zähle sieben Stockwerke. Jede Etage ist von einem breiten Balkon umgeben und mit hellen Bambusgeländern gesäumt. Die Hälfte der Wände besteht aus Fenstern, deren lange weiße Vorhänge den Blick auf die dahinterliegenden Räume verbergen.

Nakoma und Alator verabschieden sich und gehen zu dem großen Eingang in der untersten Ebene. Robinson führt mich nach rechts, zu einem Pavillon am Rand der Lichtung. Ein Teppich aus Rindenstückchen dämpft unsere Schritte.

»Wir fördern unsere Talente, so gut wir können«, setzt er an, »dazu gehört auch, dass wir die besten Praktikumsplätze der Welt anbieten, bei der NASA …«

Nichts für mich, denke ich und suche den Klettergarten nach Schülern ab. Doch zu dieser Zeit ist niemand in den Seilen unterwegs.

Robinson redet weiter, während ich mit dem Blick einem huschenden Schatten folge, der sich zwischen den Bäumen bewegt wie ein großes Eichhörnchen »… an der Charité in Berlin, einer Meeresforschungsstation bei Neuseeland …«

Marens Traum, sie würde dafür sterben, denke ich.

»… und im Weißen Haus in Washington.«

Mein Traum. Das kann mir die Tür zu dem öffnen, was ich nach der Schule machen will. »Was müsste ich dafür tun?«

»Selbstverständlich sind diese Stellen die Begehrtesten. Die Noten entscheiden über die Vergabe der Praktika und natürlich dein Mentor. Die Anforderungen sind hoch. Das Lernpensum ist enorm, das körperliche Training hart.« Ein strenger Zug legt sich über Robinsons Gesicht. »Wir folgen der Philosophie, dass ein gesunder Geist sich nur in einem gesunden Körper entwickeln kann und dass jeder unserer Schützlinge in der Lage sein muss, sich gegen Angriffe zu verteidigen. Denn jeder von euch ist ein mögliches Ziel.«

»Also ein Selbstverteidigungskurs?«

»So ähnlich, ja.« Robinsons Augen blitzen. Irgendetwas findet er an meiner Antwort ziemlich witzig.

Ich weiß nicht, was daran komisch sein soll. Beim Angriff auf meine Eltern waren Waffen im Spiel. »Sie werden mich aber nicht dazu bringen, eine Schusswaffe zu benutzen.« Gefahr hin oder her, Schusswaffen lehne ich ab. Es muss ohne gehen, es gibt immer einen Weg.

Robinson bleibt stehen und sieht mich scharf an. »Deine Kräfte sind jetzt schon stärker als die der meisten Talente hier. Und sie werden jeden Tag wachsen. Du brauchst keine Waffe, um dich zu verteidigen, Jan. Du *bist* eine Waffe.«

In meinen Gedanken blitzt unser Haus auf, die Zerstörung, all das Chaos, das ich angerichtet habe. Ich beiße die Zähne zusammen und sage nichts. Schweigend gehen wir ein paar Schritte weiter. »Aber ich will das nicht, ich will niemanden verletzen«, sage ich schließlich.

»Du wirst lernen, dein Licht zu kontrollieren«, antwortet Robinson.

Und wenn nicht?, denke ich, doch ich spreche meine Zweifel nicht aus.

Als wir weitergehen, fragt Robinson mich nach meinen Lieblingsfächern und hört mir eine Weile zu, während ich von meinem Interesse an Politik erzähle.

»Ich werde dich Professor Alvis empfehlen«, sagt er. »Er wird dein Mentor sein.«

In diesem Moment erreichen wir den Pavillon, eine sanft gewölbte Dachkonstruktion aus Bambusstangen und Palmblattschindeln, die von zehn mannsdicken Bambusstämmen getragen wird. Hier gibt es keine Seitenwände, die den Blick versperren. Über zwei flache Stufen gelangen wir ins Innere. Bänke und Tische aus massiven, halbierten Holzstämmen stehen hier. Ich zähle 25 Reihen, die rechts und links eines breiten Mittelgangs angeordnet sind. Zusammen bieten sie Platz für etwa fünfhundert Personen.

Robinson geht zielstrebig nach vorne zu einer Art Tresen. Aus dem dahinterliegenden Raum dringt Geklapper von Töpfen und Geschirr. Er klopft kurz und kräftig auf das Holz und das Scheppern verstummt augenblicklich. Ein großer Mann in verblichenen braunen Shorts taucht aus den Tiefen des Raumes auf. Sein grellgelbes T-Shirt bildet einen starken Kontrast zu seiner dunkelbraunen Haut. Dicke Dreadlocks, in die kleine Holzperlen eingeflochten sind, fallen über seine Schultern. Als er uns erblickt, blitzen seine Augen freudig auf.

»Hey, du bist Jan, oder? Na klar biste das! Willkommen, willkommen hier auf unserer lieben kleinen Insel!« Seine Stimme klingt wie ein Bachlauf nach einem Regenschauer, sprudelnd, fröhlich, voller Energie. »Ich bin Mister Cooks, Chefkoch hier in unserem Paradies und immer für dich da. Egal, welches Problem, frag einfach Cooks, okay? Okay«, beantwortet er seine Frage selbst und stößt ein gellendes Lachen aus. Es ist schwierig, ihn zu verstehen. Zwar spricht er Englisch, doch mit jamaikanischem Dialekt und irre schnell.

Ehe ich etwas erwidern kann, sagt Robinson: »Ich muss in den Unterricht. Bitte führ Jan herum und gib ihm seinen Stundenplan.« Zu mir sagt er: »Dein Unterricht beginnt, sobald du dich eingerichtet hast. Alles, was du brauchst, findest du in deinem Baumhaus.«

Mein Baumhaus.

Wenig später folge ich Cooks durch die Anlage. Sein Gang ist lässig und hat doch etwas Tänzerisches, als bewege er sich zu einer nur für ihn hörbaren Musik. Reggae oder so. Er redet unablässig in einem melodischen Singsang und begleitet seinen Wortschwall mit wilden Gesten. Irgendwie verstehe ich ihn dann doch.

»Mein Pavillon ist das Herz von allem, okay? Mein Reich, mein Zuhaus. Hier gibts Essen, hier trifft man sich und tankt gute Laune.

Frühstück um sieben, Mittagessen um dreizehn, Abendessen um neunzehn Uhr, klar? Klar«, sprudelt er. »Zeiten sind strikt, wer später kommt, hat Pech und hilft beim Abwasch.« Er biegt sich vor Lachen und klopft mir auf die Schulter.

Wir gehen an dem großen Gebäude im Zentrum der Lichtung vorbei.

»Hier ist Unterricht, von acht bis, na ja, ähhh, sagen wir, *ab* acht.« Er deutet mit einer wedelnden Armbewegung auf die einzelnen Stockwerke. »Hier sind Unterrichtsräume, Studiersaal, Bibliothek.«

Es gibt sieben Stockwerke und drei Eingänge: Das Hauptportal in der untersten Ebene und in der dritten Ebene einen Balkon, der über eine Seilbrücke vom Klettergarten aus zu erreichen ist. Ziemlich weit oben führt ein Tunnel aus Glas und Bambus direkt aus den Wipfeln des Dschungels zur sechsten Ebene. Von hier unten sieht man darüber hinaus nicht viel, nur die weißen Vorhänge hinter den Glaswänden, doch noch gehen wir nicht hinein. Ich muss mich also gedulden.

»Da geht's zu Alators Parcours«, sagt Cooks, der meinem Blick folgt. Er schnalzt mit der Zunge. »Der ist«, dann zögert er. »Na ja, bisher ham noch alle überlebt.« Sorge verdunkelt sein Gesicht. Mir wird mulmig.

Dann passieren wir eine Art asiatischer Tempelanlage, einstöckig und ebenfalls aus Bambus. Sie gleicht Cooks' Pavillon, nur versperren hier Wände den Blick ins Innere. Das Dach ist sanft geschwungen und die Ecken ragen verspielt nach oben. Geräusche dringen heraus, Holz, das auf Holz kracht, vereinzelte Schmerzenslaute, eine volltönende Stimme, die kurze Kommandos gibt.

»Netos Kampfhalle«, sagt Cooks neben mir. Seine großen mokkafarbenen Augen blitzen verschmitzt.

Ich merke, wie ich das Gesicht verziehe. »Wird hier immer gekämpft?«

Cooks gluckst. »Ist ganz easy, glaub mir, Neto und Athena werden dich so hart rannehmen, dass du in paar Wochen mithalten kannst, und dann zeigst du's ihnen, yeah!« Cooks geht in die Knie, nimmt die Arme hoch und fuchtelt mit den Händen herum, als kämpfe er mit einem unsichtbaren Gegner. Dabei macht er eine derart übertrieben bissig-ernste Miene, dass ich unwillkürlich grinsen muss. Es sieht einfach zu komisch aus. Allerdings ... von zwei Kampftrainern in die Mangel genommen zu werden, hört sich in meinen Ohren gar nicht *easy* an.

»Wird schon, Jan, wird schon«, sagt Cooks und beendet seine Karate-Kid-Parodie. »Ich zeig dir jetzt, wo du wohnst. Hast hoffentlich keine Höhenangst.«

»Nein, Sir«, sage ich.

»Nur Cooks, Kleiner«, verbessert mich der Koch, »bin kein Sir und schon gar kein Professor, und darüber auch gar nich traurig. Komm mit.«

Ich folge ihm zu einer schmalen Wendeltreppe, die sich spiralig um den massigen Stamm eines Baumriesen schlingt. Meine Finger gleiten über das von zahllosen Händen glatt polierte Geländer. Ich fühle mich in die Zeit zurückversetzt, als ich mit Freunden in Bäumen herumgeklettert bin. Aber das hier ist besser. Gigantisch.

In etwa zehn Metern Höhe endet die Treppe an einer leicht schwankenden Plattform. Zwei Meter über uns thront ein Baumhaus. Eine Leiter aus naturbelassenen, krummen Aststücken führt nach oben und von dort aus geht es über einen Holzsteg weiter von Baum zu Baum. Doch Cooks geht an der Leiter vorbei zu einer Hängebrücke. Er dreht sich zu mir um und grinst: »Ist 'ne Abkürzung.«

Die Hängebrücke schwankt stärker als die Plattform, trotz der dicken Seile an beiden Seiten. Am nächsten Baum endet sie. Von hier aus geht es über einzelne an Ketten aufgehängte Trittbretter weiter. Cooks huscht geübt darüber hinweg wie ein Kletteraffe, doch als ich ihm folge, schaukeln die Trittbretter wild vor und zurück. Ich brauche meine ganze Kraft, um mich an den Kettenaufhängungen festzuhalten. Mein Herz pocht schnell, immerhin sind wir gut zehn Meter über dem Boden.

Ein paar Meter unter uns ist ein Netz, sodass ich mir immerhin nicht alle Knochen breche, wenn ich jetzt falle, aber mein Stolz würde eine ziemliche Delle bekommen. Auf keinen Fall will ich abstürzen. Ich halte mich an den Ketten fest und bringe das Trittbrett zum Schwingen, einmal, zweimal, visiere die nächste Stufe an. Beim dritten Schwung greife ich die nächste Kette und bin mit einem großen Schritt drüben. So geht es weiter. Schwingen, greifen, Schritt. Es ist immer noch drückend heiß und der Schweiß rinnt über meine Haut. Meine Handflächen sind feucht und wollen immer wieder abrutschen, doch es macht irre Spaß. Als ich drüben bin, finde ich es fast schade.

Cooks wartet schon mit einem Grinsen auf mich. »Kannste noch?«

»Wie oft fällt hier eigentlich einer runter?«, frage ich zurück.

Cooks zuckt die Schultern, seine Augen blitzen. »Wie soll ich das wissen, hä? Niemand gibt damit an.«

Dann klettern wir über ein Netz. An der nächsten Plattform kommt man nur mit einem Seil weiter, mit dem man von Baum zu Baum schwingt. Der kühle Luftzug ist eine Wohltat und der Flug viel zu schnell vorbei. Eine gewundene Rutsche führt von hier aus nach unten, aber Cooks ist schon weiter, trippelt über eine Leiter den Baumstamm hinauf und ich folge ihm rasch.

»Das da ist eure Gemeinschaftshütte.« Cooks deutet auf ein goldgelb gestrichenes Baumhaus. Es ist mit Muscheln und Strandutensilien dekoriert, einem Sonnenhut, einem Strandtuch und einem Surfbrett. Eine Palme mit Hängematte ist aufgemalt, daneben ein Delfin im Sprung.

»Haus des Sommers«, ruft Cooks von oben. »Merk dir, gehörste jetzt dazu. Gibt vier Häuser, wie die vier Jahreszeiten.«

Wir klettern mehr Leitern hinauf, passieren zwei weitere Baumhäuser und erreichen die vierte Ebene. Ich werfe einen kurzen Blick nach unten. Wir sind mindestens 25 Meter über dem Boden. Das ist verdammt hoch.

Cooks setzt sich unbekümmert an den Rand und lässt die Beine baumeln. »Jahreszeiten sind die treibende Kraft in der Natur, weißte? Der Kreislauf von Wachstum, Ernte und Erneuerung ist die Grundlage für alle Kreisläufe in der Natur. Aus Respekt davor sind die Häuser den Jahreszeiten gewidmet.«

»Aber hier am Äquator gibt es keine Jahreszeiten«, wende ich ein.

»Umso wichtiger dann die Häuser, oder nich?« Cooks stößt ein schallendes Lachen aus und ist mit einem Satz auf den Beinen.

»Voilà!« Er macht eine ulkige Verbeugung und deutet auf das Baumhaus, das sich um den Stamm windet. Es ist ganz aus Bambus und eine schmale Tür aus geflochtenen Pflanzenfasern in einem Rahmen aus Bambusrohren steht halb offen. Das Flechtwerk knarzt leise, als ich eintrete.

Irgendjemand wohnt bereits hier. Kleidung und Hefte liegen chaotisch verstreut auf dem Boden, dazu eine Reihe technischer Geräte und ein Surfbrett, an dessen Unterseite etwas Ähnliches wie ein Smartphone befestigt ist. Auf dem Tisch steht ein Spinnenroboter mit Kameraaugen, in der Ecke ein dreirädriges Gefährt von der Größe einer Katze mit Solarzellen, kleinen Kabeln und Drähten. Ohne Zweifel wohnt hier ein Technik-Freak.

Ansonsten ist der Raum spärlich möbliert. Zwei kleine Wandschränke und ein Holztisch mit zwei Stühlen, das ist alles. Zu meiner Rechten führt eine Leiter nach oben zu einer Art Erker.

»Yorik ist ’n bisschen chaotisch, aber sonst ganz okay«, sagt Cooks hinter mir. »Hier ist dein Stundenplan und waste sonst noch wissen musst.« Er öffnet einen der beiden Schränke, zieht ein Tablet heraus und reicht es mir. »Kleidung ist dadrin, fallste sonst noch was brauchst, frag. Findest mich in der Küche. Oder am Strand.« Cooks grinst.

Ich tippe auf den Screen und öffne die Info-Datei. Sie enthält eine Liste mit Regeln, Fotos der Lehrer, einen Lageplan der Anlage. Ich scrolle nach unten, bis ich den Stundenplan finde.

Das kann unmöglich stimmen.

Jeder Tag ist voll, bis zum späten Nachmittag dauern meine Kurse. Ich suche nach einer Lücke, einer Möglichkeit für zusätzliches PSI-Training, aber da ist nichts. Die Vormittage sind gefüllt mit Unterricht: Sprachen, Mathe, Wissenschaften. Nachmittags stehen irgendwelche Trainingseinheiten an, *Paratraining*, was auch immer das ist, Kampfsport bei Professor Neto und ein Kurs bei Alator: Überleben. Sofort habe ich das Bild einer Schlangengrube mitten im Dschungel im Kopf. Aber das können sie doch nicht machen, oder? Ich meine …

Auf der anderen Seite … Diese Leute sind keiner Regierung unterstellt, unsere Eltern sind Tausende Meilen weit weg. Bei wem sollte man sich beschweren? Die können hier alles mit uns machen, was sie wollen. Mein Magen zieht sich zusammen.

Und im Stundenplan steht noch mehr. Um 17 Uhr beginnt die Studierzeit, immer unter Aufsicht. Alle Abende von Montag bis Freitag sind komplett verplant. Cooks räuspert sich. »Jetzt ist 8:20 Uhr, in 25 Minuten ist Stundenwechsel, aber wenn du heute noch nich gleich zum Unterricht willst, ist das ver...«

»Ist das wahr?«, unterbreche ich ihn. »Ist Savant wirklich so gefährlich?«

Alle Heiterkeit weicht aus Cooks' Gesicht. Als würden Gewitterwolken die Sonne verdunkeln. Eine Weile sagt er gar nichts und beim nächsten Wort ist seine Stimme rau. »Gefährlicher.« Dann blickt er sich um, als befürchte er, wir seien nicht allein. Er flüstert, als er weiterspricht. »Savant ist kein normaler Mensch. Lacht nie und hat keine Freunde. Nur Computer. Er braucht kaum Schlaf. Ist ein Genie, aber ohne Gewissen. Gefährlich, diese Mischung.« Cooks' Gesicht ist jetzt grau und voller Runzeln, die zuvor nicht zu sehen waren.

»Aber Robinson hat ihm vertraut, oder nicht?«

Cooks sieht mich lange an. »Weiß nich, ob das eine gute Idee war, Junge. Klar, sie ham das hier erschaffen, weiß nich, obs Robinson ohne ihn gepackt hätte. Der Professor ist das Herz diese Schule, aber Savant war der Kopf. Hat alles Geld beschafft, Ausrüstung, Technologie, Personal. Er findet immer die richtigen Leute für das, was er vorhat, und sorgt dafür, dass es keinen Ärger mit Behörden gibt. Bekommt alle Papiere. Seine Möglichkeiten sind ohne Grenzen.«

»Aber er will den Planeten retten. All das hier dient doch genau diesem Zweck.«

Cooks legt den Kopf schief und sieht mich lange nachdenklich an. »Vielleicht ist genau das das Problem. Er sieht sein edles Ziel und rechtfertigt damit alles.«

Ein Mann, der über Leichen geht. Mit unbegrenzten Möglichkeiten. »Was genau hat er vor?«

»Das hat er niemandem verraten. Aber kurz bevor er die Akademie verließ, sagte Savant viele komische Sachen in seinem Unterricht. Machte Schülern Angst.«

»Was hat er gesagt?«

Cooks zuckt die Schultern. »Ich höre nur Gerüchte. Frag Yorik. Er war in seiner Klasse.« Er nickt zu dem kleinen Rucksack, der ganz unten in meinem Schrank steht. »Ich kann dich gleich zum Unterricht bringen.«

O nein, bitte nicht. Ich bin doch kein Kind mehr. »Das finde ich schon.«

»Alles klar, also ...« Cooks starrt unschlüssig auf das Tablet in meinen Händen. »Erste Zahl in jeder Zeile ist für Stockwerk, zweite ist Raumnummer.« Er tippt sich an die Augenbraue, dann wendet er sich zum Gehen. »Ach, und Jan ... setz deine Kräfte nich außerhalb des Unterrichts ein, ist verboten, klar?«

»Klar.« Ich weiß ja sowieso nicht, wie das geht.

Cooks grinst und verschwindet tänzelnd aus der Hütte.

Ich atme tief durch, dann untersuche ich mein neues Zuhause. Der kleine Erker über der Leiter ist eine Art Schlafbereich, der von verschlossenen Moskitonetzen umgeben ist. Durch ein unverglastes Loch in der Wand fällt dämmriges Licht. Es gibt zwei schmale Matratzen, mit je einer dünnen Decke. Dazwischen steht ein Miniaturraumschiff, ein Modell des Raumschiffs *Enterprise*. Es ist der einzige Gegenstand in dem Chaos, der sorgfältig aufgeräumt wirkt. Ich muss grinsen.

Ich klettere wieder hinunter. Im Schrank finde ich kurze Shorts, bequeme Hosen, T-Shirts und Sweatjacken, das meiste davon in unauffälligen, gedeckten Farben, dazu Socken und Unterwäsche, alles in meiner Größe. Der Stoff, eine Art Pflanzenfaser, ist angenehm weich und doch robust. In jedes Kleidungsstück ist ein kleines Symbol eingenäht, eine aufgehende Sonne, das Schulwappen vermutlich. Am Boden stehen Flip-Flops, schwarze Turnschuhe, leichte Mokassins und zwei Paar Kampfstiefel. Auch Trainingskleidung ist da, bestehend aus schwarzen, langen Hosen und langärmligen Shirts, alles aus leichtem, strapazierfähigem Material. Dazu ein breiter Ledergürtel mit diversen Taschen und Schlaufen. Eine Lederscheide ist daran befestigt, sie ist leer, aber für ein Messer gemacht, wie Alator es am Gürtel trägt.

Ich denke an die Trainingseinheit »Überleben« im Stundenplan. Ob sie uns wirklich mit nur einem Messer in den Dschungel schicken? Dieser Anzug sieht jedenfalls so aus, als wäre er genau dafür gemacht.

Ich öffne den Rucksack, der ebenfalls mit dem Logo der Schule bestickt ist. Er enthält neben einem kleinen Block und Stiften eine Smartwatch. Keine Bücher. Keine Hefte. Dafür eine Flasche Wasser und eine Packung Kekse. *Kekse? Echt?*

Ich überlege, ob das vielleicht die Ausrüstung zum Überleben im Dschungel sein soll, und rufe die Lagepläne der Schule auf. Laut Stundenplan steht um 08:45 Uhr Geschichte bei Professor Alvis an. Fragt sich nur, wo.

Ein flimmerndes Hologramm wird über das Tablet projiziert, eine dreidimensionale Karte des großen Schulgebäudes. Eine Computerstimme, die verdammt nach Cooks klingt, fragt mich, was mein Ziel ist.

»Nach Hause«, murmele ich leise, doch dann reiße ich mich zusammen und gebe den Zimmercode aus dem Stundenplan an.

Ein roter Punkt erscheint in der dritten Ebene und eine gelbe Linie weist mir den Weg. Schnell präge ich mir den Weg ein, doch dann kommt mir noch ein Gedanke.

»Zu Professor Savants Büro«, fordere ich das Hologramm auf.

»Sicherheitsfreigabe erforderlich«, klärt es mich auf. Super. Aber das wäre ja auch zu schön gewesen.

Ich schließe das Hologramm und suche den Internetbrowser, werde aber enttäuscht. Mit diesem Ding gibt es keinen Weg ins Internet. Also rufe ich die Suchfunktion des Tablets auf und gebe »Professor Savant« ein.

»Sicherheitsfreigabe erforderlich.«

Eine grellrot und gelb leuchtende Blinkanzeige, mehr nicht. *Mist.* Maren würde vielleicht einen Weg finden, diese Sperre zu umgehen, aber ich habe einfach nicht genug Ahnung von Computern. Ich muss jemanden auftun, der sich mit so etwas auskennt. Mein Blick fällt auf das getunte Surfbrett. Yorik vielleicht.

Jetzt habe ich es wirklich eilig, in den Unterricht zu kommen.

Schnell verstaue ich meinen alten Rucksack im Schrank und packe das Tablet und die Kekse in den neuen.

Aufgeregtes Fiepen lässt mich herumfahren. Ein kleines Äffchen mit goldbraunem Fell und runden Augen, groß wie Teetassen, hockt auf dem Fensterrahmen. Er sieht aus wie ein Kobold, schaut mich neugierig an und legt dabei den Kopf schief. Dann stößt er erneut diesen fiependen Ton aus. Ich weiß nicht, ob das ein freundlicher Affe ist oder ein als niedlich getarntes fleischfressendes Urwaldmonster, aber er fasziniert mich. Langsam gehe ich näher heran.

Er hat anscheinend keine Angst, legt nur den Kopf schief und stößt ein weiteres Fiepen aus. Aus einem Impuls heraus ziehe ich einen Keks aus der Packung. Wahrscheinlich sollte ich das lassen, aber wider besseres Wissen strecke ich die Hand aus.

Das Äffchen springt auf dem schmalen Fensterrahmen hin und her, offensichtlich unschlüssig, ob es den Keks nehmen soll oder doch lieber verschwinden.

»Na komm schon, hol ihn dir«, flüstere ich. Das Äffchen ist wunderschön mit seinem bernsteinfarbenen Fell und den Augen, die funkeln wie der Nachthimmel. Vorsichtig mache ich einen Schritt nach vorn. Das Tier streckt seine Hände mit den zartgliedrigen Fingern aus. Noch ein Schritt.

Ich höre auf zu atmen.

Noch ein Schritt.

Blitzschnell schnappt der Koboldaffe den Keks und flitzt durch das Fenster davon.

Freches Kerlchen. Ich glaube, ich bin gerade bestohlen worden, dennoch muss ich lächeln. Dann mache ich mich auf den Weg.

Über eine Seilbahn, eine Kombination aus schwingenden Holzplanken und eine zehn Meter lange Hängebrücke gelange ich zum Eingang auf der dritten Ebene des Zentralgebäudes. Es ist ein ovaler Balkon mit schmalem Bambusgeländer, drei flache Stufen führen zu einer zweiflügeligen Glastür. Dahinter liegt ein gebogener Korridor, der ringförmig um die gesamte Ebene führt. Auch hier ist alles aus hellem Bambus, Boden, Wände und Decke. Zahlreiche Gemälde zieren die Wände, Schülerarbeiten vermutlich, doch sie sind von beeindruckender Präzision und verraten großes Können.

Ich gehe an mehreren Kursräumen vorbei. Eine Einteilung in Klassen gibt es nicht, sondern Kurse, die Bezeichnungen des griechischen Alphabets tragen. Bei den meisten meiner Kurse steht ein γ. Ich nehme an, *Gamma* bedeutet hier so viel wie Anfänger. Oder: Ganz schlecht.

Den Raum von Professor Alvis finde ich, als ein dunkler, volltönender Gong geschlagen wird und die Türen sich öffnen. Sofort drängen Schüler heraus und ein Wirrwarr aus Stimmen erfüllt den Gang.

Kaum einer schenkt mir Beachtung, was mir nur recht ist. Ich warte an der Wand, bis der Strom versiegt. Einige der Schüler sind jünger als ich, noch mehr sind gleich alt oder älter. Alle tragen ähnliche Klamotten, überall blitzt das Schullogo. Besonders streng ist die Kleiderordnung jedoch nicht, es ist offenbar keine Schuluniform. Viele kommen in Flip-Flops, Strandshorts und simplen Tops oder Shirts. Sie sehen wie normale Teenager aus. Bis auf eines: Alle wirken gesünder und fitter als bei uns zu Hause.

Als der letzte Alvis' Raum verlassen hat, trete ich ein. Der Professor sitzt vor einem Chaos aus Büchern, Papieren und Heften, unter dem vermutlich irgendwo sein Pult begraben ist. Ein Heft liegt aufgeschlagen vor ihm, ein edler schwarzer Füllfederhalter mit feiner Goldverzierung huscht über den Rand und hinterlässt geschwungene Bemerkungen.

Ich schätze Alvis auf etwa fünfzig. Über seiner hohen Stirn leuchtet kräftiges, silbriges Haar. Ein gepflegter, weißer Bart ziert Wangen, Oberlippe und Kinn. Entgegen dem Kleidungsstil der übrigen Inselbewohner trägt Alvis ein Jackett über einem karierten Hemd und eine Brille mit kleinen, halbmondförmigen Gläsern. Als ich mich leise räuspere und Alvis mich erblickt, nimmt er sie ab und legt sie auf das Heft.

»Guten Tag, Sir«, sage ich höflich.

»Ah, Sie müssen Jan sein.« Alvis steht auf und reicht mir die Hand. Sein Händedruck ist kurz und fest. »Willkommen auf *Eos*.«

Dunkelbraune Augen mustern mich aufmerksam. »Wie ich höre, interessieren Sie sich für Politik.« Diese Info hat Robinson ziemlich schnell weitergegeben. Ich nicke nur. »Sehr schön, dann dürfte Geschichte für Sie von Interesse sein. Politik ist ein Wahlfach, und auch wenn hier erwartet wird, dass Sie sich in zusätzlichen Kursen engagieren, fürchte ich doch, Sie werden momentan nicht die nötige Freizeit dafür haben. Darf ich Ihren Stundenplan sehen?«

Die Aussprache des Professors ist klar und deutlich, mein Schulenglisch reicht, um ihn zu verstehen.

Ich soll noch ein Wahlfach belegen? Wie denn? »Natürlich.« Ich reiche ihm mein Tablet. Alvis studiert es kurz, nickt und streicht sich mit der freien Hand über den Bart.

»Wie ich sehe, haben Sie zusätzliche Englischstunden. Das muss sein, denn wir erwarten, dass nicht nur im Unterricht, sondern auch außerhalb Englisch gesprochen wird. Es dient dem Gemeinschaftsgefühl und das ist hier, wo Schüler so vieler verschiedener Nationen aufeinandertreffen, sehr wichtig. Ihr Schulenglisch reicht dafür nicht aus, insbesondere für unser Unterrichtsniveau. Bis Sie so weit sind und auch in den anderen Disziplinen aufgeholt haben, ist Ihre Freizeit quasi nicht existent.«

Bamm. Das habe ich auch schon gemerkt. Trotzdem habe ich bis jetzt gehofft, dass das ein Irrtum ist.

Alvis gibt mir das Tablet zurück. »Wenn Sie den nötigen Stoff beherrschen, können Sie jederzeit in den Politikkurs einsteigen.« Er sieht mich herausfordernd an. »Wenn Sie es innerhalb der nächsten vierzehn Tage schaffen, bin ich beeindruckt.«

Zwei Wochen! Um eine fremde Sprache zu meistern und den Schulstoff einer Eliteschule aufzuholen.

»Ich brauche diesen Kurs, wenn ich das Praktikum im Weißen Haus möchte, richtig?«, frage ich.

Alvis schüttelt lachend den Kopf. »O nein.«

Ich schöpfe wieder Hoffnung.

»Sie brauchen diesen Kurs, Bestnoten in Englisch und Geschichte und Sie müssen das Training bei allen anderen Lehrern bestehen. Und schließlich müssen Sie noch einen Weg finden, mich besonders zu beeindrucken. Mehr als die anderen Schüler, die dieses Praktikum auch wollen.«

Meine Hoffnung ist dahin. Meine Ohren klingeln. Ich nicke nur und murmele ein »Danke, Sir«, dann drehe ich mich um und suche einen Platz in der letzten Reihe. *Das wird hart.*

Nach und nach treffen die anderen Schüler ein und besetzen die ersten beiden Reihen. Die vertraute Geräuschkulisse eines Klassenzimmers, eine Mischung aus halblaut geführten Unterhaltungen und dem Rascheln von Papier, hüllt mich ein. Irgendwie muss ich besser werden als alle anderen. Keine Ahnung, wie ich das anstellen soll, aber bevor ich mir Gedanken über die Ausweglosigkeit der Situation machen kann, teste ich das Schreibprogramm auf dem Tablet und den Touchpen. Es funktioniert, ich kann auf dem Display schreiben wie in einem Heft.

Dann durchsuche ich den Ordner »Schulbücher«. Während ich genervt das Verzeichnis entlangscrolle, lässt sich ein bäriger Typ in meinem Alter auf den Stuhl neben mir fallen und grinst mich an. Er hat dunkelblondes langes Haar, das nachlässig mit einem Lederband zusammengebunden ist.

»Cooks sagte mir gerade, dass heute ein Neuer bei mir einzieht«, sagt er schließlich. »Und *du* siehst ziemlich neu aus, also, bist du das?«

»Was, neu?«, frage ich schroff, immer noch verärgert über das Pensum an Zusatzkursen.

Doch der Blonde stört sich nicht daran. »Der bei mir *einzieht*«, sagt er und verdreht dabei die Augen.

Ich zucke mit den Schultern. »Liegen deine Sachen überall verstreut?«

»Yup«, sagt der Blonde unbeschwert, immer noch grinsend.

Er ist größer als ich, über ein Meter achtzig, mit einem gewaltigen Brustkorb und breiten Schultern. Überhaupt scheint er nur aus Muskeln zu bestehen. Seine Haut ist von der Sonne gebräunt, doch ursprünglich hell und verrät zusammen mit seinen eisblauen Augen seine Herkunft. Ich tippe auf Skandinavien, Norwegen vielleicht.

Er fläzt sich lässig in seinem Stuhl, die Beine ausgestreckt und die Füße locker übergeschlagen. Zu T-Shirt und Shorts trägt er Flip-Flops. Eine Kette aus Holzperlen und Muscheln hängt um seinen Hals und macht den Eindruck eines Wikingers auf Strandurlaub perfekt. Ich denke an den ganzen Technikkram in unserem Baumhaus und muss unweigerlich grinsen.

»Ja, ich glaube, dann bin ich bei dir eingezogen.«

»Cool«, sagt der Junge. »Ich bin Yorik.«

»Jan.«

»Hi Jan.« Sein Grinsen ist ansteckend und ich vergesse meinen Ärger.

»Hi Yorik«, flötet eine helle Stimme neben uns. Ein rothaariges, hübsches Mädchen sieht Yorik mit großen rehbraunen Augen an, streicht ihre Haare zurück und geht lächelnd an uns vorbei.

»Hi Sondra«, erwidert Yorik, grinst und sieht ihr einen Moment nach.

»Welches Buch brauchen wir?«

»Hä?«

Ich muss wieder grinsen. »Buch. Unterricht. Geschichte.«

»Ja, klar. Gib mal her.« Yorik schnappt sich mein Tablet, scrollt zu einem Buchtitel und tippt es an.

»Verehrte Schüler«, setzt in diesem Moment Alvis an. Seine Stimme erfüllt den Raum bis in die hinterste Ecke. Er steht nun vor einer altmodischen grünen Schiefertafel. Irgendwie schafft er es, alle gleichzeitig anzusehen. Das Gemurmel erstirbt.

Als Alvis spricht, verstehe ich nur die Hälfte. Mein Schulenglisch reicht nicht für dieses Niveau. Zwar kann ich einiges aus dem Zusammenhang erschließen, doch bei Weitem nicht genug. Obendrein melden sich die Kopfschmerzen zurück. Ich tippe auf das Suchfeld des Tablets und gebe »Translator« ein. Dann versuche ich, gleichzeitig zuzuhören und zu übersetzen.

»Eines Tages werden Sie vor die Aufgabe gestellt werden, für kritische Fragestellungen befriedigende Lösungsansätze zu finden. Um dazu in der Lage zu sein, müssen Sie wissen, wo die Probleme dieser Welt herkommen. Ich spreche von der Geschichte der Menschheit.

Lernen Sie ihr Wesen, ihre Kultur und ihren Glauben kennen, dann werden Sie fähig sein, zu verstehen. Und das, meine Herrschaften, ist der erste Schritt, um Konflikte zu lösen.«

Alvis schreibt *CONFLICTS* in Großbuchstaben an die Tafel und kreist das Wort ein. »Konflikte finden wir dort, wo verschiedene Kulturen aufeinandertreffen. Wie diese Konflikte verlaufen, wird von der Politik der Völkergruppen und ihrer Gesellschaftsform bestimmt. Als Beispiel haben wir bereits die Vertreibung der Ureinwohner Amerikas studiert. Heute wenden wir uns einer ähnlichen Situation zu, die ganz anders ausging: der Konflikt zwischen europäischen Siedlern und den Maori, den Ureinwohnern Neuseelands.«

Alvis ist ein geschickter Erzähler. Sein Vortrag über das Leben und die Sitten der Maori und ihre gewaltsame Vertreibung durch die europäischen Siedler ist spannend. Ich komme aber kaum mit. Als Einziger offenbar, denn überall um mich herum fliegen Stifte über Displays, alle arbeiten konzentriert. Meine Mitschrift ist ein chaotisches Gekritzel mit ziemlich vielen Lücken. Dann gibt uns Alvis die Aufgabe, die Vertreibung von Maori und Indianern zu vergleichen.

Ein hochgewachsenes Mädchen mit heller Haut und goldblondem Haar, das zu einem straffen Zopf zusammengebunden ist, meldet sich sofort. »Die Völker hätten sich eher wehren müssen, dann hätten die Eindringlinge sie mit mehr Respekt behandelt.« Die kühle Arroganz in ihrer Stimme lässt mich frösteln.

»Das hätte auch nichts geändert«, fällt ein Junge aus der ersten Reihe ein. Er sitzt kerzengerade auf seinem Stuhl, beinahe lächerlich steif. Er trägt die übliche Kleidung, doch hat er als Einziger sein Shirt, das irgendwie sauberer und glatter wirkt als alle anderen, ordentlich in seine Shorts gesteckt. Oberflächlich gesehen ist er auffallend attraktiv. Sonnengebräunte Haut und kräftiges schwarzes Haar, ein markantes Gesicht und tiefgraue Augen. Doch die Arroganz und Überheblichkeit, die er ausstrahlt, stehen in krassem Gegensatz dazu.

»Die Ureinwohner waren in beiden Fällen unterlegen, die Niederlage unvermeidbar.« Er spricht, als wäre es unter seiner Würde, mit den hier Anwesenden zu diskutieren. »Die Maori haben es geschickter gemacht und sich eher mit dem Unabwendbaren abgefunden. Sie waren klüger und haben die Eindringlinge als Übel betrachtet, das sie nicht abwenden können, und sich mit ihnen arrangiert. So wurde viel Blutvergießen verhindert.«

»Das ist Domenik«, raunt Yorik mir zu. »Hat beim großen Turnier letztes Jahr 'ne Starterlaubnis bekommen, seither denkt er, er ist was Besseres.«

»Was für ein Turnier?«, will ich wissen.

»DAS Turnier«, raunt Yorik. »Am Ende des Schuljahres. Teilnehmen dürfen nur die zehn Jahresbesten. Es ist eine Ehre, unter den Startern zu sein. Domenik ist das ziemlich zu Kopf gestiegen. Seitdem denkt er, er kann übers Wasser wandeln. Dabei ist er nur ein ...«, dann verwendet er ein paar Wörter, die ich nicht verstehe. »Ist 'ne große Sache. Nur wer unter die besten drei kommt, darf das Spezialtraining der Custoren machen und nach dem Schulabschluss selbst Custor werden.«

»Und ich sollte wissen, was das ist?«

»Custoren sind die besten unter allen PSI-Talenten. Sie sind eine Art Wächter des Guten, jagen Kriminelle und Terroristen.«

»Typen wie Savant.«

Ein grimmiger Zug überschattet Yoriks Fröhlichkeit. »Ich werde auch einer. Und dann schalte ich diesen Bastard aus.«

Er spricht mir aus dem Herzen. »Das machen wir zusammen«, erwidere ich knapp.

Yorik sieht mich an, Eis im Blick. »Meine Eltern und ich waren die Ersten, die er angegriffen hat. Sie haben überlebt, einer ihrer besten Freunde nicht. Von mir aus jagen wir ihn zusammen, aber wenn wir ihn haben, überlässt du ihn mir.«

Yoriks Gesicht ist wie eine Sonnenfinsternis. Ich weiß genau, was er fühlt. Und obwohl ich mir nicht vorstellen kann, dass er jemanden absichtlich verletzen kann – so viel Menschenkenntnis besitze ich auch ohne PSI-Kräfte – widerspreche ich ihm nicht. Stattdessen nicke ich.

»Was hat Savant ...«, setze ich an, doch Alvis unterbricht mich.

»Was meinen Sie dazu, Jan?«

Wie ein Stromschlag fährt der Schreck durch mich hindurch. Ich meine gar nichts, ich bin mit der Aufgabe noch nicht fertig. Aber das kann ich unmöglich zugeben. Ich muss ihn beeindrucken.

Mein Puls rast. Schnell kratze ich aus dem, was ich bereits gelesen habe, und meiner Meinung dazu eine Antwort zusammen. »Ich sehe das anders.« Aus den Augenwinkeln bemerke ich, wie Domenik sich zu mir umdreht und mich feindselig mustert. »Der Preis war sehr hoch. Bedeutende religiöse Stätten wurden den Leuten genommen, um sie als Siedlungsland zu nutzen. Die Maori verloren einen Teil ihrer Kultur, etwas Heiliges. Vielen Menschen ist das wichtiger als ihr Leben.« Plötzlich finden die richtigen Worte von alleine ihren Weg. »In den Augen mancher lohnt es sich, dafür zu kämpfen und auch zu sterben. Relevanter ist daher meiner Meinung nach eine andere Frage. In beiden Kulturen gab es weise Häuptlinge, die harte Verhandlungen geführt haben, um so viele Heiligtümer ihres Volkes zu retten wie möglich. Doch immer wieder wurden diese Bemühungen durch Einzelne, die zu den Waffen griffen, zunichtegemacht. Man sollte sich daher eher fragen, wie man so etwas verhindern kann.«

Domenik taxiert mich jetzt, als studiere er einen Feind. »Die Häuptlinge hätten diejenigen, die zu eigensinnigem Handeln neigen, eher zum Schweigen bringen müssen«, antwortet er.

Der Blick, den er mir dabei zuwirft, ist vernichtend. Meine Nackenhaut beginnt zu kribbeln. Vermutlich wäre es jetzt schlauer, nicht weiterzusprechen. Aber irgendwie sind da noch Worte, die aus mir herausdrängen.

»Das wäre nicht klug«, erwidere ich. Domeniks Augen verengen sich. »Ein Oberhaupt muss alle Mitglieder seines Volkes ernst nehmen und respektieren, auch diejenigen, die andere Ansichten vertreten. Niemand darf unterdrückt werden, sonst bildet sich Widerstand im Verborgenen. Es ist der langwierigere und schwerere Weg, aber letztendlich der bessere.«

Alvis sieht von mir zu Domenik und wieder zurück. Ein Lächeln stiehlt sich in sein Gesicht.

»Ein Anführer muss harte Entscheidungen treffen zum Wohle aller. Der Einzelne spielt dabei keine Rolle«, erwidert Domenik und betrachtet mich wie ein lästiges Insekt.

Jetzt ergreift Alvis das Wort. Er hat inzwischen seine Brille abgenommen und zwirbelt sie zwischen den Fingern. »Wie kann man verhindern, dass Einzelne zu den Waffen greifen?«, fragt er und beendet damit die Diskussion. »Das ist eine spannende Frage. Ich möchte, dass Sie einen Aufsatz über die Vertreibung der Indianer und der Maori schreiben und diese Problematik dabei erörtern. Machen Sie Vorschläge, wie die Häuptlinge hätten verhindern können, dass Mitglieder ihres Stammes sich abwenden und Blut vergießen.«

Es gongt. Um mich herum packen alle ihre Sachen zusammen und verlassen den Raum. Domenik lässt sich Zeit, sodass wir gleichzeitig die Tür erreichen. Die Feindseligkeit in seinem Blick ist unverhohlen, doch ich halte ihm stand. Dann drängt sich Yorik zwischen uns, und der Moment ist vorbei.

Yorik grinst breit. »Darf ich vorstellen?«, fragt er mit einem frechen Unterton und stellt sich dem blonden Mädchen mit der kühlen Stimme in den Weg. »Das ist Jan, hochtalentiert und noch neu auf unserem kleinen Inselchen. Und das hier«, er weist mit einer theatralischen Kopfbewegung auf das Mädchen, »ist Susan Frost, die Eiskönigin.«

Susan seufzt und rollt die Augen. Dann mustert sie mich, als wolle sie abschätzen, wie sehr ich ihr auf die Nerven gehen werde, und hebt die rechte Augenbraue dabei um wenige Millimeter. »Willkommen«, sagt sie schließlich förmlich und ziemlich unterkühlt. »Ich hoffe, du orientierst dich in der Eingewöhnungsphase nicht allzu sehr an diesem Neandertaler hier. Sonst stellt der Professor das Zwirbeln in Kürze wieder ein.« Dann drängt sie sich an Yorik vorbei. Jede Bewegung und jedes Wort sind vollkommen beherrscht, als wäre sie ein Android. Ich frage mich, was wohl ihre Fähigkeit ist.

Während ich ihr noch verwirrt nachschaue, erklärt ein offensichtlich erheiterter Yorik: »Sie meint Alvis. Er hat seine Brille gezwirbelt, das macht er nur, wenn er eine Antwort wirklich klug findet.«

In meiner Brust keimt ein angenehmes Gefühl auf. Hoffnung und ein bisschen Stolz.

»Aber Domenik hasst dich jetzt«, fügt er hinzu und dämpft den kurzen Anflug von Freude. Super. 45 Minuten Unterricht überstanden und schon einen Feind gemacht. Ich hoffe nur, dass Domeniks Fähigkeiten nicht ebenso gefährlich sind wie meine.

6

NINA

Gemeinsam mit Yorik gehe ich zum Biokurs. Als wir eintreffen, ist der Raum bereits gut gefüllt. In der letzten Reihe sitzt ein Mädchen etwas abseits und schaut verträumt aus dem Fenster. Ein feenhafter Glanz umgibt sie, der mich auf eine Art berührt, die ich nicht einordnen kann.

Ihre Kleidung ist schlicht, ein einfaches weißes T-Shirt und eine bequeme Strandhose, blaugemustert, und sie trägt keinen Schmuck. Langes, kastanienbraunes Haar fällt offen über ihre Schultern und umschmeichelt ihre weichen Gesichtszüge, ihre sonnengebräunte Haut. Feine rotbraune Linien, die in komplizierten Mustern verschlungen sind, zieren ihre Handrücken und Finger.

Sie ist so schön, dass mir für einen Moment der Atem stockt. Doch es ist mehr als das. Ihr Anblick bewegt etwas in mir, als würde die Saite eines Instrumentes anfangen zu schwingen, anstelle eines Tones aber Glück und Wärme erzeugen.

Ihre Augen leuchten in einem tiefen Smaragdgrün, geheimnisvoll und unergründlich. Ihr Blick ist auf etwas Unbestimmtes in der Ferne gerichtet und sie lächelt leicht, als hätte sie gerade einen schönen Traum. Ich würde zu gern wissen, woran sie denkt.

Plötzlich überschwemmt mich ein gutes Gefühl, wie wärmende Sonnenstrahlen auf der Haut, nur tiefer. Ohne es zu wollen, fange ich selbst an zu träumen, von dem kleinen Fluss unweit unseres Hauses.

Es ist Jahre her, dass wir zuletzt dort gesessen haben, doch das Bild steht mir so deutlich vor Augen, als ob es erst heute Morgen gewesen wäre. Knisterndes Lagerfeuer, mein Vater, der Stockbrot röstet, meine Mutter, die Salate auf dem kleinen Gartentisch aufträgt. Für einen Moment sehe ich ihre lächelnden, glücklichen Gesichter, dann verändert sich die Erinnerung. Ich höre Glas splittern und auf der Stirn meiner Mutter erscheint der rote Punkt. Chaos bricht aus. Ich bin wieder in der Küche, werfe Mom zu Boden.

Das Mädchen am Fenster fährt plötzlich erschrocken hoch und sieht mich entsetzt an, das Gesicht schmerzverzerrt. Sie wirkt schockiert und verletzt.

Was ist passiert? Was habe ich getan?

Dann senkt sie hastig den Blick auf ihre Hände und fährt die Symbole und Linien des Tattoos an ihren Fingern nach, wobei sie lautlos die Lippen bewegt.

Yorik rempelt mich an und schiebt mich zu zwei freien Stühlen an der Wand. Zum Glück. Die ganze Situation hat nur ein oder zwei Sekunden gedauert, aber ich habe das Gefühl, einen furchtbaren Fehler gemacht zu haben. Nur wie?

Als ich wieder zu dem Mädchen hinübersehe, fährt sie immer noch ihre Tattoos nach. Ihr Blick ist wachsam und das smaragdene Leuchten verschwunden. Stattdessen haben ihre Augen eine klare, tiefblaue Färbung angenommen, wie der Ozean am frühen Morgen. Kleine Pünktchen, weiß wie Diamantsplitter, funkeln darin.

»Wer ist sie?«, frage ich Yorik leise, während weitere Schüler eintrudeln und ihre Plätze einnehmen.

Yorik schüttelt mit ernster Miene den Kopf. »Nina«, sagt er zerknirscht. »Sie ist eine Empathin und noch dazu eine unheimlich starke. Sie weiß, was du denkst, bevor du es weißt.«

Gar nicht gut. Ist sie deswegen erschrocken? Hastig wende ich mich nach innen, versuche, die Barriere zu ertasten, mit der ich meine Gedanken schütze. Ich brauche ein paar Sekunden, doch dann spüre ich das fein gewebte Netz. Es ist intakt.

»Hilft die Abschirmung denn nicht dagegen?«, frage ich.

Yorik schüttelt den Kopf. »Gegen uns Normalos schon, aber Nina ist anders. Ich glaube, sie ist sogar stärker als Nakoma«, flüstert er.

»Dann ist sie bestimmt auch auf Savants Liste«, flüstere ich zurück.

»Yup. Aber der hatte keine Chance. Sie hat die Falle gespürt, lange bevor sie ihr nahe waren. An Nina kommt er nicht ran.«

Ich versuche, es mir vorzustellen. Ständig andere Menschen und ihre Absichten zu spüren, selbst wenn sie weit weg sind. Das muss furchtbar sein.

»Schade, eigentlich ist sie ganz nett, denke ich«, fährt Yorik fort. »Aber verdammt unheimlich, mir zumindest. Den meisten anderen geht es wohl genauso, denn viele Freunde hat sie nicht.« Er denkt kurz nach. »Außer *Frost*«, fügt er spöttelnd hinzu, »die scheint gut mit ihr klarzukommen. Muss sie ja auch, immerhin wohnen sie zusammen.«

Susan. »Was ist eigentlich Susans …«

»Hi Yorik.« Ein dunkelhäutiges Mädchen mit bodenlangem, sandfarbenem Rock und schwarzem T-Shirt tänzelt mit einem koketten Augenaufschlag an uns vorbei.

»Hi Nadine«, antwortet Yorik und schaut ihr hinterher.

Bevor ich meine Frage noch einmal stellen kann, betritt Professor Green den Raum, ein etwa vierzigjähriger Mann, der völlig in sich gekehrt ist. Als er das Pult erreicht und sich zu uns umdreht, zuckt er sogar kurz zusammen, als sei er überrascht, hier Schüler zu sehen. Sein Blick huscht irritiert über die Anwesenden, dann strafft er sich und fischt mehrere Mappen aus einer abgewetzten Ledertasche.

Er trägt eine Brille mit silbrigem Gestell und runden Gläsern. Seine Körperhaltung ist tadellos, wenn auch etwas steif, und sein Haar ein wenig zu lang, aber nicht im modisch schicken Sinn, sondern eher so, als ob er vergessen hätte, es schneiden zu lassen. Seine Kleidung, ein Tweedjackett mit aufgenähten Flicken an den Ärmeln und eine Hose aus braunem Cordstoff, passt so gar nicht zu einer tropischen Insel, wohl aber zu ihm.

Endlich hat er seine Unterlagen geordnet und blickt mit ernster Miene in die Klasse. »Ich habe Ihre Aufsätze gelesen und muss sagen, dass nicht alles kompletter Mist ist, aber ziemlich viel davon.«

Die geflüsterten Gespräche verstummen. *Nicht gut,* denke ich. Dieser Kurs wird anstrengend. Während Green weiterspricht, ist es so still, dass man das Auftippen der Eingabestifte auf den Displays hören kann. Niemand will Aufmerksamkeit auf sich ziehen.

»So viel, dass ich mir ernsthaft Sorgen um die Zukunft der Menschheit mache«, fährt der Professor in strengem Ton fort. »Eines Tages werden Sie die führenden Köpfe in Wissenschaft und Forschung auf diesem Planeten sein. *Sie* werden Lösungen für die Probleme des 21. Jahrhunderts entwickeln. Von Ihnen hängt die Zukunft der Menschheit ab. Das heißt, Sie müssen die Lerninhalte dieses Faches verinnerlichen.« Er geht zwei Schritte zur Seite und macht dann eine kleine Bewegung mit der rechten Hand. Daraufhin erscheinen Bilder an der weißen Leinwand hinter ihm. Ein Passagierflugzeug und ein Adler, der mit ausgebreiteten Schwingen durch die Luft segelt.

»Die Evolution hat über Jahrmillionen Lösungen für unterschiedlichste Probleme entwickelt und perfektioniert. Wir Menschen können uns diese Erfindungen der Natur zunutze machen. Errungenschaften wie die Entwicklung von Flugmaschinen gelangen erst, nachdem man einen genauen Blick auf die Flügel der Vögel geworfen und die Bedeutung ihrer Wölbung erkannt hatte. Doch das ist nur ein Beispiel.« Mit einem leichten Winken in Richtung der Wand lässt Green weitere Bilder erscheinen, darunter Porträts von Wissenschaftlern und verschiedene Pflanzen, von denen ich keine einzige erkenne.

»Zahllose bedeutende Fortschritte in der Medizin, insbesondere bei der Entwicklung von Medikamenten und Impfstoffen, beruhen auf Kenntnissen über die ...« Das Wort, das Green jetzt benutzt, übersetzt mein Tablet mit *Sekundärmetaboliten* – aber das hilft mir auch nicht weiter. Ich habe keine Ahnung, worum es geht. »... von Pflanzen, Pilzen, Bakterien und anderen Mikroorganismen. Doch nur richtig angewendet«, Green tritt nun wieder vor die Wand und lässt seinen strengen Blick auf der Klasse ruhen, »sind diese Stoffe heilsam. Falscher Gebrauch führt bestenfalls zu Vergiftungen, schlimmstenfalls zum Tod. Und nach dem, was ich in Ihren Aufsätzen gelesen habe«, Green geht zu einem rothaarigen Schüler in der zweiten Reihe, der krampfhaft versucht, in seinem Stuhl zu versinken, »werden Sie die Menschheit binnen kürzester Zeit ausrotten, sollten Sie mit Ihrem Halbwissen und *Nicht-Wissen*«, er versieht dieses Wort mit einer verächtlichen Betonung und sieht den verzweifelten Rotschopf jetzt direkt an, »diese Schule verlassen.

Ich werde also einiges von dem wiederholen, was wir letzte Stunde durchgenommen haben, damit Sie Ihre Mitschriften verbessern können. Und mit Ausnahme einer Schülerin«, sein Blick wandert zu Nina und die Strenge darin wird durch freundliches Wohlwollen abgelöst, »werden Sie alle diesen Aufsatz bis morgen noch einmal schreiben. Wenn Sie zu den Prüfungen zugelassen werden wollen, müssen Sie mindestens ein C bekommen.«

Ich fühle mich augenblicklich klein und unwissend, obwohl ich noch gar keinen Aufsatz geschrieben habe. Und das mit den Prüfungen habe ich hoffentlich falsch verstanden. Fragend sehe ich zu Yorik und er verzieht das Gesicht. »Am Ende des Schuljahres«, flüstert er. »Sind echt schwer«, fügt er hinzu, beinahe unhörbar.

Doch Green hat Ohren wie ein Luchs. Er sieht Yorik missbilligend an, woraufhin dieser verstummt. Dann kritzelt Yorik auf einen Zettel: *Hausaufgabe immer: Aufsatz über die Stunde, bis morgen.*

Ich muss die Worte zweimal lesen, denn sie wollen nicht in meinen Kopf. Wie soll ich das schaffen? Der Unterricht dauert bis zum Abend und danach habe ich einen Zusatzkurs in Englisch. Soll ich den Aufsatz etwa in der Nacht schreiben?

Eigentlich müsste ich jetzt mit der Mitschrift beginnen, doch wie von selbst drehe ich mich zu Nina um. Es ist merkwürdig. Schon sie anzusehen, macht mich irgendwie froh.

Sie sieht mich nicht, ist bereits ganz und gar in ihre Unterlagen vertieft und ich zwinge mich, mich wieder meinen zuzuwenden. Doch die gesamte Stunde über habe ich ihr Gesicht vor Augen und muss dem Drang widerstehen, mich noch einmal umzudrehen. Es raubt mir die Konzentration und macht mich nervös, auf eine Art, die ich nicht kenne.

Green doziert währenddessen über Heilpflanzen und deren Inhaltsstoffe, und zwar so schnell, dass ich nicht mitkomme. Es dauert auch nicht lange, bis die ersten Schüler sich melden und den Professor bitten, etwas zu wiederholen. Greens Tempo ist Wahnsinn, niemand kann mithalten. Außer Nina. Ihr Stift fliegt irre schnell über das Display.

Yoriks Worte gehen mir durch den Kopf. Dass sie Savant gespürt hat, auf weite Entfernung. Möglicherweise weiß sie mehr über ihn als alle anderen? Was er vorhat zum Beispiel. Vielleicht kann irgendetwas von dem, was sie bemerkt hat, bei der Jagd nach Savant helfen? Ich muss mit ihr sprechen!

Doch die Doppelstunde zieht sich und meine Kopfschmerzen steigern sich zu einem konstanten Hämmern. Als es endlich gongt, bin ich müde, hungrig und neben meinem Kopf schmerzt auch meine Hand. Yorik drängt zum Essen, aber ich warte, bis Nina ihre Sachen gepackt hat und zur Tür geht.

In dem Moment passiert etwas Merkwürdiges. Als sie näherkommt, pocht mein Herz wild und mein Kopf ist wie leer gefegt. Dann sieht sie mich an, kurz nur, aber es ist wie ein Stromschlag. Das strahlende Blau und die Diamantsplitter darin, nie zuvor habe ich so schöne Augen gesehen. Ich weiß nicht mehr, wie man spricht, und meine Kehle ist wie zugeschnürt. Dann ist Nina an mir vorbei und meine Chance dahin. Ein zarter Hauch von Mandeln und Lilien folgt ihr. Ich fühle mich wie ein Idiot und habe keine Ahnung, warum.

Yorik, der am Türrahmen wartet, verdreht die Augen und schüttelt den Kopf. »Das ist wirklich keine gute Idee, Junge.«

Im Pavillon biegen sich die Tische unter der Last der Speisen. Die Sitzbänke sind etwa zur Hälfte mit Teenagern gefüllt und immer mehr strömen aus allen Teilen des Campus herbei. Zum ersten Mal bekomme ich einen Eindruck von der Größe dieser Schule und der irren Vielfalt. Es sind mehrere Hundert Jugendliche aus allen Regionen der Erde hier, von Asien bis Amerika, von Grönland bis Südafrika.

Ganz vorne auf einer kleinen Erhöhung steht der Tisch der Lehrer. Er ist voll besetzt mit Robinson, Alator, Nakoma und etwa zwanzig anderen. Ein hutzeliger alter Asiate schlurft auf einen Stock gestützt herbei und setzt sich neben eine Frau, die aussieht wie ein Negativ von Alator. Schwarze Haare statt schlohweiße, doch in Gesicht und Körperhaltung so ähnlich, als wären sie Schwestern.

Der Regenwald hat sich unter der sengenden Sonne inzwischen weiter aufgeheizt. Die silbrigen Dunstschleier sind abgezogen, doch die Luft ist noch drückender. Ungeachtet der Hitze, die mir den

Schweiß auf die Stirn treibt, wuselt die Küchenmannschaft unermüdlich um das Büfett hinter dem Tisch der Lehrer.

Sie servieren gegrilltes Gemüse auf dampfenden Platten, Schüsseln voller Duftreis mit Kokosstreifen, dazu verschiedene Soßen. Etwas Fisch und Fleisch gibt es auch, alles Wild von der Insel und aus dem Meer, umweltverträglich gefangen und nur in Mengen, die das Ökosystem problemlos verträgt. Der Geruch allein ist besser als alles, was ich kenne, und mein Magen knurrt noch lauter. Rasch holen wir uns Teller, schaufeln Essen darauf und suchen uns einen Platz.

Auf jedem Tisch stehen Krüge mit Wasser und mehrere Kokosnusshälften. Sie sind mit einer dünnen, milchigen Flüssigkeit gefüllt, in der Azunnah-Blüten schwimmen.

Ich esse mit Heißhunger. Die Speisen sind kaum gewürzt, trotzdem schmeckt alles wahnsinnig lecker, süß und fruchtig, herzhaft und aromatisch. Die Kokosdrinks sind süß und bitter zugleich, das Aroma der Azunnah-Blüten. Doch sie erfrischen und helfen gegen die Kopfschmerzen, also schenke ich mir zweimal nach.

Aus Neugier konzentriere ich mich auf mein Licht, wie Nakoma es mir gezeigt hat, und nach kurzer Zeit sehe ich es. Es ist kräftig und hell, doch ein Sturm aus roten Funken schwirrt darin umher. Das ist nicht gut. Ich versuche, einen Teil davon abzuleiten, aber es funktioniert nicht so richtig. Vielleicht, weil ich immer noch so viel Hunger habe.

Ich breche den Versuch ab und konzentriere mich wieder aufs Essen.

»Also, warum hat Savant dich ausgesucht?«, fragt Yorik zwischen zwei Bissen.

»Anscheinend bin ich ein starkes PSI-Talent«, meine ich und gebe ihm eine Kurzzusammenfassung der Ereignisse.

Yorik runzelt die Stirn, während ich erzähle. Er legt den Kopf schief. »Aber dann hat Savant doch noch gar nicht gewusst, wie stark du bist, als er das geplant hat. Du hast vor dem Angriff ja nicht wirklich etwas getan, das man spüren kann.«

»Müssen die Träume gewesen sein, die ich hatte.«

Yorik schüttelt den Kopf. »Nein, das Aufspüren klappt erst, wenn das Licht ausbricht. Als du die Fenster in die Luft gejagt hast, ab da hatte dich Nakoma auf dem Schirm. Savant kann das unmöglich zuvor gespürt haben.«

»Aber warum hätte Savant versuchen sollen, mich zu kidnappen, wenn nicht wegen dieser PSI-Sache? Ich meine, immerhin hat er versucht, einen Mord zu begehen, um mich zu bekommen. Ganz schön viel Aufwand für einen Normalo.«

»Dann bist du wohl keiner.« Yorik mustert mich. »Was hast du sonst so gemacht?«

Ich zucke die Achseln und erzähle von der Sache mit dem Spendenlauf und der Aktion zuvor auf dem Schulfest, bei dem ich eine Rede gehalten habe. Wir haben dadurch so viele Schüler und auch Eltern begeistert, sich ebenfalls zu engagieren, dass sogar die regionale Presse darüber berichtet hat. Aber weder Yorik noch ich sehen, wie Savant davon hätte erfahren können. Von den großen Sendern hat sich niemand für uns interessiert.

»Was kannst *du* eigentlich?«, frage ich nun Yorik.

»Viel«, gibt er zurück und grinst.

»Klar.« Hätte Susan das gehört, hätte sie genervt die Augen verdreht. »Parakräfte meine ich.«

Yorik grinst. »Ich kann den Wind zähmen und Luft beschleunigen, Stürme erzeugen und so was in der Art. Ansonsten das Übliche, ein bisschen Telekinese, wenn auch bei Weitem nicht so extrem wie du. Ich schaffe es vielleicht, Nakomas Ringe zwanzig Sekunden lang zu halten, aber mehr nicht. Und im Aufspüren von Emotionen bin ich mies.«

»Nakomas was?«

Yorik antwortet, doch in diesem Moment sehe ich Nina durch den Pavillon gehen und seine Worte werden irgendwie ausgeblendet. Sie bewegt sich mit einer mühelosen Eleganz, aber ihr Gang ist noch geschmeidiger als Robinsons. Bei ihr wirkt es, als schwebe sie über dem Boden. Sie setzt sich an einen leeren Tisch ganz am Ende des Pavillons, wo sie den größtmöglichen Abstand zu den anderen hat. Schlagartig habe ich keinen Hunger mehr. Ein ungewohntes Gefühl breitet sich in meinem Bauch aus, kribbelnd und flirrend, wie ein Schwarm Schmetterlinge.

»Ich sag dir noch mal, lass es …«, raunt Yorik, doch dann bricht er mitten im Satz ab.

»Hi Yorik.« Ein kleines, muskulöses Mädchen mit Kurzhaarschnitt und sportlicher Kleidung schenkt Yorik ein Lächeln und einen Blick, der einen Eisberg zum Schmelzen bringen könnte.

»Celine, hi«, erwidert er und schon bin ich vergessen. Yorik sieht Celine nach, die sich bei einer Traube kichernder Mädchen am anderen Ende des Pavillons niederlässt.

»Was wolltest du sagen?«

Yorik fährt herum. »Ich? Was sagen?«

Ich kann nicht anders, ich pruste los.

»Dürfen wir uns einen Moment zu euch setzen?« Professor Robinson tritt neben uns, an seiner Seite Professor Alvis. »Natürlich, Sir.« Ich rücke ein Stück und Yorik tut es mir gleich. Sie setzen sich und Robinson kommt sofort zur Sache. »Wie ich höre, hast du dich gut eingefunden.«

»Ich war zumindest im richtigen Klassenzimmer«, antworte ich vorsichtig. Eigentlich sind »überfordert« und »verunsichert« die Worte, die meinen Vormittag am besten beschreiben, aber so will ich mich den beiden wichtigsten Professoren nicht präsentieren.

Robinson lacht, dann nickt er. »Ich habe mit Professor Alvis gesprochen, und wir sind beide der Meinung, dass du dich für eine besondere Aufgabe qualifiziert hast.«

O nein, das klingt nach noch mehr Hausaufgaben! Ich versuche, mein Entsetzen hinter einer ausdruckslosen Miene zu verbergen. Entweder gelingt mir das, oder Robinson sieht einfach darüber hinweg.

»Jeder Schüler hier wählt eine besondere Aufgabe, die er im Verlauf des Schuljahres erfüllen muss. Da du erst später gekommen bist, ist der Wahlzeitraum natürlich schon verstrichen und die Sache, die ich im Sinn habe, ist bereits vergeben. Aber sie ist dir nun mal wie auf den Leib geschnitten und es wäre unfair, wenn du als Einziger keine Chance bekommen würdest, dir deine Wunschaufgabe zu verdienen. Daher sind Professor Alvis und ich übereingekommen, dass wir ausnahmsweise eine Änderung vornehmen können.« Robinsons Mundwinkel kräuseln sich leicht und seine Augen blitzen herausfordernd.

Ich dachte eigentlich, die besondere Aufgabe besteht darin, den überfüllten Stundenplan abzuarbeiten und damit klarzukommen, dass meine Eltern in Lebensgefahr schweben.

Alvis spricht nun weiter: »Professor Robinson sagte mir, Sie wollen sich in der Politik für Frieden und die Bewahrung unserer Umwelt einsetzen. Da kam mir folgender Gedanke: Auf *Eos* endet jedes Schuljahr mit einem Fest, wenn die Prüfungen vorüber sind. Dabei hält stets ein Mitglied der Schülerschaft eine Rede. Es ist eine große Ehre! Traditionell gibt es zu Beginn des Schuljahres unter den Teilnehmern des Politikkurses einen Wettstreit, um den besten Redner zu ermitteln. Nach Ihrem phänomenalen Einstieg in den Geschichtsunterricht heute sind wir jedoch der Meinung, dass es in diesem Jahr zwei Redner geben sollte.« Alvis macht eine bedeutungsschwere Pause, bevor er mit einem Augenzwinkern fortfährt. »Sie können ja schließlich nichts dafür, dass Sie den Wettstreit verpasst haben. Ich bin ziemlich sicher, Sie hätten sich dabei behauptet.«

Ich soll eine Abschlussrede halten? Ich werfe einen Blick zu Yorik, der fast unmerklich den Kopf schüttelt. Aber warum? Was ist so schlimm daran? Natürlich braucht man Zeit, um sie vorzubereiten, das wird anstrengend, klar. Vielleicht meint er das.

»Ist das eine Chance, dieses Praktikum zu bekommen?«, frage ich Alvis.

»Eine gute Rede ist auf jeden Fall etwas, das mich beeindrucken würde. Aber auch Sie müssen sich dieses Privileg erst noch verdienen: Wenn Sie es schaffen, in den Politikkurs aufgenommen zu werden, und dort durchgehend gute Noten bekommen, dann sind Sie dabei.«

Aus den Augenwinkeln sehe ich, wie sich der Junge aus dem Geschichtskurs, Domenik, neben Nina setzt. Es versetzt mir einen Stich und plötzlich finde ich die Möglichkeit, die Alvis mir bietet, gar nicht mehr so schlecht. Irgendwie werde ich es schon hinkriegen, diese Rede zu schreiben. Diese Chance will ich ergreifen.

»Ich mach es«, sage ich.

Gegenüber knallt Yoriks Kopf auf die Tischplatte, doch Robinson und Alvis erheben sich strahlend.

»Dann wäre das entschieden! Ich bin sehr gespannt«, sagt

Robinson. Alvis tippt sich an die Brille und die beiden verlassen den Pavillon. Vor mir stöhnt Yorik, den Kopf immer noch auf der Tischplatte.

»Was ist?«, will ich wissen.

Er hebt den Kopf. »Du bist ein Idiot, das ist«, sagt er.

»Wieso?«

Yorik verdreht die Augen. »Weil du nicht gefragt hast, wer *der andere Redner* ist und wer dich jetzt aus tiefster Seele hassen wird.«

»Oh.« Mir schwant Übles. »Wer?«

Yorik sieht mich an, als wäre ich ein Lamm, das zur Schlachtbank geführt werden soll. »Domenik«, sagt er. »Er ist so versessen auf diese Rede, dass er sich vor dem Wettstreit sogar mit Eos-Bitterkraut gedopt hat. Sagt zumindest die Gerüchteküche. Das ist ziemlich verrückt, denn es ist nicht nur verboten, das Zeug hat auch echt üble Nachwirkungen. Kein normaler Mensch nimmt das freiwillig. Er wird dir das persönlich übel nehmen.«

Au. »War klar.«

Als wir die leeren Teller zur Essensausgabe zurückbringen, ist plötzlich Nina an meiner Seite. »Ich weiß nicht, weshalb, aber ich bin mir ziemlich sicher, dass Domenik dich hasst«, sagt sie.

Bevor ich etwas erwidern kann, verschwindet sie im Gedränge. Zwei heftige Hüpfer in meiner Brust, dicht hintereinander, und ein Gefühl irrationalen Glücks verwirren mich. Ich sollte mich jetzt nicht glücklich fühlen, oder?

Wie verwirrt ich bin, wird mir erst klar, als ich im fünften Stock vor dem nächsten Kursraum stehe. Allein, denn Yorik ist in diesem Fach bereits eine Stufe weiter. Ich habe nicht mehr daran gedacht, ihn zu fragen, was Savant im Unterricht gesagt hat. Wieder fühle ich mich wie ein Idiot.

7

TRAINING

Nakomas Zimmer steht offen, doch außer mir ist noch niemand hier. Das Innere liegt im Halbdunkel, denn schwere Vorhänge aus violettem Stoff schirmen den größten Teil des Sonnenlichts ab. Es gibt weder Tische noch Stühle, dafür in einem Halbkreis auf dem Boden mehrere aus hellbraunen Pflanzenfasern geflochtene Matten. In den Ecken stehen auf schwarzglänzenden Marmorsäulen kleine Schalen. Nebelschwaden steigen daraus empor und verbreiten den Duft von ätherischen Ölen, Zitrusfrüchten und Fichtennadeln. Er lindert meine Kopfschmerzen, sodass ich vor Erleichterung beinahe aufseufze. Ich wünschte, ich könnte den ganzen Tag hierbleiben.

Die Rückseite des Raumes bildet eine Mauer aus roten, unregelmäßig behauenen Backsteinen. Kletterpflanzen ranken an den Seiten empor und ein kleiner Wasserfall plätschert die raue Fläche hinab.

»Willkommen.« Als Professor Nakomas dunkle, rauchige Stimme die Stille durchbricht, entflammen an der Stirnseite des Halbkreises drei dicke Altarkerzen auf eisernen Ständern und meditative Klänge erfüllen den Raum.

Sie tritt hinter einem Vorhang aus Holzperlen am Kopfende des Zimmers hervor. Ihre Reisekleidung hat sie gegen ein bodenlanges Gewand aus violettem Stoff getauscht, das in der Taille von einer schlanken weißen Kordel gehalten wird. In ihren dunklen Augen spiegeln sich die Flammen.

»Setz dich, Jan.« Ihre Stimme ist sanft, eine Wohltat nach Professor Greens autoritärem Gebell. Die Pflanzenfasern knistern leise, als ich mich setze. Der Geruch der ätherischen Öle wird intensiver. Nakoma legt eine schillernde Papageienfeder vor meine Füße.

Nach und nach treten weitere Schüler ein und nehmen auf den

Matten Platz. Die meisten von ihnen sind jünger als ich und betrachten mich mit unverhohlener Neugier. Zwei Mädchen stecken tuschelnd die Köpfe zusammen, sehen aber scheu weg, als ich ihren Blick erwidere.

Das Flackern der Kerzen wird stärker, die Flammen größer und das Gemurmel der Schüler erstirbt. Alle sehen erwartungsvoll zur Professorin. Dann wird das Plätschern des Wandbrunnens lauter, ein feiner Wasserstrahl erhebt sich waagrecht in die Luft und schwebt zur Mitte des Raumes. Dort beginnt er zu rotieren. Ein weiterer Ring aus kreisendem Wasser bildet sich in der Luft, dann noch einer und noch einer. Sie sind perfekt rund und messen etwa einen Meter im Durchmesser. Insgesamt acht dieser Ringe wirbeln nun um ein gemeinsames Zentrum. Es ist atemberaubend schön.

»Materie zu kontrollieren, erfordert die absolute Konzentration eures Geistes«, erklärt Nakoma, während sie die Figur ausdehnt und elliptisch werden lässt. »Habt ihr die Kontrolle, könnt ihr erschaffen, heilen und Hindernisse beseitigen. Doch es erfordert Training und mentale Disziplin.« Langsam zieht sie die Figur zu einer Kugel zusammen und schickt sie mit einer kaum merklichen Bewegung des Kopfes zurück zum Brunnen. »Schließt die Augen«, sagt sie dann, »und sucht nach der Quelle der Kraft, die in euch liegt. Atmet ruhig und gleichmäßig, bis ihr sie spürt.«

Atme gleichmäßig ein und aus. Folge deinem Atem. Wie im Jet erklingt Nakoma erneut in meinem Kopf. Sie führt mich durch die Meditation, bis ich mein Licht sehe.

»Nehmt von dem Wasser, ein kleines bisschen nur, und dann bringt es zum Kreisen.« *Diese Übung ist für die anderen, nicht für dich. Du bist noch am Anfang.*

Ich sehe mein Licht, den gleißend hellen Wirbel und den Sturm roter Funken darin. Der Duft der Öle kann nicht länger verhindern, dass meine Kopfschmerzen wieder stärker werden.

Entspann dich, mahnt Nakoma. *Konzentrier dich auf alles Gute, Positive und Schöne. Wende dich ab von allem, was dich belastet.*

Ich atme, ich entspanne, ich konzentriere mich. Zumindest

versuche ich es, doch die Funken bleiben. Ich weiß nicht, was ich noch tun soll, aber zu meiner Überraschung scheint Nakoma zufrieden.

Nun werde dir der Gegenstände um dich herum bewusst. Taste mit deinen Gedanken danach.

Ich versuche es. Ein Bild des Raumes taucht in meinem Geist auf, mit einem hellen Licht auf dem Platz, auf dem ich sitze, davor die Vogelfeder.

Greife nach der Feder. Schaffe eine Verbindung mit deinem Licht.

Ich gebe mir alle Mühe, bringe jedoch mein Licht nur dazu, einen dünnen Faden auszusenden. Er flackert weit an der Feder vorbei.

Versuch es noch einmal.

Mein Lichtfaden zuckt erneut ziellos herum. Es kostet mich ungeheure Kraft, ihn zu lenken. Ich fühle mich, als wollte ich Fische mit bloßen Händen fangen; sie entgleiten mir immer wieder, sobald ich sie zwischen den Fingern habe. Mir bricht der Schweiß aus. Nach einer Ewigkeit wird es besser, doch gerade als ich einen halbwegs stabilen Faden habe, schießen die roten Funken dagegen und mein Lichtfaden zischt steil nach oben. So geht es eine ganze Stunde lang. Müdigkeit befällt mich, bleiern und schwer. Irgendwann denke ich, dass ich kurz davor bin.

Alle anderen haben inzwischen rotierendes Wasser vor sich, doch nur bei einem ist es auch kreisförmig. Es ist ein schlaksiger Asiate mit blauschwarzem Haar und einer kreisrunden Brille.

Ich konzentriere mich wieder, stemme mich gegen die Erschöpfung und endlich streift mein Licht die Feder, sodass sie wackelt.

Gut, nun verstärke deinen Strahl.

Ich sammle meine verbliebene Kraft. Das Band zwischen meinem Licht und der Feder wird solider. Es hüllt sie ein. Plötzlich stößt jemand einen erschrockenen Schrei aus. Ich verliere die Konzentration und ein ungeheuer starker Energiestoß durchfährt mich.

Halt. Ich spüre, wie eine Barriere zwischen mich und mein Licht geschoben wird.

Als ich aufblicke, sehe ich, dass eines der Mädchen völlig durchnässt ist. Entweder hat sie die Kontrolle über ihr Wasser verloren oder jemand hat sich einen blöden Scherz erlaubt. Vielstimmiges Gelächter füllt den Raum, aber ich lache nicht. Vor mir tanzen tausend einzelne kleine Federhärchen durch die Luft. Ich habe es wieder getan, ich habe die Feder explodieren lassen.

Erschöpft, ausgelaugt und frustriert schleppe ich mich raus. Ich habe dreißig Minuten Pause und brauche jede einzelne davon. Am liebsten würde ich mich jetzt im Bett verkriechen, doch dann komme ich garantiert nicht mehr hoch und ich kann unmöglich schon am ersten Tag aufgeben. Also mache ich mich auf die Suche nach Yorik. Ich finde ihn am Pavillon, wo er sich einen Schokomuffin holt.

»Musst auch einen probieren, sind gut«, nuschelt er kauend.

Ich nehme mir gleich zwei und wir schlendern gemütlich über den Campus. Donner grollt über unseren Köpfen und das Summen, Klicken und Zwitschern im Wald wird mit jeder Minute leiser. Yorik wirft einen Blick zum Himmel. Die Wolken türmen sich auf, dunkel und unheilverkündend. »Gleich geht's los. Komm mit.«

Wir sprinten zu einem Baum in der Nähe unseres Baumhauses. Zwei dicke Seile baumeln neben dem Stamm. Yorik schlingt sich eines um die Hüfte und den Arm, ich tue es ihm nach.

»Gut festhalten«, sagt er, dann tippt er auf seine Smartwatch und ein Ruck reißt mich von den Füßen. Wir fliegen neben dem Baumstamm nach oben und sind wenige Herzschläge später auf einer Plattform etwa zwanzig Meter über dem Boden.

»Willkommen im Haus des Sommers.« Yorik schlendert zur Hütte.

Ich erkenne das Surfbrett, die Stranddeko. Das ist das Gemeinschaftshaus. Der Raum ist voller Sitzkissen und Strandkörbe, Hängematten und Hängesessel. Ein Plakat an der Wand zeigt eine Gruppe von etwa sechzig Schülern, die auf einer natürlichen Felsentreppe am Strand posieren. Im Vordergrund Yorik, mit einer geflochtenen Strandkrone auf dem Kopf, auf der der Titel *Sommergott* prangt.

»Wird jedes Jahr neu gewählt«, erklärt Yorik auf meinen fragenden Blick. »So eine Art Sprecher – Chef – Oberhaupt des Hauses.«

Ein kleiner Tisch steht in der Mitte und in einer Ecke surrt ein Kühlschrank. Yorik holt zwei Flaschen Cola heraus und ich setze mich auf das Sofa, als ein ohrenbetäubender Knall die Luft erzittern lässt. Einen Moment später setzt ein Rauschen wie von Hunderten Wasserhähnen ein, die gleichzeitig geöffnet werden.

Yorik beachtet das Wetter nicht weiter. Stattdessen fragt er nach dem PSI-Training und ich erzähle ihm von der Explosion. Er lacht nur. »Das dauert eben 'n bisschen.«

»Ich habe aber keine Zeit. Savant jagt meine Eltern.« Allein daran zu denken, raubt mir den Appetit. Der Muffin schmeckt plötzlich wie Staub.

»Nicht nur deine.«

»Aber ich will sie beschützen können.«

»Indem du was – eine PSI-Mauer um sie herum errichtest? Denkst du, das würde was bringen?«

»Natürlich bringt das was. Wenn ich die Telekinese kontrollieren kann.«

»Vergiss es, das bringt gar nichts.«

»Warum? Ich hab den ersten Angriff ohne Training abgewehrt, ohne irgendwas über das Licht zu wissen. Woher willst du …«

»Weil diese Sache größer ist!«, fährt Yorik auf. Sein sonniges Lächeln ist verschwunden, sein Gesicht voller Qual und Zorn. »Denkst du nicht, dass wir alle zu Hause wären, um unsere Leute zu schützen, wenn das möglich wäre?«

»Und warum soll es so unmöglich sein?«

»Weil das, was er vorhat, viel zu groß ist. Wenn er auch nur halb so wahnsinnig ist, wie das, was er damals im Unterricht gesagt hat, dann wird sich das Leben auf unserem Planeten grundlegend ändern. *Er* wird es ändern.«

Ein weiterer Donner fährt in die Bäume. Warmer Dampf dringt durch die Ritzen der Hütte und hüllt mich ein. »Was hat er denn gesagt? Was hat er vor?«

»Savant war der Leiter des Biozentrums, aber er ist kein Biologe wie Green. Sein Ding sind Zahlen, Computer und Codes. Er unterrichtete Ökosystemmanagement und Bioinformatik. Das Herz seiner Arbeit sind Simulationsmodelle, mit denen er Prozesse in Ökosystemen berechnet.«

»Aber dazu braucht man eine ganze Halle voller Rechner.«

»Und du denkst, die hat er nicht gehabt?« Yorik sieht mich nur an. »Du solltest wirklich aufhören, ihn dir als normalen Menschen vorzustellen.« Er schüttelt den Kopf, dann lässt er sich mit seiner Cola in einen Korbsessel fallen und trinkt einen Schluck.

Der Regen trommelt unablässig auf das Reetdach über unseren Köpfen. Ich lasse Yoriks Worte auf mich wirken. Langsam verstehe ich, was der Professor und Cooks meinten. Savants Möglichkeiten gehen über mein Vorstellungsvermögen hinaus. Wenn er einen Supercomputer für seine Arbeit braucht, dann besorgt er ihn. So einfach ist das.

»Er hat versucht, einen Weg zu finden, den Planeten zu retten«, sagt Yorik jetzt. »Er hat Programme geschrieben, mit denen man die Entwicklung der Menschheit und der gesamten Biosphäre vorhersagen kann, und daraus Veränderungen auf die Atmosphäre abgeleitet.«

»Du meinst Artensterben und Klimawandel?«

»Ja. Er wollte herausfinden, mit welchen Maßnahmen man den Klimawandel effektiv stoppen kann. Nur hat er alle existierenden Modelle verbessert und seine Programme sind in der Lage, wesentlich größere Datenmengen zu verarbeiten als alle anderen. Sein System ist angeblich leistungsstärker als das der NASA.«

»Aber das ist doch gut, oder nicht? Ich meine, das macht ihn ja wohl nicht zu einer Gefahr.«

»Zu Beginn, klar. Aber wart's mal ab. Jedenfalls, kaum jemand in seinen Kursen konnte ihm folgen. Die Einzige, die ihm das Wasser reichen konnte, war *Miss Frost.*«

»Susan?«

»Mhm. Soweit ich weiß, hat der Professor sie nicht wegen ihres Lichts gefunden, sondern weil sie das Computersystem von Eos gehackt hat.«

»Wie das?«

»Keine Ahnung. Aber sogar Savant war von ihr so beeindruckt, dass er sie zu seiner Assistentin gemacht hat.«

Das ist interessant. Ich mache mir eine gedankliche Notiz, dass ich Susan über Savant ausfragen muss. »Aber warum hat er denn nun die Insel verlassen?«

»Er hat ziemlich merkwürdige Dinge gesagt, in seinen Kursen und wohl auch sonst.«

»Was denn?«

»Er hat sich beim Erklären der Modelle immer aufgeregt, leidenschaftlich, sehr leidenschaftlich sogar, über Menschen, die Meere verschmutzen, Plastiktüten verwenden, über Klimasünder und so weiter. Er hat sie ›das größte Übel von allen‹ genannt und uns immer wieder Simulationen gezeigt, die einen direkten Zusammenhang zwischen dem Verhalten der Menschen und dem Überleben des Planeten zeigen. Eines Tages ist er beinahe durchgedreht. Seine Augen hatten so einen irren Glanz, das war unheimlich. Wir haben nur dagesessen und uns nicht gerührt. Er hat etwas von einem phänomenalen Durchbruch gemurmelt und uns ein neues Modell vorgeführt. Er nannte es das Szenario der ›totalen Auslöschung aller Umweltsünder‹. Da hab ich ein Video gemacht.«

Yorik holt sein Smartphone aus der Tasche und ruft die Datei auf. Ein weiterer Donnerschlag dröhnt durch den Wald.

Auf dem Display erscheint ein verwackeltes Bild von einem Hörsaal, wie man ihn von Universitäten kennt. Yorik hat das Video durch eine Lücke zwischen seinem Tisch und der Rückenlehne des Vordermannes aufgenommen. An den Rändern sieht man Holz und teilweise den Rücken eines anderen Schülers. Ganz unten im Saal erkennt man einen hochgewachsenen, blonden Mann in einem eleganten Anzug, vor ihm ein Pult mit einem Laptop. Ein Ausdruck grimmiger Entschlossenheit steht in seinem Gesicht. Er hat einen schmalen, verkniffenen Mund und eng beieinanderstehende Augen.

»Sehen Sie her«, bellt Savant den Schülern zu. »Dieser Simulation …« Er zeigt auf die Wand hinter sich und eine Grafik erscheint, danach in schneller Abfolge Bilder von einem Tropenwald, Korallenriffen, Gletschern und Küstenregionen. »… liegen Erkenntnisse über Klima, Meeresströmungen, Vegetation sowie verhaltensbiologische Erkenntnisse der letzten 300 Jahre zugrunde. Was Sie bereits kennen, sind Programme, die berechnen, wie sich das Verhalten der

Menschheit auf das Klima der Welt auswirkt. Wir wissen heute, dass unser Ausstoß an Treibhausgasen zu einem Anstieg der mittleren Temperatur der Erde führt, der katastrophale Folgen hat. Eine Zunahme von Extremwetterereignissen wie Dürren, Überschwemmungen, Hurrikans und Waldbränden ist nur eine der Folgen. Sie sind verheerend, Tausende Menschen sterben, Millionen Menschen verlieren ihre Nahrungsgrundlage oder ihr Zuhause. Oder beides. Der Klimawandel ist die größte Katastrophe, der die Menschheit je gegenüberstand. Doch was wir bisher nicht wissen, ist, wie es weitergehen wird. Wird die Menschheit aus den vorliegenden Daten lernen? Wird sie sich weiterentwickeln?«

Natürlich wird sie das, denke ich. *Sie muss.* Wir werden untergehen, wenn wir nichts ändern. Und wir sind in der Lage, das zu erkennen.

»Ich glaube, schon«, sagt irgendein Schüler, der nicht im Bild ist.

Savant schüttelt bedauernd den Kopf. »Damit, mein Lieber, irren Sie sich.«

»Woher wollen Sie das wissen?«

»Weil mein Programm mehr kann: Ich habe Daten unserer Geschichte, Erkenntnisse aus der Verhaltensbiologie und Details zum Konsumverhalten der Menschheit eingespeist. Damit ist mein System in der Lage, zu berechnen, wie sich das Verhalten der Weltbevölkerung entwickeln wird. Es weiß, wie viel Treibhausgase wir in zehn, in zwanzig und in fünfzig Jahren produzieren werden.«

Ein Raunen geht durch die Menge, dann hallt aufgeregtes Stimmengewirr durch den Saal. Als Savant die Hand hebt, wird es still. Ich kann nicht fassen, was ich da höre. Menschen sind doch nicht berechenbar. Das kann er unmöglich glauben. Oder?

»Dieses Programm kann viel genauer als alle anderen Technologien vorhersagen, wie sich das Klima entwickeln wird. Es stellt die früheren Vorhersagemodelle in den Schatten und gibt uns die einmalige Gelegenheit, herauszufinden, wie wir die Menschheit verändern müssen, um zu überleben.«

Schüler rucken nervös auf ihren Stühlen, wieder wird getuschelt, doch nur kurz. Ein Schauder läuft mir über den Rücken. Er hat tatsächlich *Menschheit* gesagt. Er will die Natur unserer Art verändern. Dieser Mann ist besessen von seiner Idee, total verrückt, und er merkt es nicht. Ich starre gebannt auf den Bildschirm, kann kaum erwarten, was jetzt kommt.

»Das wird passieren, wenn wir nichts tun.« Savant deutet auf die Wand in seinem Rücken. Seine Simulation läuft.

Ein Diagramm zeigt die erwartete Temperaturveränderung: eine unaufhörlich kletternde Kurve, mehr als fünf Grad Celsius bis zum Ende des Jahrhunderts, dann folgen Bilder der Ökosysteme. Stürme entwurzeln ganze Wälder, machen Städte dem Erdboden gleich. Weidelandschaften trocknen aus, werden zu rissigen Lehmwüsten, verbrennen unter einer unbarmherzigen Sonne. Die Simulation zeigt halbe Kontinente unter Wasser, als sich der Monsun weiter verstärkt. Die Bilder sind schlimmer als alles, was ich je in den Nachrichten gesehen habe; sie zeigen nichts anderes als den Weltuntergang.

Als Letztes ruft Savant eine Grafik mit dem erwarteten Treibhausgasausstoß für die nächsten Jahrhunderte auf. Er steigt für weitere etwa 120 Jahre, dann fällt er plötzlich steil ab. Jemand fragt, ob das bedeutet, dass die Menschheit es schließlich doch schafft, sich zu ändern.

Savant sieht ihn grimmig an. »Nein. Es bedeutet, dass niemand mehr da ist, der Treibhausgase produzieren kann. Es bedeutet, dass die Menschheit sich selbst ausgelöscht hat.«

An der Wand erscheint in einem blinkenden roten Kasten – wie um ihn zu bestätigen: »Anzahl der Überlebenden: 0«

»Das kann doch unmöglich sein Ernst sein«, zische ich Yorik zu. »Das glaube ich einfach nicht. Kein Programm der Welt kann das Verhalten eines einzelnen Menschen vorhersagen, geschweige denn von acht Milliarden. Das ist doch Wahnsinn.«

Savant fährt fort. »Und das wird passieren, wenn wir die gesamte Bevölkerung von Europa, Asien und Nordamerika eliminieren.«

»Stopp. Hat er wirklich eliminieren gesagt?«

Yorik nickt grimmig.

Savant lässt die Simulation laufen. Die Schüler werfen sich fragende Blicke zu, manche schütteln den Kopf, andere sind wie erstarrt.

»Etwa dreißig Jahre lang haben wir einen positiven Effekt«, erklärt Savant die Grafiken und Bilder. »Aber dann.« Die Simulation verändert sich. Die Luftverschmutzung nimmt zu, der Wandel geht weiter, alles wiederholt sich. Bis niemand überlebt. »Die Überlebenden übernehmen die alte Technologie und machen genau dieselben Fehler.«

Ich glaube das nicht. Das kann nicht sein.

Savant spielt weitere Simulationen ab. Eine nach der anderen. Bei jedem Durchgang ändert er die Zusammensetzung der Weltbevölkerung, spielt die Eliminierung ganzer Kontinente durch, dann ganzer Hemisphären. Sein Programm kommt immer zu demselben Schluss.

Irgendwann gehen die ersten Schüler und die verbleibenden wirken zunehmend irritiert und verängstigt. Manche weinen. Einige halten sich an den Händen. Savant scheint nichts von alledem zu bemerken.

»Doch die Rettung der Menschheit ist keinesfalls unmöglich!« Er hat einen irren Glanz in den Augen und dreht unablässig an einem silbernen Ring an seiner linken Hand. »Angenommen, wir eliminieren *selektiv*«, er betont das Wort so freudig, als wäre es eine grandiose Idee, »nur die Umweltsünder, und zwar weltweit, und stellen die verbleibenden guten Menschen unter die Führung von uns PSI-Talenten, dann passiert Folgendes.« Er lässt eine letzte Simulation laufen. Sie trägt die Überschrift »Szenario der totalen Auslöschung aller Umweltsünder«.

»Was meint er mit ›alle Umweltsünder‹? Und warum sollen PSI-Talente die Anführer sein?«, flüstere ich, während ich gebannt auf den Bildschirm starre.

Yorik schüttelt den Kopf. »Er kam nicht mehr dazu, das zu erklären. Aber er hält PSI-Talente für eine überlegene Rasse, das hat er öfter betont. Seiner Meinung nach kann der Lebensraum der Menschheit nur durch uns gerettet werden.«

Die Simulation läuft. Das Klima erwärmt sich weiter, 1,7 Grad Celsius, 1,9 Grad Celsius, 2,0 Grad Celsius. Dann hört es auf, die Temperatur bleibt stabil. Das Getuschel unter den Schülern verebbt.

Alle Augen sind auf die Bilder an der Wand gerichtet. Man sieht Monsterstürme, verwüstete Städte, Überschwemmungen. Jetzt überzieht eine Gänsehaut meinen Rücken, denn das verleiht allen seinen Simulationen plötzlich einen Hauch von Glaubwürdigkeit, was ich nicht gerne zugebe.

Wir haben das Klima bereits verändert und dieser Prozess wird sich fortsetzen, da die Meere als Temperaturspeicher wirken. Selbst wenn wir jetzt sofort jeglichen Ausstoß auf null zurückfahren, wird die Atmosphäre sich noch eine Zeit lang weiter erwärmen. In jedem Fall wird es zu Naturkatastrophen kommen, die Frage ist nur, welches Ausmaß sie erreichen und wie häufig sie eintreten.

Savants Modell prognostiziert jedoch nur eine leichte Verschlechterung des aktuellen Zustandes und dann, nach etwa fünfzig Jahren, die Stabilisierung und Regeneration von Atmosphäre und Biosphäre. Der Traum von so vielen Menschen.

Savant spricht nun leise, aber in der Totenstille ist jedes Wort deutlich zu hören. »Das passiert, wenn nur die zehntausend Besten unserer Art überleben. Dann, meine Damen und Herren, und *nur dann*, hat die Menschheit eine Zukunft!«

Zehntausend? »Das ist also das einzige Szenario, in dem die Menschheit überlebt«, sage ich.

»Gruselig, oder?«

»Aber das glaubt doch hoffentlich niemand, oder?«

Yorik zuckt die Schultern. »Ich nicht, aber wenn jemand unbedingt etwas glauben will …«

»Das ist verrückt. Er kann doch nicht ernsthaft …«

Doch genau das macht Savant jetzt. Er ruft seine Studenten dazu auf, Umweltsünder zu *eliminieren*. Kein Zweifel, dieser Mann ist total übergeschnappt. Mir ist kalt, trotz der anhaltenden Hitze. Nach und nach verlassen weitere Mädchen und Jungen den Raum. Schließlich wird die Tür aufgerissen und Robinson stürmt herein. Ehe ich die Auseinandersetzung mit ansehen kann, wird das Display schwarz.

»Ich musste abschalten. Robinson hätte es sofort gemerkt und mir das Smartphone abgenommen«, sagt Yorik zerknirscht.

»Was hat Robinson gesagt?«

»Er war außer sich. Er glaubt an die friedliche Vereinigung der Völker und an das Gute in jedem Menschen. Er sagt, dass mit Toleranz, Akzeptanz und Vergebung eine Gesellschaft entstehen kann, die stark genug ist, die Probleme dieser Welt ohne Gewalt zu lösen. Aber Savant hat ihn nur ausgelacht, sagte etwas von den ›dummen Träumen eines hoffnungslosen Idioten‹«, Yorik verzieht das Gesicht. »Am nächsten Tag war er weg, samt seiner Forschungsergebnisse.«

Und seines Supercomputers. Mit so viel Rechenkapazität kann er alles Mögliche anstellen. Kein einzelner Mensch sollte derartige Macht besitzen. Eine Weile sagt niemand etwas und nur das Rauschen des Regens ist zu hören.

»Glaubst du, er könnte es?«, frage ich schließlich.

»Was?«

»So viele Menschen eliminieren, ganze Kontinente«, sage ich.

»Klar. Savant ist viel mächtiger, als man sich vorstellen kann. Dass er skrupellos genug ist, hat er bewiesen, er hat bereits getötet. Und das war nur der Anfang.« Yoriks Stimme ist bitter, belegt von Trauer und Wut.

Dann macht es klick. Yorik hat recht. Zu Hause kann ich meine Eltern nicht beschützen. Niemanden. Solange Savant frei ist, gibt es keinen Ort auf dem Planeten, an dem man sicher ist. Die Welt ist Savants Zielscheibe.

Wir müssen ihn aufhalten. Alles andere ist unwichtig.

8
NETO

»Was machen wir jetzt? Ich meine, was können wir tun?«

»Also ich trainiere. Ich will zu den Custoren. Sie jagen ihn und sie können jede Hilfe brauchen. Savant sammelt nämlich auch Talente um sich. Der einzige Vorteil, den wir momentan noch haben, ist der, dass er nur ein Sentinel ist.«

»Ein was?«

»Sentinel. Schärfere Sinne, aber kein echtes PSI-Talent. Er kann weder Gedanken lesen noch Materie manipulieren. Gegen dich hätte er keine Chance.«

»Wenn ich es beherrschen könnte.«

Yorik nickt. »Je mehr Talente er für seine Sache gewinnen kann, umso gefährlicher wird er.«

»Dann sollte ich besser weiter trainieren.«

Jetzt grinst Yorik. »Ich glaube, du hast verstanden. Also auf, auf!« Er steht auf und geht zu einer runden Öffnung in der Wand.

Ich werfe einen Blick aus dem Fenster auf den konstanten Strom der Schüler auf dem Waldboden. Ein weiterer furchteinflößender Gedanke durchzuckt mich. »Wie viele Talente gibt es hier?«

»Etwa fünfhundert.«

Fünfhundert. Ein lohnendes Ziel. »Warum greift Savant nicht einfach die Insel an?«

Yorik schüttelt den Kopf. »Die Schule ist sicher«, meint er. »Die Sicherheitsvorkehrungen sind besser, als man denkt. Die Zentrale ist drüben im Kraftwerksgebäude, ich hab da ein Physik-Projekt laufen, daher hab ich zu einem Teil des Systems Zugang. Glaub mir, selbst das Pentagon ist nicht besser geschützt.«

Dann lässt er sich mit den Füßen voran in die Öffnung gleiten und weg ist er.

Ich spähe aus dem Fenster neben dem Einlass. Eine silbergraue Röhre windet sich in drei Schleifen zum Boden, eine Rutsche. Yorik kommt gerade unten an, dreht sich zu mir um, das Gesicht im gleichförmigen Regen, und winkt mir zu.

Ich schnappe meinen Rucksack, dann schwinge ich mich durch die Öffnung. Die Rutsche ist völlig glatt, dunkel und irre schnell. Mit Schwung hineinzuspringen war ein Fehler. In den Kurven werde ich wild hin und her geschleudert und es dauert keine drei Sekunden, als ich auch schon unten ausgespuckt werde und mit voller Wucht gegen etwas Weiches pralle.

Jemand schreit vor Schmerz und ich lande unsanft auf dem durchweichten Rindenteppich. Wasser dringt durch meine Kleidung, Regentropfen prasseln auf meinen Rücken und laufen in den Kragen meines Shirts. Alles pocht, sodass ich gar nicht genau sagen kann, wo ich mir überall Prellungen zugezogen habe. Mein Arm brennt wie Feuer.

Mühsam komme ich auf die Beine und erkenne Domenik, dessen Gesicht schmerzverzerrt ist. Er krümmt sich vornüber und hält eine Hand auf seinen Bauch.

»Das bekommst du noch zurück«, speit er mit einem hasserfüllten Blick aus. Dann dreht er sich um und stiefelt wutentbrannt durch den Regen davon.

»Ups.« Yorik versucht zumindest, sich das Grinsen zu verkneifen, doch es gelingt nicht richtig.

»Du hättest mich ruhig warnen können, dass das Ding so schnell ist.«

»Wusst ich doch, dass ich was vergessen hab«, sagt Yorik.

Alles tut mir weh. Kopf, Beine, Rippen, mein Arm. Ein Blick offenbart eine Reihe von Abschürfungen unterhalb des linken Ellbogens. Ich bin von Kopf bis Fuß durchnässt und dreckig. Eigentlich müsste ich sauer sein, aber meine Mundwinkel zucken. Dieses Grinsen ist einfach ansteckend.

»Außerdem hätte Domenik auch besser aufpassen können. So nahe an einer Rutsche vorbeizugehen, ist fahrlässig, vor allem, wenn sich ein Neuer in der Schule rumtreibt.«

»Ich bezweifle, dass er das auch so sieht«, sage ich. »Warum hast *du* ihn eigentlich nicht gewarnt?«

Spinne ich oder wird Yorik rot?

»Äh, war kurz abgelenkt.« Er wendet sich ab, doch dann zuckt sein Kopf Richtung Pavillon und ich sehe gerade noch, wie ein groß gewachsenes Mädchen mit blondem Zopf unter dem Dach verschwindet. Der Regen ist zu stark, um sie genau zu erkennen, aber das blonde Haar kommt mir verdammt bekannt vor.

Zum Glück ist die nächste Stunde in der Kampfhalle, denn so kann ich kurz duschen und mich umziehen, bevor es weitergeht. In der Umkleide finde ich einen Haken, über dem in großen Druckbuchstaben mein Name prangt. Eine Art asiatischer Kampfanzug hängt daran: Eine weite hellgraue Hose und ein ebenfalls graues, langärmliges Hemd, das bis zu den Knien reicht. Dazu ein breiter Stoffstreifen, der als Gürtel dient. In einem Fach darüber finde ich Schuhe aus festem Segeltuch sowie weiße Stulpen und schwarze Bänder.

Während ich noch rätsle, wozu die Bänder dienen, zieht Yorik sich bereits die Stulpen über die Hose bis zum Knie und flicht die Bänder kreuzweise darüber. Er ist plötzlich merkwürdig still.

»Was ist los?«, will ich wissen.

»Nichts. Aber ... Neto ist ...« Yoriks Blick verfinstert sich. Er grummelt irgendetwas Unverständliches und verlässt dann die Umkleide.

Die Kampfhalle ist etwa dreimal so groß wie eine normale Turnhalle und genauso hoch. Es riecht nach Schweiß und Leder, die Holzdielen sind von unzähligen Füßen blank poliert und blitzsauber. In der Mitte ist eine quadratische Arena mit flachen Matten ausgelegt.

Mein Blick bleibt an den Wänden haften. Dort sind Kampfstöcke unterschiedlicher Länge aufgereiht, die kürzesten messen etwa sechzig Zentimeter, es gibt aber auch welche von ein und zwei Metern Länge. Mein Gedächtnis spuckt den Begriff »Bo« aus, eine asiatische Waffe. Ich kann nicht sagen, dass ich erleichtert bin – ich habe immer noch kein gutes Gefühl dabei, körperlich kämpfen zu müssen – aber das ist auf jeden Fall besser als Schusswaffen oder Schwerter.

Ich suche im Raum nach einem furchteinflößenden, muskelbepackten Kämpfer, doch der einzige Erwachsene inmitten all der Schüler ist ein kleiner, dürrer Asiate in einem knallorange leuchtenden Kampfgewand. Er steht in der Mitte der Halle und wirkt, als würde schon ein kräftiger Windhauch ausreichen, um ihn umzuwehen. Sein Schädel ist kahl, doch am Kinn trägt er einen weißen Spitzbart, der ebenso dürr ist wie er selbst. Sein Gesicht ist von Milliarden Runzeln zerfurcht, die Mundwinkel hängen träge herunter. Er hat die Augen geschlossen und stützt sich auf einen knorrigen Stock, als halte er ein Nickerchen.

Ich gehe zu den anderen Schülern, die sich in drei Reihen vor dem Alten aufgestellt haben. Plötzlich öffnet er seine Augen und alle um mich herum richten sich augenblicklich auf. Ich fühle ihre Anspannung wie ein aufziehendes Gewitter.

Netos Augen funkeln wachsam, während sein Blick über die Schüler gleitet. Als er mich erreicht, erstarre ich wie ein Reh im Scheinwerferlicht und die Härchen in meinem Nacken richten sich auf. In diesem Blick liegt etwas, das härter ist als Stahl.

»Willkommen, Schüler«, sagt Neto mit hoher, brüchiger Stimme und verbeugt sich tief. Die anderen tun es ihm gleich und auch ich versuche es, wobei ich mir ziemlich unbeholfen vorkomme.

»Ein neuer Schüler, soso«, sagt er zu mir und sein Gesicht verzieht sich zu einem Grinsen, während der Ausdruck in seinen tiefschwarzen Augen hart bleibt. »Hm. Komm her.«

Er unterstreicht seine Worte durch eine Bewegung seines Stabes, mit dem er rechts neben sich deutet. Ich habe einen Kloß im Hals, doch ich versuche, mir nichts anmerken zu lassen. Stattdessen zwinge ich mich, Neto in die Augen zu schauen. Es wäre ein schwerer Fehler, jetzt Schwäche zu zeigen. An der mir zugewiesenen Stelle bleibe ich stehen und Neto beginnt langsam, mich zu umrunden, wobei er mich einer sorgfältigen Musterung unterzieht.

Mein Herz schlägt viel zu laut. Sicher kann jeder in der Halle es hören. Netos Bewegungen sind kraftvoll und geschmeidig, der Stock ist anscheinend nur eine Attrappe. Er strahlt eine unheimliche Stärke aus. Obwohl er bestimmt zwanzig Zentimeter kleiner ist als ich, habe ich das Gefühl, als könne er mich mit einem Finger kampfunfähig machen.

Schließlich hat er seine Umrundung beendet. »Du hast keine Erfahrung mit Kämpfen.« Das ist keine Frage.

Ich denke an eine kleine Rauferei vor ein paar Jahren, bei der ich mich ganz gut geschlagen habe. Aber das hier ist etwas anderes. Also sage ich: »Nein, Sir«, und versuche weiter, seinem Blick standzuhalten.

Es wird immer schwerer, inzwischen fühle ich mich, als hätte ich in meinem ganzen Leben noch nie etwas Bedeutendes getan. Ich wünsche mir nichts sehnlicher, als dass die Musterung endlich vorbei ist.

Neto nickt bedächtig und legt einen faltigen Finger an sein Kinn. Er scheint zu überlegen. Schließlich gelangt er zu einem Entschluss. »Ehrliche Antwort, soso, hm«, sagt er und ein Hauch von Respekt schwingt in seiner Stimme mit.

Dann vertreibt ein listiges Funkeln die Härte in seinem Blick und er beginnt zu kichern. »Du wirst schnell lernen.«

Ich frage mich, was daran so lustig ist, wage es allerdings nicht, diese Frage laut zu stellen.

»Erste Lektion«, setzt Neto an, »ein starker Geist ruht in einem starken Körper. Zuerst trainieren wir den Körper, danach den Geist.« Er hebt seinen Stab, deutet damit auf die Schüler und dreht sich dann einmal um seine Achse, wobei er mit dem Stab einen großen Kreis um sich zieht. »Laufen«, sagt er und alle vierzig Schüler setzen sich augenblicklich in Bewegung. Kein Murren, kein Trödeln. Das ist unheimlich.

Wir joggen an den Hallenwänden entlang und ich erhasche einen genaueren Blick auf die Langstöcke. Sie sind schmucklos und nicht dicker als drei Zentimeter, das Holz muss elastisch und sehr stabil sein.

Neto lässt uns zwanzig Minuten durch die Halle rennen, dann bellt er verschiedene Kommandos, die ich nicht verstehe. Also versuche ich, die anderen nachzuahmen. Sie absolvieren bei jedem seiner Rufe einen bestimmten Sprung oder Kick. Ich komme nicht mit, die ungewohnten Übungen sorgen lediglich dafür, dass meine Muskeln anfangen zu schmerzen. Wenigstens habe ich mir nach weiteren zehn Minuten die Kommandos eingeprägt.

Endlich schmettert Neto ein erlösendes »Stopp«. Ich bleibe schwer atmend stehen, mein Hemd klebt auf der Haut und Schweiß läuft mir über die Stirn und verfängt sich in meinen Augenbrauen. Energisch wische ich ihn weg.

Neto deutet mit einer knappen Geste seines Stockes auf eine Schülerin. Als sie nach vorne kommt, macht mein Herz einen Satz. Es ist Nina. Ihr Haar ist zu einem festen Knoten hochgesteckt, was ihre Gesichtszüge noch feiner und eleganter wirken lässt. Doch wirklich faszinierend sind ihre Augen. Sie sind nicht länger blau und auch nicht grün, sondern haben die Farbe gehärteten Stahls angenommen, ein mattglänzendes Silbergrau. Ich frage mich, wie sie das macht und was es bedeutet.

Neto tritt nach einer knappen Verbeugung zur Seite und Nina nimmt seinen Platz ein. Sie verbeugt sich ebenfalls, dann breitet sie die Arme zu beiden Seiten aus und winkelt das rechte Handgelenk ab, sodass es nach unten zeigt.

Sie hält einen Moment inne, beugt ein Knie, hebt anmutig das rechte Bein und macht einen kleinen Schritt zur Seite. Dazu wendet sie den Kopf in diese Richtung und führt den linken Arm in einer weiten Geste zum rechten. Alle Gelenke ihres Körpers scheinen gleichzeitig in Bewegung zu sein, alle Muskeln arbeiten in perfekter Abstimmung.

»Tai-Chi-Chuan«, raunt Yorik. »Die Übung nennt sich Lanzenform. Soll entspannte Konzentration bewirken.«

Nina ist am Ende der Figur angekommen und beginnt nun von vorne. Wie die anderen Schüler versuche ich, ihre Bewegungen nachzuahmen. Doch während sie einfach umwerfend elegant, kraftvoll und präzise durch die Haltungen gleitet, fühle ich mich wie ein unbeholfener Trottel. Schon wieder.

Jetzt geht auch noch Neto durch die Reihen, bemängelt die Haltung einzelner Schüler und korrigiert sie durch Gesten seines Stockes. Er ist unerbittlich, jede Figur, jede Beugung und Drehung von Händen und Füßen muss exakt ausgeführt werden.

Ich gebe mein Bestes, doch meine geprellten Muskeln wollen nicht mehr. Auf keinen Fall werde ich es schaffen, meine Füße und Hände dazu zu bringen, das Richtige zu tun. Es ist unheimlich kompliziert, und ich fühle mich weder entspannt noch konzentriert.

Als es endlich vorbei ist und Nina zurück zu ihrem Platz in der ersten Reihe geht, kann ich mein Glück kaum fassen, denn Neto hat mich bei seiner Runde nicht erreicht.

Jetzt betritt die hochgewachsene, durchtrainierte Frau, die beim Mittagessen neben Alator saß, die Halle. Ihr ebenholzschwarzes Haar ist zu einem Zopf geflochten, der bis auf ihre Hüfte fällt. Wie Neto trägt auch sie einen Kampfanzug und flache Stoffschuhe, doch ihre Farbe ist Schwarz. Lediglich die Bandagen an ihren Handgelenken sind weiß.

»Professor Athena«, flüstert Yorik mir zu.

Sie bringt zwei mittelgroße Langstäbe mit und überreicht einen davon Neto. Dabei verneigt sie sich tief. Neto zeugt ihr in gleicher Weise Respekt und dann nehmen beide ihre Kampfhaltung ein, die Füße in Schulterbreite, einer ein wenig versetzt hinter dem anderen, die Knie leicht gebeugt. Dumpfes Donnergrollen, lauter als zuvor im Baumhaus, begleitet ihren Auftritt.

Ich versuche, mir jedes Detail einzuprägen. Wie sie den Stab mit zwei Händen greifen und ihn in einem leichten Aufwärtswinkel vor der Brust halten, sodass Oberkörper und Gesicht gleichermaßen vor einem gegnerischen Angriff geschützt werden.

Nach einem kurzen Moment gespannter Stille greift Athena an. Neto pariert ihren Schlag und wirbelt blitzschnell zur Seite. Plötzlich steht er hinter Athena und greift nun seinerseits an, aber sie hat sich bereits umgedreht und reißt ihren Bo hoch, um seine Attacke abzuwehren. Krachen von Holz auf Holz, dann wirbelt Athena wie zuvor Neto und entkommt so seiner Reichweite. Auf Netos Zeichen unterbrechen sie den Kampf und verbeugen sich tief voreinander. Das Ganze geht so irre schnell, dass ich kaum Einzelheiten erkennen kann.

Zu meiner Erleichterung beginnen die beiden Professoren, den Kampf erneut vorzuführen. Diesmal Schritt für Schritt. Neto lässt

Athena mehrfach anhalten und weist uns auf jede Einzelheit ihrer Körperhaltung, Fußstellung und den Griff ihrer Hände am Kampfstock hin.

»Schnelligkeit und Präzision sind die wichtigsten Waffen im Kampf. Nun ihr. Lernen!«, befiehlt er.

Athena führt die Drehung in Zeitlupe vor und wir ahmen ihre Bewegungen nach, während Neto durch die Reihen geht und Haltungen korrigiert. Das Glück hat mich verlassen, denn diesmal schreitet er zielstrebig in meine Richtung. Ich zwinge mich, starr auf Athena zu blicken, die weiter die komplizierte Technik vorführt.

Neto erreicht mich, bleibt vor mir stehen und starrt mich an. Prompt mache ich einen Fehler und pralle mit den Zehen gegen seinen Stock. Er hat ihn an die Stelle gesetzt, vor der mein Fuß hätte stehen bleiben sollen. Der Schmerz frisst sich bis in den Knochen, aber ich beiße die Zähne zusammen und mache weiter. Ich hoffe, dass Neto gleich weitergeht, doch während der gesamten Trainingseinheit weicht er nicht mehr von meiner Seite.

Sein Stock wirbelt blitzschnell, wieder und wieder, und ich stoße wieder und wieder dagegen, mit den Füßen, mit den Armen, der Schulter und sogar der Hüfte. Irgendwann schmerzt mein ganzer Körper, doch schlimmer noch als die physische Qual ist die Schmach der Niederlage.

In mir brodelt es. Ich habe das Gefühl, absichtlich schikaniert zu werden. Warum nimmt er mich am ersten Tag so hart ran? Ich kenne noch nicht einmal die Grundschritte und soll eine komplizierte Übung nachmachen? Das ist unfair. Mein Ellenbogen trifft den Stock und gleißender Schmerz durchzuckt meinen Arm, was mir das Wasser in die Augen treibt. Für einen Moment bin ich unfähig, den Arm zu bewegen, aber ich weigere mich, aufzugeben oder um eine Pause zu bitten.

Neto brummt zufrieden, dann nickt er. »Wenn du Schmerz ertragen kannst, wirst du schneller besser«, krächzt er mit brüchiger Stimme.

Ich denke an Nakomas Worte. *Fokussiere dich.* Dann beiße ich die Zähne aufeinander. Trotzig hebe ich den Arm und beginne von vorne. Eine kleine Ewigkeit später geht Neto endlich weg und ruft ein knappes Kommando, woraufhin Athena und die Schüler ihre Übung beenden.

Erleichtert lasse ich die Arme sinken. Ich habe durchgehalten, wenigstens das. Diese Stunde war lang und hart und ich bin unendlich froh, dass sie endlich vorbei ist. Doch dann weist Neto jedem einen Partner zu. Ich erstarre und werfe einen Blick auf die große Uhr am Ende der Halle. Es ist wie ein Schlag in den Magen. Das Training dauert noch 45 Minuten. Wieder erklingt das Geräusch von Holz, das auf Holz kracht.

Auf einmal ist Neto erneut neben mir. »Du brauchst einen gleichgroßen Gegner«, raunt er mir zu und winkt einen anderen Schüler heran.

Ich weiß nicht, womit ich ihn verärgert habe, aber irgendwie muss ich es geschafft haben. Oder er hasst mich einfach nur so. Oder das Universum hasst mich. Denn Domenik tritt auf mich zu und seine Augen funkeln rachsüchtig.

»Du zuerst«, fordert er mich auf und stellt sich in die Ausgangsposition. Seine Haltung ist tadellos. Ich wappne mich innerlich, dann stelle auch ich mich auf.

»Wie lange machst du das schon?«, frage ich.

Domenik grinst herablassend. »Zwei Jahre.«

Ganz schlecht.

Domeniks Grinsen wird noch breiter. Dann verbeugt er sich übertrieben, um mich zu verspotten.

Vollidiot. Ich überlege, mich einfach auf ihn zu stürzen, schließlich habe ich keine Technik und keine Erfahrung, nur die Energie der Wut, die in mir brennt. Vielleicht sollte ich die nutzen? Aber wahrscheinlich ist das ganz falsch. Stattdessen rufe ich mir Athenas Bewegungen ins Gedächtnis und verbeuge mich, doch noch während ich die Ausgangsposition suche, greift Domenik blitzschnell an.

Er legt alle Wucht in den Schlag und ich schaffe es gerade noch so, auszuweichen. Dabei taumle ich und kann meine Verteidigung nicht rechtzeitig aufbauen. Ein Treffer am Rücken schickt mich auf ein Knie.

Hinter mir höre ich Domenik höhnisch lachen. »Das ist ja einfacher, als einem Baby den Schnuller wegzunehmen. Niete.«

Mein Mund ist schneller als mein Kopf. »Dann ist das deine Lieblingsbeschäftigung, ja? Hatte ich mir schon gedacht.« Kaum habe ich es ausgesprochen, bereue ich es.

Domenik läuft dunkelrot an. Keine Verbeugung diesmal, er greift direkt an und ich reiße instinktiv den Bo hoch. Ein lautes Krachen ertönt und die Vibration des Aufpralls kriecht meine Arme hinauf bis in die Schultern. Ich beginne die Ausweichbewegung, doch sein Bo trifft meinen Knöchel und ich falle der Länge nach hin.

Für einen kurzen Moment wird mir schwarz vor Augen. Ich rieche Leder und den stechenden Geruch von Schweiß, der daran haftet. Die Matte ist kalt an meiner erhitzten Haut. Keuchend hole ich Luft und kann langsam wieder klar sehen. Doch mein ganzer Körper ist ein einziger pulsierender Schmerz.

Es wäre vernünftig, jetzt liegen zu bleiben. Ich habe keine Chance, nicht heute, nicht so. Aber das fühlt sich falsch an. Aufgeben ist keine Option, nicht in dieser Situation. Aus irgendeinem Grund ist es das Wichtigste auf der Welt, jetzt wieder aufzustehen und diesmal schneller zu sein.

Domenik lacht.

Ich stemme die Handflächen in das glatte Leder, drücke mich hoch und ziehe das rechte Knie an den Körper. Dann das linke. Schließlich stehe ich auf und drehe mich zu Domenik. Dessen Grinsen erlischt. Er packt seinen Bo und fixiert mich mit Gift im Blick.

Erneut kämpfen wir, erneut lande ich auf dem Boden. Ich beiße mir auf die Zunge und schmecke Blut. Doch ich werde jedes Mal schneller. Den nächsten Treffer sehe ich voraus und wehre ihn ab. Die Erschütterung zieht bis in die Schultern. Domeniks Gesicht ist nur wenige Zentimeter entfernt und er funkelt mich mit unverhohlenem Hass an. In diesem Moment gellt ein scharfes Kommando durch die Halle und beendet das Training. Domenik wirft mir einen letzten verächtlichen Blick zu, dann rückt er von mir ab und stapft davon.

Ich bin total am Ende, fühle mich wund am ganzen Körper. »Ist das jeden Tag so?«, frage ich Yorik, als wir die Kampfstöcke in den Wandhalterungen befestigen.

Yorik sieht mich mürrisch an. »Nein.«

»Gut.« Ich seufze beinahe vor Erleichterung.

»Heute war es einfach.«

War klar, denke ich frustriert. »Nicht dein Ernst«, erwidere ich.

Yorik nickt langsam. An seinem Gesicht kann man ablesen, dass er nicht scherzt. »Aber Neto haben wir nur zweimal die Woche. Morgen Nachmittag ist Überlebenstraining dran.«

Versucht er, mich aufzuheitern? Vielleicht auch nur sich selbst. Er zuckt mit den Schultern. »Ist auch nicht einfacher, aber wenigstens nicht Netos Fach.«

»Jetzt klären wir unseren Geist.«

Ist es immer noch nicht vorbei? Beim Klang von Netos brüchiger Stimme zucke ich zusammen. Der Wolkenbruch hat inzwischen aufgehört und in der vollkommenen Stille höre ich mein immer noch schnell schlagendes Herz. Ich nehme die Haltung ein, die der Professor vorführt, Füße weit nach außen gestellt und die Knie gebeugt. Nach wenigen Sekunden brennen meine Oberschenkel und ich habe Mühe, das Gleichgewicht zu halten.

»Befreit euer Bewusstsein von allen negativen Gedanken«, befiehlt Neto.

Ich versuche es, doch es ist schwer, den Frust beiseitezuschieben.

»Ein guter Kämpfer ist stets im Einklang mit seinem Geist.«

Es geht nicht. Die Erschöpfung raubt mir die Konzentration, die Schmerzen geben mir den Rest. Ich kann nicht mehr. Entnervt öffne ich die Augen und sehe Nina, die anmutig und scheinbar völlig mühelos in der unbequemen Haltung schwebt wie eine Elfe.

Während ich sie ansehe, senkt sich ein fremdes Gefühl über mich, als lege jemand eine Decke um meine Schultern. Es stammt nicht von mir, es kommt nicht *aus* mir, doch es breitet sich in mir aus und erreicht nach und nach jeden Winkel. Mein Geist beginnt tatsächlich, sich zu klären. Eine Ewigkeit stehe ich still und spüre Ruhe und Frieden. Es ist wie ein wundervolles Geschenk. Kommt es von Nina? Kann sie das?

Auf einmal spricht jemand so nahe an meinem Ohr, dass ich beinahe aufschreie. Meine Ruhe ist dahin, ich taumle.

»Komm morgen Abend wieder.« Ich habe ihn nicht kommen hören. Der alte Mann hat sich vollkommen lautlos angeschlichen. »Privattraining.«

Ich stöhne innerlich auf. Wenn ich hierbleiben will, muss ich da durch. Ich muss einen Weg finden, Netos Unterricht zu überleben.

9

ABGESCHIRMT

Die kalte Dusche spült nach und nach die schlimmsten Schmerzen fort und das Abendessen im Pavillon ist die Wucht. Große Platten mit gegrilltem Gemüse, gewürztem Reis und Kartoffelspalten mit Kräutern, dazu Puddings in fünf verschiedenen Geschmacksrichtungen als Nachtisch. Ich bin so hungrig, dass ich erst beim zweiten Nachschlag merke, dass Robinsons Platz verwaist ist.

»Das ist ungut«, murmelt Yorik. »Normalerweise ist Robinson zu jedem Essen hier.«

Ich sehe mich um. Der Waldboden ist vom Regen aufgeweicht, doch in der Hitze verdampft das Wasser rasch. Silbrige Nebelschwaden steigen auf und verfangen sich im dichten Blätterdach. Es sieht aus, als wäre der Wald in zahme Wolken gekleidet. Hunderte Schüler schlendern durch den Dunst, doch vom Professor ist tatsächlich nichts zu sehen.

An der Tafel der Lehrer sitzen etwa zwanzig Personen. Ich erkenne Green, Alvis und Nakoma. Neto sitzt mit dem Rücken zu uns, Athena rechts neben ihm und an seiner linken Seite blitzt der weiße Zopf von Alator auf. Die Mienen derjenigen, deren Gesichter ich sehe, zeugen von großer Anspannung.

»Was denkst du, was haben sie?«, frage ich Yorik.

Der schaut kurz von seinem Teller auf und dreht sich stirnrunzelnd um. »Hmpf«, nuschelt er mit vollem Mund, kaut, schluckt und deutet dann mit dem Messer zum Schulgebäude. »Da kommt er.«

Auf Robinsons Gesicht liegt ein Schatten. Die anderen Professoren sehen ihn fragend an, aber er schüttelt den Kopf, setzt sich schweigend und beginnt zu essen.

Die Anspannung der Lehrer kann nur mit Savant zu tun haben.

Hat er erneut versucht, ein Talent zu entführen? Gab es einen Anschlag, noch einen Mord? Die Sorge um meine Eltern kommt zurück, also versuche ich, meine ganzen Informationen zu sortieren.

Punkt eins: Savant ist völlig irre. Die Ansprache im Unterricht, seine Vorstellung, PSI-Talente seien eine überlegene Rasse, die Aufforderung, »Umweltsünder« zu »eliminieren«, sein Blick, dieser Wahn – ich habe keinen Zweifel, dass er bereit ist, Milliarden Menschen zu töten.

Punkt zwei: Hat Savant vielleicht recht? Ist die Menschheit, so wie sie ist, nicht mehr zu retten? Er hat technische Möglichkeiten, die meinen Verstand weit übersteigen. Aber ich kann nicht akzeptieren, dass menschliches Verhalten berechenbar sein soll. Das ist es nicht. Menschen sind in der Lage, sich zu hinterfragen und vor allem: über sich hinauszuwachsen. Gerade jetzt sind Prozesse im Gang, die zu einer echten Wende führen können. So viele starke und intelligente Leute arbeiten daran, den Klimawandel aufzuhalten, und es werden immer mehr. Die Menschheit kann viel mehr, als Savant glaubt. Oder sein Computer.

Punkt drei: Ich weiß zu wenig über das, was er vorhat. Er ist überzeugt, dass »Umweltsünder« ausgelöscht werden müssen. Aber was bedeutet das konkret? Wer sind diese Umweltsünder? Wie spürt er sie auf? Und wie will er sie ausschalten?

Als ich Susan in dem dichten Gedränge am Büfett entdecke, nutze ich die Chance und spreche sie auf Savant an.

»Und was genau willst du wissen?«, fragt sie mit hochgezogener Augenbraue.

»Woran er gearbeitet hat, was er vorhat. Einfach alles, was du weißt.«

»Das habe ich den Professoren schon gesagt. Es nützt nichts. Ich habe keinen Hinweis darauf, was er plant oder wo er sich aufhält. Glaub mir, wenn ich helfen könnte, hätte ich das längst getan.« Sie lässt die Schöpfkelle missmutig in den Vanillepudding fallen.

»Trotzdem«, sage ich lahm und sie verdreht – endgültig genervt – die Augen und wendet sich zum Gehen. »Ich meine, bitte«, ergänze ich schnell, und sie bleibt stehen, immer noch mit dem Rücken zu mir. Inzwischen hat sich eine Traube Neugieriger um uns gebildet. »Er hat auch meine Leute angegriffen. Ich will irgendetwas tun, ich muss es versuchen, verstehst du das?«

Susan dreht sich um, mustert mich von oben bis unten, dann die uns umgebende Menge. »Das ist weder der richtige Ort noch die richtige Zeit«, sagt sie kühl. »Und ich habe heute viel zu tun. Aber wenn es dir so wahnsinnig wichtig ist, schön, dann erzähle ich dir, was ich weiß. Erwarte nur nicht, dass es dir hilft.«

»Das wird es auf jeden Fall. Danke«, sage ich und lächle.

»Ich geb dir Bescheid, wann und wo.«

Ich nicke, und sie rauscht mit wippendem Zopf davon, eine Aura von Eis hinter sich herziehend. Ich verstehe, was Yorik meint, aber irgendwie auch nicht. Unter der frostigen Schale scheint sie doch in Ordnung zu sein.

Yorik will zum Strand, um dort seine Hausaufgaben zu machen und danach Beachvolleyball zu spielen, und ich verbringe zwei quälend lange Stunden bei Professor Ulcus, der mein Englisch aufpolieren soll.

Das Wort, das ihn wohl am besten beschreibt, ist »düster«. Er trägt abgewetzte Jeans und ein ausgeblichenes T-Shirt. Die Bartstoppeln auf Wange und Kinn haben die Farbe von Ruß, ebenso sein zerzaustes Haar, das ihm bis zu den Schultern reicht. Hinter einer Brille mit dickem schwarzem Rahmen blitzen intelligente dunkelbraune Augen.

Nach etwa zweieinhalb Sekunden ist offensichtlich, dass Ulcus diesen Unterricht ebenso sehr hasst wie ich. Er macht keinen Hehl daraus. Er ist unhöflich, arrogant und herablassend. Ich bin froh, als die Zeit um ist. Danach schleppe ich mich, der Anweisung des Lageplans folgend, in den siebten Stock, um die Hausaufgaben für Alvis und Green zu erledigen.

Wenn ich nicht so hundemüde wäre, würde ich die hohe zweiflüglige Tür vor mir bewundern, über der das Wort STUDIERSAAL in großen Bambuslettern mit feinem Goldrand prangt. Sie ist wunderschön, aus rotbraunem Holz mit Schnitzereien und glänzenden Messingbeschlägen. Aber mein Magen knurrt, obwohl das

Abendessen noch nicht lange her ist, und eine bleierne Schwere steckt in meinen Gliedern. Sehnsüchtig denke ich an die Matratze im Baumhaus. Doch ich muss diesen Aufsatz schreiben, sonst zerreißt Green mich in der Luft.

Die Nacht hat sich über den Dschungel gesenkt und die Hitze lässt langsam nach. Im Saal schaufeln drei gigantische Ventilatoren die feuchte Luft, sodass die Temperatur beinahe angenehm ist. Der Studiersaal ist ein ovaler Raum, der sich über das gesamte Stockwerk erstreckt. Dicke Bambusstreben stützen ein gewölbtes Dach aus geflochtenen Pflanzenfasern. Statt Wänden gibt es lediglich ein hüfthohes Geländer, darüber ist die Sicht auf den Dschungel frei. Ein feines, beinahe durchsichtiges Gewebe hält Insekten und Spinnen draußen.

Die Stämme der Baumriesen sind hier ganz nah, und Äste, auf denen zahllose Orchideen wuchern. Ihre krummen Luftwurzeln hängen herab wie Lametta und selbst im Dunkeln flitzt noch Leben darin herum, auf der Suche nach Schutz oder Beute. Ein winziger Kolibri schwirrt in der Luft vor einem Blütentrichter und taucht seinen langen Schnabel in den Kelch wie einen Strohhalm. Der Anblick ist wundervoll.

Doch ich muss mich davon lösen. Die Bücherregale – echte Bücher – stehen in der hinteren Hälfte des Raumes in einem klimatisierten, von Glaswänden umschlossenen Bereich, der sie vor der zerstörerischen Feuchtigkeit schützt. Weiter vorn gibt es mehrere Dutzend Tische, von denen gut die Hälfte von Schülern und Schülerinnen belegt sind. Susan ist nicht unter ihnen.

Rasch verschaffe ich mir einen Überblick über die Bücher. Sie sind nach Fachgebieten sortiert und ich finde auf Anhieb »Heil- und Giftpflanzen« von Professor Doktor Green. Mit dem Buch setze ich mich an einen freien Tisch am Rand, wo die lebende, atmende Wand das Gebäude umschließt.

Nebelschwaden hängen im Geäst wie ein silberner Traum, doch der Dschungel schläft nicht. Der einsame Ruf einer Raubkatze mischt sich mit gedämpften Schreien nachtaktiver Makis. Leises Knistern und Rascheln undefinierbarer Kreaturen, die noch wach sind und im Schutz der Dunkelheit auf ihre Beute lauern, erzeugen eine Stimmung, die ebenso geheimnisvoll wie faszinierend ist.

Es kostet Mühe, sich davon abzuwenden. Ich hole das Tablet heraus und versuche, irgendetwas von dem chaotischen Gekritzel meiner Mitschrift zu entziffern. Dann vertiefe ich mich in das Buch.

»Sie sollten ins Bett gehen, junger Mann.«

Ich schrecke hoch und blicke in ein von Milliarden Runzeln durchzogenes Gesicht, das zur Hälfte von einem schlohweißen Bart verdeckt wird. Langes Haar derselben Farbe ergießt sich über Schultern und Rücken des Mannes. Die eisblauen Augen, die mich über die Ränder halbmondförmiger Brillengläser hinweg anblicken, sind freundlich und gutmütig. »Der Studiersaal schließt um Mitternacht«, sagt der Alte mit einem Schmunzeln in der Stimme.

Keine Anklage, dennoch bin ich mit einem Schlag hellwach. Ich bin eingeschlafen!

»Entschuldigung, Sir«, stammle ich und packe eilig meine Sachen zusammen. Dabei finde ich einen zusammengefalteten Zettel auf meinem Tablet. Ein großes S steht darauf.

»Professor Woggle«, verbessert er mich. »Ah, Professor Green!« Er nimmt das Buch vom Tisch. »Der hat schon viele zum Einschlafen gebracht.« Dann verschwindet er schlurfend im Glasraum.

Ich werfe meinen Rucksack über die Schulter und schleppe mich nach draußen. Auf der Treppe lese ich die Nachricht.

Komm zur Kampfhalle – eine halbe Stunde nach Mitternacht. Susan

Es ist verboten, sich um diese Zeit noch auf dem Gelände herumzutreiben, eigentlich muss man nach Schließung des Studiersaals auf direktem Weg ins eigene Baumhaus gehen. Aber die Aussicht auf Antworten ist das Risiko wert, also eile ich die Treppe hinunter, alle sieben Stockwerke, und trete hinaus auf den verwaisten Platz.

Er wird vom Lichtschein einiger weniger Räume im großen Gebäude noch schwach erhellt und mitten auf dem Weg, zwischen Schulgebäude und Kampfhalle, steht Neto und beäugt die letzten Schüler auf ihrem Weg in die Baumhäuser.

Mir bleibt nichts anderes übrig. Ich schlage den Weg zum Klettergarten ein, doch auf einer Plattform, die er unmöglich einsehen kann, bleibe ich stehen und warte, beobachte die Halle. So vergehen fünf Minuten, dann zehn. Schließlich tritt Neto in mein Gesichtsfeld. Er geht zum Pavillon! Das ist vielleicht die einzige Chance, die ich bekomme.

Schnell suche ich mir einen Weg zurück. Ich meide die Seilbahnen, denn ihr Surren ist zu laut. Die festen Brücken bedeuten einen Umweg, aber sie sind leise, also eile ich über etliche Wege, geduckt, den Pavillon so gut es geht im Blick. Als ich den Abgang in nächster Nähe zur Kampfhalle erreiche, dreht Neto um. Schnell gehe ich im Schatten eines Riesenstammes in Deckung.

Dann betritt Neto das Zentralgebäude. Dort kann er eine halbe Stunde lang nach Schülern suchen, wenn er gründlich ist. Schnell husche ich die Wendeltreppe hinunter. Von hier bis zur Halle sind es nur zwanzig Meter, allerdings hell beleuchtet und ohne Deckung. Sorgfältig sehe ich mich um. Der Platz ist menschenleer, doch wenn jemand aus den Fenstern schaut … Ich brauche Glück. Egal. Jetzt oder nie.

Ich sprinte so leise wie möglich los und verschwinde im Schatten zwischen dem Kampftempel und dem Rand des Dschungels. Mein Herz schlägt bis zum Hals. Was hat sich Susan nur dabei gedacht? Warum wählt sie diesen Treffpunkt? Das ist für sie doch auch riskant.

Ich lehne an der Hallenwand und luge vorsichtig um die Ecke. Auf dem Platz rührt sich nichts, anscheinend hat mich niemand bemerkt. Aber ich habe ein ungutes Gefühl. Irgendetwas stimmt hier nicht.

Ich checke die Uhrzeit auf meinem Smartphone. Es ist kurz nach halb eins und Yorik hat eine wütend-besorgte Nachricht hinterlassen.

Wo steckst du? Lass dich bloß nicht erwischen. Heute haben Neto und Nakoma Wache.

Hitze durchflutet mich. Nakoma muss mich ja noch nicht einmal sehen, um mich zu erwischen! Sie kann mein Licht spüren, wenn sie nahe genug ist. Ich muss schleunigst hier weg.

Inzwischen bin ich sicher, dass das Ganze eine Falle ist. Susan ist nicht da und es ist schwachsinnig, diesen Ort auszuwählen. Die intelligente und logische Susan hätte sich das nie ausgedacht. Himmel! Ich bin ein Idiot!

Bestimmt steckt Domenik dahinter und lacht sich jetzt in seinem Baumhaus kaputt. Klar, wenn ich gleich an meinem ersten Tag einen Verweis bekomme, wird mir garantiert nicht mehr erlaubt, mich um die Abschlussrede zu bewerben.

Ich luge erneut um die Ecke. Im gleichen Moment treten Nakoma und Neto aus dem zentralen Gebäude und kommen direkt auf die Halle zu. *Mist!*

Ob ich mich einfach offen zeigen und behaupten soll, ich hätte mich verlaufen? Immerhin ist heute mein erster Tag, da könnte das noch klappen. Doch rasch verwerfe ich den Plan. Das sind keine normalen Lehrer – Neto hasst mich sowieso schon und ich will gar nicht wissen, wie er mich traktieren wird, wenn ich ihm mit einer blöden Ausrede komme. Und Nakoma spürt eine Lüge sofort. Fieberhaft suche ich nach einem Versteck, bis ich an der Seite der Eingangstreppe eine Lücke entdecke. Von meiner Position aus sind es nur drei Schritte bis dorthin und der Schatten verbirgt mich. Ich habe keine Zeit, weiter nachzudenken. Geduckt husche ich zum Spalt und zwänge mich hindurch.

Es geht gerade so. Mein Shirt verfängt sich an einem Splitter und ich reiße es los, wodurch es vermutlich ruiniert ist. Vor Blicken geschützt knie ich in unbequemer Haltung, in Sicherheit bin ich allerdings noch nicht. Durch kleine Ritzen im Holz sehe ich nicht viel, aber genug. Nakoma und Neto nähern sich.

Ich muss mein Licht abschirmen. Keine Ahnung, ob das möglich ist, aber versuchen muss ich es. Also wende ich meinen Blick nach innen, fokussiere mich und sehe es schließlich. Es ist wieder gewachsen, durchsetzt von einer Milliarde roter Funken und gleißend hell. Unübersehbar für Nakoma. Wie kann ich das nur verbergen? Ich erinnere mich an die Lektion im Jet, das Abschirmen meiner Gedanken. Kann ich es mit dem gesamten Licht ähnlich machen?

Mir bleibt keine Zeit, zu zögern oder zu überlegen, ich kann nur noch meinem Instinkt folgen. Also stelle ich mir eine Decke aus undurchdringlichem Schwarz vor, dunkler als die finsterste Nacht, das genaue Gegenteil von Licht, und breite sie über der wirbelnden Galaxie aus.

Ich klammere mich an die Hoffnung, dass es genügen wird, und versuche, mein pochendes Herz zu beruhigen. Dann stoppen die Schritte plötzlich. Hölzernes Klappern erklingt, das müssen Nakomas Armreife sein. Ich kann fast sehen, wie sie die Hände ringt.

»Wir sind inzwischen sicher, dass Savant ein weiteres Talent geholt hat. Kurz nach Ausbruch seiner Kraft.« Nakomas rauchige Stimme ist unverkennbar.

»Wir müssen mehr Jagd auf ihn machen. Sonst holt er einen nach dem anderen. Das wäre ein großes Unglück.« Es ist Neto. Er klingt aufgebracht. »Die Schüler müssen mehr trainieren. Schneller Krieger werden.«

»Wir dürfen den jungen Menschen nicht zu früh zu viel Verantwortung aufbürden. Kraft braucht Zeit, sich zu entfalten«, antwortet Nakoma mit vorsichtiger Bestimmtheit.

»Du sprichst sehr weise, Eyota. Doch Zeit ist nicht immer vorhanden«, entgegnet Neto.

»Das wissen wir ...« Plötzlich bleibt Nakoma stehen.

Sie hat mich bemerkt! Ich halte den Atem an.

Nakoma sieht nervös in alle Ecken des Campus und immer wieder in die Wipfel. Ich kauere mich tiefer auf den Boden und atme so flach wie möglich. Hoffentlich reicht es.

Nach einer gefühlten Ewigkeit geht sie weiter. Doch ihr Satz bleibt unvollendet. Neto spricht ebenfalls nicht mehr. Stumm umrunden sie die Kampfhalle. Sie finden mich nicht, aber Nakoma weiß, dass etwas nicht stimmt. Sie durchsuchen das Gebäude, dann den Platz.

Währenddessen denke ich über ihre Worte nach. Ich bin der gleichen Meinung wie Neto, wir sollten so schnell wie möglich ausgebildet werden. Aber sind Nakomas Zweifel nicht berechtigt? Was, wenn wir zu früh zu viel wollen und dadurch alles schlimmer machen? Ich denke an die Zerstörung, die ich angerichtet habe, die Verwundung meiner Mutter, und mein Magen schrumpft zu einem harten, kleinen Ball. Wie kann ich vermeiden, dass das wieder passiert?

Ich verharre in der unangenehmen Position, bis mich ein

beginnender Krampf in meiner rechten Wade zwingt, das Bein so gut es geht zu entlasten. Während ich meine Wade massiere, bete ich, dass sie sich beeilen. Ihre Suche dauert ewig und trotz des harten Bodens merke ich irgendwann, dass ich kurz vor dem Einschlafen bin. Inzwischen ist es fast zwei Uhr. Ob ich die Abschirmung halten kann, wenn ich nicht wach bin? Ich glaube nicht, es kostet mich wahnsinnig viel Kraft.

Als Nakoma und Neto ins Hauptgebäude gehen, beschließe ich, es zu riskieren. Vorsichtig zwänge ich mich durch die Öffnung, dann husche ich – so nahe am schützenden Dschungelrand wie möglich, ohne die Pflanzen zu berühren – zur Wendeltreppe, erklimme den Riesenbaum, schleiche über die Brücken. Immer geduckt, jeden Schatten nutzend.

Als ich im Baumhaus bin, kann ich mein Glück kaum fassen. Mein T-Shirt ist zerrissen, und was Savant angeht, bin ich keinen Schritt weiter, doch zumindest Domeniks Plan ist nicht aufgegangen. Und ich habe etwas Wichtiges über mein Licht herausgefunden, denn ich weiß jetzt, wie ich es vor Empathen verstecken kann.

Schnell tippe ich den Aufsatz für Green fertig, dann schicke ich ihn ab, ohne Korrektur zu lesen. Es ist halb drei Uhr morgens, ich finde jetzt sowieso keine Fehler mehr. Als mein Kopf das Kissen berührt, bin ich sofort weg.

Am nächsten Morgen erwache ich in einem zerwühlten Bett. Zaghaft dringen die ersten Strahlen der Morgensonne durch das Fenster. Eine dunkle Erinnerung an wirre Träume von splitternden Scheiben und Blutflecken auf dem Küchenboden verflüchtigt sich schnell, aber die Kopfschmerzen sind zurück. Sie bleiben, genau wie der silbrige Dunst, der vom Boden und all den Blättern ringsherum aufsteigt.

Ein forderndes Fiepen neben meinem Bett hat mich geweckt. Ich drehe den Kopf in Richtung der Geräuschquelle und erkenne den kleinen Koboldaffen, der tags zuvor meinen Keks geschnappt hat. Anscheinend hat es ihm geschmeckt, der Maki hat seine Scheu abgelegt.

Ich stehe auf, leise, um Yorik neben mir nicht zu wecken, hole einen weiteren Keks aus dem Schrank und halte ihn dem Maki hin.

Der legt den Kopf schief, guckt ein paar Mal zwischen mir und dem Leckerbissen hin und her, dann schnappt er danach und flitzt mit seiner Beute davon.

Nachdenklich sehe ich ihm hinterher. Er klettert mühelos die dicken Stämme empor, springt von einem Baum zum nächsten, als würden die Regeln der Schwerkraft für ihn nicht gelten. Noch so ein Wunder der Natur.

Plötzlich beneide ich das kleine Äffchen. Wie er es schafft, sein von der Evolution geschaffenes Talent zu nutzen, um die Naturgesetze außer Kraft zu setzen. Ich bin größer als er, intelligenter und stärker. Aber ich werde nie eine Chance haben, ihm die Bäume hinauf zu folgen, egal, wie hart ich trainiere. Als ich dem Affen zusehe, wie er in den Kronen verschwindet, wird mir klar, was ich tun muss.

Ich habe ein starkes Talent, Savant ein schwaches. Wenn es mir gelingt, meines zu nutzen, wie der Affe sein Klettertalent, dann kann ich Savant mühelos entwischen oder aber auch: ihm immer einen Schritt voraus sein. Ich werde also trainieren, härter als je zuvor in meinem Leben. So lange, bis ich diese Telekinese besser beherrsche als Nakoma und meine Noten im Stockkampf und allen anderen Fächern so gut sind, dass ich den Custoren beitreten darf.

10

FUNKEN

Die nächsten Monate sind die wohl härtesten meines Lebens. Ich habe zu Hause oft gedacht, im Leichtathletik-Training oder in der Schule bis an meine Grenzen zu gehen, aber das war gar nichts im Vergleich. Manchmal habe ich den Eindruck, jeder Tag ist schlimmer als der zuvor. Wenn Yorik mich am Wochenende zu einer der Partys am Strand schleppt, schlafe ich meist nach einer halben Stunde an einen Stein gelehnt oder einfach im Sand ein.

Dabei sind diese Feiern richtig gut. Oft sind es Geburtstage. Das Haus der Betreffenden organisiert dann verschiedene Kleinigkeiten, Strandfackeln, deren Flammenschein die Nacht verzaubert, Essen und Getränke, Musik oder einen sportlichen Wettkampf. Beachvolleyball ist am beliebtesten, Surfen und Strandfußball auch. Manchmal bringt jemand eine Gitarre mit oder Trommeln, dann wird gesungen und getanzt, bis Cooks die Fackeln löscht und uns in die Baumhäuser treibt.

Nach drei harten Wochen zeigen die Sprachkurse bei Ulcus endlich Erfolg. Ich träume und denke auf Englisch, wie der Professor es mir prophezeit hat. Meine Hausaufgaben werden nun mindestens mit »C« bewertet und Alvis gibt mir für einen Geschichtsaufsatz sogar ein »A«, die Entsprechung für ein »sehr gut« bei uns zu Hause. Ulcus bescheinigt mir daraufhin ausreichende Englischkenntnisse und erklärt die abendlichen Zusatzkurse für beendet. Gleichzeitig nimmt Alvis mich in den Politikkurs auf, mein Lichtblick in jeder Woche.

Nakomas Nachhilfe bleibt mir auch nach der dritten Woche erhalten. Müde quäle ich mich durch die Meditationen und Übungen, bis spät in die Nacht hinein, dennoch hinke ich im Gebrauch meiner Parafähigkeiten immer noch weit hinter den anderen her.

Der Dezember neigt sich dem Ende zu, und hier ist nach wie vor Regenzeit, was bedeutet, es ist unerträglich heiß und feucht.

Ich denke oft an zu Hause, wo sie gerade unter der Kälte stöhnen, Glühwein oder Punsch auf den Weihnachtsmärkten trinken und sich abends in den warmen Stuben zusammenrotten. Wo die Sonne kaum noch acht Stunden am Tag scheint. Hier ist es immer zwölf Stunden lang hell, von sechs Uhr morgens bis sechs Uhr abends. Es ist immer dasselbe und mein Heimweh wird von Tag zu Tag stärker. Selbst die kalten Schneeschauer vermisse ich inzwischen.

Und dann erlebe ich mein erstes richtig großes Fest auf der Insel.

Auf der Akademie gibt es weder Weihnachten noch andere religiöse Feiertage. Yorik erklärt es so: In den ersten Jahren nach der Gründung wurden die bedeutendsten heiligen Tage aller in der Schule versammelten Glaubensrichtungen gefeiert, des Islam, Christentums, Judentums, Buddhismus, Hinduismus. Doch immer wieder gab es Streit, fühlten die Gläubigen einer Religionsgemeinschaft ihre heiligen Bräuche verletzt. Es war einfach eine unüberschaubare Fülle an unterschiedlichsten Riten und Traditionen. Kleinigkeiten führten zu schweren Krisen und irgendwann wurde beschlossen, die Ausübung der Religion in den Privatbereich des Einzelnen zu verlagern. Stattdessen werden gemeinsam die Feste der Natur gefeiert, Sonnwenden und Tagundnachtgleichen. Seither funktioniert es, extrem gut sogar.

Jedes Haus ist für die Ausrichtung »seines« Festes verantwortlich, das Haus des Herbstes also für die Herbst-Tagundnachtgleiche, die ich in diesem Jahr verpasst habe, weil sie am 23. September stattfand. Alle versuchen stets, bei ihrem Fest das Vorangegangene in den Schatten zu stellen, ein eigener kleiner Wettstreit zwischen den vier Häusern. Yorik als Oberhaupt des Hauses des Sommers plant die Feier zur Sommersonnenwende das gesamte Jahr über und nach den Erzählungen der anderen wird es wohl ziemlich spektakulär werden.

Die Festtage der Natur, wie sie an der Akademie genannt werden, haben so große Bedeutung, dass dafür sogar der Unterricht unterbrochen wird. Zwei Tage schulfrei gibt es für die Vorbereitung und drei Tage für die Erholung hinterher. Als ich mein erstes Fest miterlebe, die Wintersonnenwende am 21. Dezember, wird mir klar, warum.

Die Feier dauert zwei Tage und zwei Nächte und das Haus des

Winters stellt dafür die gesamte Akademie auf den Kopf. Alles scheint erlaubt, die einzige Vorgabe der Professoren ist, dass die Aktionen zum Thema passen. So gibt es einen Maskenball, bei dem jede Maske eine Variation des Themas »Schnee und Eis« darstellt. Das Schulgebäude wird bis in den siebten Stock zum Eispalast umdekoriert, Gerichte und Getränke werden wahlweise frostblau, in Form einer Schneeflocke oder mit Eisbeerengeschmack serviert. Ein Eisballett, für das Susan das eigens dafür geflutete Beachvolleyballfeld gefriert, und die gigantische Schneeballschlacht der Häuser sind der Höhepunkt. Zu Hause wäre das vielleicht nichts Besonderes, aber hier an einem Sandstrand unter tropischen Palmen sind Schnee und Eis total irre.

Die Feiern sind eine willkommene Abwechslung zur immer gleichen Abfolge aus Training, Unterricht und noch mehr Training. Die Lektionen bei Neto sind die härtesten, denn er nimmt seine Schüler richtig in die Mangel, besonders mich. Der Professor lässt mich jede Bewegung, jeden Schlag und jeden Tritt so lange wiederholen, bis er perfekt sitzt. Ich lerne, Angriffe zu parieren, auszuweichen, Angriffsschläge zu führen, die Schwachstelle eines Gegners herauszufinden und zu meinem Vorteil zu nutzen.

Mein Trainingspartner bleibt Domenik und trotz der Extrastunden bin ich ihm weiterhin unterlegen. Domenik genießt es, mir ein ums andere Mal eine Niederlage beizubringen. Nach jeder Trainingseinheit ziehe ich mit neuen blauen Flecken ab, mein Körper eine Sinfonie aus Schmerzen. Mit jedem Kampf wächst mein Frust, und wenn ich an diesen Tagen mein Licht visualisiere, sehe ich doppelt und dreimal so viele rote Funken wie sonst. Was nicht gut ist, denn schnell wird mir klar, dass diese Funken verhindern, dass ich mein Licht kontrolliert einsetzen kann. Je mehr Funken, umso mehr Federn und Kugeln zerstöre ich.

Irgendwann gehe ich dazu über, auch noch an den Wochenenden, in der wenigen Freizeit, die mir bleibt, bis zum Umfallen zu trainieren. Yorik sieht mir eine Weile kopfschüttelnd zu, doch dann beginnt er, mich zu coachen, sooft er sich von seinem Projekt im Kraftwerksgebäude loseisen kann.

Die Hälfte des Trainings übernimmt glücklicherweise Professor Athena. Sie bringt uns bei, wahlweise unbewaffnet oder mit dem Bo zu kämpfen. Immer wieder müssen wir parieren, uns drehen, angreifen, eine Sequenz nach der anderen, bis die Muskeln ein eigenes Gedächtnis für die Bewegungsabläufe entwickeln. Inzwischen beherrsche ich den Kampf mit dem Langstock fast genauso gut wie Schüler, die schon mehrere Jahre hier sind, und mit jeder Woche werde ich besser. Meine Muskeln werden kräftiger und geschmeidiger, meine Bewegungen fließender, meine Reaktionen schneller.

Bei Athena lernen wir auch, verschiedene Typen von Schusswaffen zu unterscheiden, ihre Feuerkraft einzuschätzen, ihren Aufbau und die Möglichkeiten, sie unschädlich zu machen. Doch sie zu benutzen, trainieren wir zu meiner großen Erleichterung nie.

»Kugeln töten zu schnell und viel zu oft Unschuldige. Dass Schusswaffen als Mittel zur Selbstverteidigung nicht geeignet sind, sieht man an den zahllosen Vorfällen in Amerika«, ist alles, was Athena zu diesem Thema sagt.

Nina sehe ich nur im Unterricht und ganz selten bei einem Fest, aber immer nur kurz und stets am Rand der Menge. Jedes Mal werde ich nervös, wenn ich sie sehe, bekomme Herzklopfen und ein Gefühl wie ein Schwarm Mücken im Bauch.

Die Frühjahrs-Tagundnachtgleiche Ende März kommt und geht mit einem bombastischen Fest, das von zartem Frühlingsgrün, Blüten und Schmetterlingen dominiert wird. Jeder hat irgendwann Blütenketten um den Hals, Blüten im Haar und die Mädchen aus dem Haus des Frühlings tragen ganze Kleider aus verwobenen Blüten und Stoffschmetterlingen. Am Abend gibt es ein riesiges Lagerfeuer am Strand und es wird gegessen, gesungen und zu Trommelmusik getanzt bis in die frühen Morgenstunden. Nach dem Fest schlafe ich 24 Stunden am Stück, zum ersten Mal, seit ich hier bin, ohne verstörende Albträume. Als ich zwei Tage später zum PSI-Training bei Nakoma erscheine, gelingt es mir endlich, mein Licht präzise um Gegenstände zu legen und diese zu bewegen.

Ich weiß nicht, was sich plötzlich verändert hat, aber ich schaffe es nun jeden Tag aufs Neue. Trotzdem bleiben die Funken, die sich meiner Kontrolle entziehen und immer wieder mein Licht erschüttern. Dann fällt zu Boden, was ich mittels Gedanken halte, oder es prallt gegen die Wand. Wenn es richtig viele sind, zerstöre ich immer noch Dinge. Es ist frustrierend und quälend, denn ich denke, dass in meiner Kraft der Schlüssel zu einem möglichen Erfolg über Savant liegen könnte. Ich muss mein Talent nicht nur einsetzen können, sondern es so mühelos beherrschen wie der kleine Maki seines. Nur dann haben wir eine Chance, Savant aufzuhalten.

Von Savant gibt es immer noch keine Spur. Das einzig Positive ist, dass es auch keine weiteren Angriffe und keine Entführungen mehr gibt. Überhaupt kein Zeichen. Doch wirklich beruhigend ist das nicht, denn alle gehen davon aus, dass er seine Kräfte bündelt, um einen großen und furchtbaren Schlag zu planen.

Trotz aller Anstrengung komme ich einfach nicht dahinter, was diese roten Funken stoppen kann. Was muss ich tun? Nakoma rät mir zu Geduld und meint, dass jedes Talent seinen eigenen Regeln und Grenzen unterliegt. Kurz: Sie weiß es auch nicht.

Ich habe inzwischen herausgefunden, dass Kämpfe mit Domenik es verschlimmern und Meditationen zumindest ein wenig helfen. Wenn ich Ruhe finde, dann beruhigt sich auch mein Licht. Aber die Funken kommen stets zurück.

Nakoma gibt zu, dass mein Problem ernster ist, als sie es von anderen Schülern gewohnt ist, und erklärt es mit meiner außergewöhnlich großen Kraft. Aber auch sie gibt nicht auf und das macht mir Hoffnung. Immer wieder probiert sie neue Übungen. Eines Abends im Mai, etwa sechs Monate nach meiner Ankunft auf der Insel, stehen zwei große Tonschalen auf dem Boden. Nakomas Raum ist wie immer in weiches Kerzenlicht getaucht, meditative Klänge erfüllen ihn und aus den Duftbrunnen steigt das Aroma von Zitronengras und Hibiskusblüten auf.

Beide Gefäße sind mit Sand gefüllt, doch die Körnchen in der rechten Schale sind feiner und glitzern silbrig, während die in der linken grobkörniger und von einem stumpfen Braun sind. Nakoma führt mich wie immer durch eine Anfangsmeditation zu einer entspannten Atmung.

»Nimm dir ein Sandkorn aus jeder Schale«, sagt sie dann mit der gewohnt leisen Stimme, die so klingt, wie sich der Raum anfühlt.

Ich befühle den Sand mit den Fingern, dann reibe ich je ein Körnchen zwischen den Fingerspitzen.

»Erkennst du den Unterschied?«, fragt sie.

Beide Körnchen fühlen sich absolut gleich an. Winzig und hart. »Welchen Unterschied soll ich bemerken?«

Nakoma nickt. »Keinen. Jetzt schließ die Augen und taste nach ihren Strukturen. Öffne deinen Geist weit und erfahre die Beschaffenheit ihrer Moleküle, ihrer Atome. Sende dein Licht aus und umfließe die Muster. Speichere sie. Versuch es noch einmal.«

Die Sandkörner liegen auf meiner Handfläche, winzig und gewichtslos. Doch als ich meine Gedanken danach ausstrecke, ist es plötzlich, als erweitere sich mein Geist. Er dehnt sich zur Größe des gesamten Weltalls aus, und die Sandkörner sind Galaxien, bestehend aus einem unverwechselbaren Muster aus Sternbildern. Jetzt erkenne ich es.

»Da«, rufe ich überrascht aus, »ich sehe es.«

»Gut«, sagt Nakoma. »Sieh dir nun den Sand an.« Ihre dunkle Stimme füllt den Raum und die Flammen der Kerzen werden kleiner, ihr Leuchten gedämpft.

Ich betrachte die Schalen. Plötzlich rieselt der Sand nach oben. Nakoma lässt Milliarden Körnchen etwa zwei Meter über dem Boden schweben. Dort beginnen sie, um ein gemeinsames Zentrum zu rotieren, zunächst langsam, dann immer schneller, bis sie einen Wirbel bilden, in dem sich die beiden Sorten vermischen. Schließlich lässt Nakoma den vermengten Sand in die Schalen zurückströmen.

»Trenne die beiden Sorten voneinander.«

Das kann nicht ihr Ernst sein. »Das sind Milliarden Körnchen«, sage ich. »Das ist unmöglich.«

»Versuch es«, beharrt Nakoma. »Du weißt, was der erste Schritt ist.«

Ich seufze. »Ich stelle mir vor, dass ich es schaffen kann.« Und das tue ich. Dann konzentriere ich mich auf das Licht, wende mich den Schalen zu und beginne, einzelne feine Lichtfäden auszusenden.

Die ersten Körnchen steigen nach oben, dann weitere, dann immer mehr. Sorgfältig trenne ich sie nach ihrer Farbe, doch jedes einzelne Körnchen zu erfassen kostet wahnsinnig viel mentale Kraft. Schweiß bildet sich auf meiner Stirn.

Nakoma lobt mich, verlangt, dass ich weitermache, begleitet mich mit dem konstanten Singsang ihrer Stimme. Ich nehme sie immer weniger wahr, je mehr Körnchen ich fokussiere. Irgendwann besteht mein gesamtes Denken aus Sandkörnchen. Nach einer halben Stunde ist die Aufgabe noch nicht einmal zur Hälfte erfüllt, doch ich spüre meine Erschöpfung deutlich und aus der Mitte meines Lichts brechen die ersten roten Funken hervor.

»Steigere dein Tempo«, verlangt Nakoma nun.

»Das geht nicht, ich kann nicht noch mehr.«

»Versuch es.«

Ich sende doppelt so viele Lichtfäden aus wie zuvor, greife immer mehr Sandkörnchen, doch das Rot wirbelt unkontrolliert hindurch. Nach ein paar Sekunden brechen die ersten Fäden zusammen. Ich gebe mehr Kraft auf die Verbindung, doch dann bricht ein ganzer Funkenschauer aus dem Licht und beide Schüsseln explodieren in einer glitzernden Sandwolke.

»Nein!« Frustriert schlage ich die Hände vors Gesicht.

Stille legt sich über den Raum, nur das feine Rieseln des Sandes ist zu hören.

»Ruh dich einen Moment aus«, sagt Nakoma, während sich die Scherben und der Sand wie von Zauberhand erheben und zusammenfügen.

Ihr Tonfall ist immer noch so ruhig und sanft wie zu Beginn der Übung. Egal, was ich mache, egal, was ich zerstöre, nie verliert sie die Geduld. Ich frage mich, wie sie das schafft. Und wie ich das schaffen kann. Wieder denke ich an den Maki, der weiterhin morgens auftaucht und seinen Keks einfordert. Jeden Tag sehe ich ihm zu, wie er danach mit seiner Beute mühelos durch die Baumkronen klettert, so mühelos, wie Nakoma ihre Umgebung mit Gedanken kontrolliert. Wie schaffe ich das? Wie kann ich meinen Geist so ruhig und zielstrebig halten? Woran muss ich denken? Was muss ich wollen?

Ich sinke zu Boden und schließe die Augen. Die Erschöpfung steckt tief in meinen Knochen und nun auch in meinem Geist. Nichts wünsche ich mir sehnlicher, als endlich schlafen zu dürfen.

»Wir versuchen es morgen wieder«, sagt Nakoma, als hätte sie meine Gedanken gehört. Inzwischen habe ich meine Gedankenbarriere so fest im Griff, dass das nicht passieren kann, aber sie hat auch ohne ihr Talent ein ausgezeichnetes Gespür für Menschen. Vor allem die schwierigen Fälle. Wie mich zum Beispiel.

»Nein!«, widerspreche ich heftig. Ich gebe mir einen Ruck und setze mich wieder aufrecht auf die Matte.

Nakoma sieht mich prüfend an. »Also gut. Aber sieh diesmal nicht mit deinen Augen, Jan, sieh mit deinem Geist. Konzentrier dich auf die Muster, die du gespeichert hast.«

Mit geschlossenen Augen beschwöre ich das Bild der Molekülstrukturen der Sandkörner herauf. Ich sehe sie, kleine Galaxien aus einzelnen Molekülen und Atomen, greife mit meinem Geist danach und hebe sie hoch.

Jetzt hast du es. Nakomas Gedankenstimme klingt triumphierend.

Überrascht öffne ich die Augen. Milliarden feiner Sandkörnchen schweben über den Schalen, wirbeln von einer Seite zur anderen und finden sich wie von selbst zu zwei getrennten Häufchen zusammen.

Perplex betrachte ich den schwebenden Sand. Ich habe es geschafft! Aber wie? Egal, ich kann es! Das Triumphgefühl dauert einen Wimpernschlag an, dann explodieren die Haufen und ich schreie frustriert auf.

»Genug für heute«, sagt Nakoma.

Ich brodle. Ich habe es jetzt fast. Ich spüre es. »Nein, ich will noch einmal …«

»Morgen wieder. Geduld ist ebenso wichtig für die Entfaltung deiner Kräfte wie Training.« Nach wie vor ist Nakomas Tonfall sanft, keine Nuance lauter als am Beginn der Stunde, doch ich weiß, dass ich sie nicht umstimmen kann.

Mürrisch füge ich mich. Auf dem Weg zurück zum Baumhaus

grüble ich weiter. Warum schaffe ich es nicht, mein Licht zu kontrollieren? Ich habe einen eisernen Willen, ich trainiere jeden Tag, seit Monaten. Doch das allein reicht nicht aus. Etwas fehlt mir, aber was?

Der nächsten Paratrainingstunde fiebere ich regelrecht entgegen, doch am folgenden Nachmittag steht zunächst ein anderes Fach auf dem Stundenplan: Überleben.

Yorik und ich gehen in den sechsten Stock, wo sich große Hallen für Spezialtrainingseinheiten befinden. In der Umkleide hängen an glänzenden Messinghaken Trainingsanzüge in Schwarz und Natogrün. Der vertraute Geruch nach Schweiß und Anstrengung erinnert mich an die Turnhalle daheim. Es ist verblüffend, wie nah mir mein Zuhause immer noch ist, trotz der Monate, die inzwischen vergangen sind.

Der Kampfanzug besteht aus einer langen Cargohose mit zahlreichen Taschen und einem langärmligen Shirt, das die Haut vor Bissen und Stichen der aggressiveren Dschungelinsekten schützt. Der Stoff ist dünn und angenehm leicht auf der Haut, ideal bei der brütenden Hitze. Auch ein breiter Gürtel mit vielen Schlaufen und nützlichen Utensilien gehört dazu. Das Wichtigste an der Ausrüstung ist ein Messer in einer Lederscheide, mit einer scharfen, zwanzig Zentimeter langen Klinge. Bisher habe ich es noch jedes Mal gebraucht, wenn wir in den Parcours geschickt wurden. Sein Gewicht drückt beruhigend gegen meinen Oberschenkel, als ich die Bänder darumbinde.

Dann schlüpfe ich in den ledernen Trageriemen, mit dem ein schlanker Bo an meinem Rücken befestigt ist. Er reicht mir nur bis zur Brust, doch für eine Tour durch den Dschungel ist diese Länge ideal.

Zuletzt ziehe ich Handschuhe an. Sie sind aus einem Stoff gefertigt, der eigens hier auf der Insel entwickelt wurde. Er ist leicht wie Seide, schmiegt sich an die Hände wie eine zweite Haut und ist dabei so robust wie Stahl, praktisch unzerstörbar. Das Material wird von gentechnisch veränderten Seidenspinnerraupen gewonnen, die ausschließlich in den Labors des Biozentrums existieren.

Ich war bisher skeptisch, was Gentechnik angeht, doch der Nutzen dieses Materials beeindruckt selbst mich. Die Wissenschaftler der Insel experimentieren noch, aber irgendwann kann man die Uniformen von Polizisten mit dieser Seide kugel- und stichsicher machen. Man könnte damit viele Menschenleben retten.

Yorik schnürt seine Stiefel, dann ist auch er bereit. Wir verlassen das Gebäude durch einen Seitenausgang und betreten einen runden Tunnel aus geflochtenem Bambus, der unter unseren Tritten hin- und herschwankt wie ein Schiff bei Seegang. Sofort tränkt uns die Luft mit ihrer dampfenden Fracht. Es ist heiß. Wieder. Immer noch. Durch die Ritzen der Konstruktion dringen vereinzelte Sonnenstrahlen und lassen goldene Muster über das Holz wirbeln wie prachtvoll gekleidete Tänzer in einem Ballsaal.

Dann verschluckt uns das dichte Blätterdach und es wird merklich dunkler. In der Ferne kündet leises Donnergrollen das alltägliche Gewitter an. Die vertrauten Geräusche des Regenwaldes begleiten uns; das Keckern, Schnattern, Rascheln und Zetern hat eine ganz eigene Melodie, je nach Tageszeit und Wetterlage. Jetzt am Nachmittag wirkt der Wald schläfrig ruhig, als versuche er, uns in trügerischer Sicherheit zu wiegen, die, wie ich inzwischen weiß, nur Einbildung ist.

Nach einem Kilometer verbreitert sich der Tunnel zu einer Plattform, auf der wir bereits erwartet werden. Professor Alator steht mit dem Rücken zu uns und betrachtet stumm das bedrohliche Dickicht. Ihr weißes Haar ist zu einem Zopf geflochten, ihre Hand ruht auf dem Griff ihres Samurai-Schwertes, das mit kunstvoll eingebrannten Symbolen verziert ist. Sie wirkt wie ein Teil des Dschungels, eines seiner gefährlichsten Raubtiere. Ihre Haltung ist die einer Amazone, stark, anmutig und stolz.

Als alle sechzehn Mitglieder unseres Kurses auf der Plattform versammelt sind, dreht sie sich um. Ihre Augen, das Spiegelbild des Ozeans, sprühen vor Energie und lenken von der feinen roten Narbe ab, die sich quer über ihr Gesicht zieht.

Yorik meint, sie habe sich die Narbe im Kampf mit einem Panther zugezogen. Andere erzählen, sie sei in einem Einsatz der Custoren verletzt worden. Beinahe jeder hat eine andere Geschichte gehört und soweit ich es beurteilen kann, weiß es einfach niemand genau.

Gespannte Stille herrscht, alle Blicke liegen auf Alator.

Jedes Training ist ein Wettkampf. Alator gibt stets ein Ziel vor und eine Route, der wir folgen müssen. Dann jagen wir durch den Dschungel, auf dem Boden, durch die Luft, durch kleine Seen und Lagunen. Es ist eine einzige Hatz, doch es macht irre Spaß. Anders als im Paratraining habe ich inzwischen zu den Besten meines Alters aufgeschlossen und stehe ihnen in nichts mehr nach. Auf diese Nachmittage freue ich mich immer, auf die Anstrengung, die es meinem Körper abverlangt, und die Geschwindigkeit, mit der ich mich durch den Parcours bewege.

»Das heutige Training wird anders als alles, was wir bisher geübt haben«, sagt die Kriegerin. »Ihr müsst in der Lage sein, alleine zu überleben, in jeder noch so lebensfeindlichen Umgebung. Aber ihr müsst auch lernen, als Team zu funktionieren. Custoren arbeiten immer in Viererteams. Es wird Zeit, sich darauf vorzubereiten.«

Mein Herzschlag beschleunigt sich. Hat Neto sich durchgesetzt? Wird man uns früher ins Team holen?

11

ÜBERLEBEN

Ich sehe mich um. Da das Training bei Alator nach Altersklassen eingeteilt ist, sind auch Domenik und Nina hier. Hoffentlich steckt Alator uns nicht in ein Team.

In den letzten sechs Monaten habe ich keine drei Sätze mit Nina gesprochen. Zwar weiß ich, dass sie grundsätzlich auf Abstand zu anderen geht, doch ich glaube, mich meidet sie noch mehr. Ich werde nicht schlau aus ihr. Manchmal sieht sie mich so an, als wolle sie, dass ich sie anspreche, dann wiederum geht sie mir auffallend aus dem Weg.

Ich frage mich, ob das mit unserer ersten Begegnung zu tun hat, doch anders als bei allen anderen schaffe ich es einfach nicht, sie anzusprechen. Entweder bin ich nervös oder mir fallen keine Worte ein und ständig verwirren mich widersprüchliche Gefühle. Wie jetzt: Obwohl ich ganz genau weiß, dass ich besser *nicht* mit ihr in einem Team sein sollte, solange ich es nicht schaffe, mich in ihrer Nähe wenigstens ein bisschen normal zu benehmen, hofft ein anderer Teil von mir, dass genau das passiert.

Besser wäre natürlich Yorik. Und Juan, ein drahtiger Spanier mit fotografischem Gedächtnis und einem untrüglichen Gespür für giftige Tiere. Oder Sean O'Leary, ein hünenhafter Ire mit flammend rotem Haar, das er zu Zacken aufgestellt trägt. Er sieht gefährlich aus, aber anders als Domenik hat er ein freundliches Wesen. Einmal im Monat holt er seine Geige heraus und verwandelt das Gemeinschaftshaus in einen kleinen irischen Pub.

»Alle Teams haben das gleiche Ziel, doch ihr seid Gegner. Die Gruppe, die zuerst mit allen Mitgliedern das Ziel erreicht, gewinnt.« Sie machte eine kurze Pause und sieht uns der Reihe nach an.

Jetzt kommt's.

»Diesmal ist der Einsatz eurer Kräfte erlaubt.«

Aufgeregtes Gemurmel setzt ein. Mein Magen schrumpft auf die Größe einer Walnuss und ich spüre Hitze meine Wangen hinaufkriechen. Ich bin noch nicht so weit.

Alator hebt die Hand und alle verstummen. »Unter klaren Auflagen, versteht sich. Ihr dürft eure Kräfte nicht direkt gegen einen anderen einsetzen. Es ist nicht erlaubt, jemanden zu verletzen oder einen Nachteil für eure Gegner herbeizuführen. Der Einsatz von Kräften ist nur gestattet, um für euer Team einen Vorteil zu erwirken.«

»Dürfen wir die Teams wählen?«, fragt Susan mit kühler Gelassenheit.

Yorik verschränkt die Arme vor der Brust. »Schätze, sie hat etwa zwei Millisekunden gebraucht, um zu berechnen, wer ihr die größten Siegeschancen einbringt«, flüstert er mir ins Ohr.

»Nein. Bei den Custoren werden die Teams nach ihren Fähigkeiten zusammengestellt, so wie es der Auftrag erfordert. Ihr müsst lernen, mit jedem maximal effizient zusammenzuarbeiten, ungeachtet persönlicher Freundschaften oder Antipathien.«

Um mich herum sehe ich betretene Mienen. Vereinzelte Seufzer sind zu hören, doch ein scharfer Blick von Alator lässt sie schnell verstummen. »Verbannt die Gedanken an das, was euch entzweit, aus euren Herzen und denkt immer daran, dass wir alle für ein gemeinsames Ziel kämpfen. Kiran, Sven, Colin, Xinru. Ihr bildet Team Alpha.«

Ein schlaksiger Inder, ein Junge mit strohblondem Haar sowie ein hochgewachsenes, zierliches Mädchen mit einem Teint wie Porzellan und großen, mandelförmigen Augen treten zu einem unscheinbaren Jungen, der nie ein Wort mehr spricht als unbedingt nötig. Sie sind ein starkes Team. Kiran ist Telekinetiker, Sven ein Teleporter und Colin ein Sentinel, dessen besonderer Sinn das Gehör ist. Er kann die Bewegungen aller Lebewesen im Umkreis von mehreren hundert Metern nicht nur hören, sondern auch Tierart, Geschwindigkeit und Gesundheitszustand bestimmen. Es gibt keinen Feind, der sich an Colin heranschleichen kann. Xinru hat ein Geschwindigkeitstalent.

»Susan, Jan, Yorik und Nina, Team Beta«, sagt Alator.

Nina. Mein Herz gerät aus dem Takt. Erleichterung und Unbehagen rauschen durch meine Adern wie sich zankende Welpen. Immerhin bin ich Domenik entgangen, aber Yorik und Susan in einem Team? Yoriks Lippen bilden einen dünnen Strich und ein Muskel an seinem Kiefer zuckt kaum merklich, aber ich sehe es. Ich habe eine kleine Ahnung, wie viel Willenskraft es ihn kostet, zu schweigen.

Wir treten zusammen. Susan mustert uns abschätzend und es ist unschwer zu erraten, dass sie bereits unsere Stärken und Schwächen analysiert. Ihr Gesichtsausdruck ist so unterkühlt wie immer, kein Lächeln, kein nettes Wort. Aber was mich wirklich fertigmacht, ist ihre Haut. Sie ist trocken, richtig frisch, trotz der drückenden Hitze. Alle anderen sind mehr oder weniger in Schweiß gebadet, doch sie scheint die Temperatur nicht einmal wahrzunehmen.

Das ist unfair.

Bei Ninas Anblick spüre ich ein vertrautes Ziehen im Magen. Ihre Augen haben die Farbe gehärteten Stahls angenommen, wie immer, wenn sie sich während eines Trainings in der Nähe vieler Menschen aufhält. Seit unserer ersten Begegnung in Greens Unterricht habe ich das smaragdene Grün nicht mehr entdeckt.

Alator teilt die restlichen Schüler ein und schließlich stehen vier Gruppen auf der Plattform. »Euer Szenario sieht so aus: Terroristen haben einen Datenträger gestohlen, der die Identität von Geheimagenten enthält, die Terrornetzwerke infiltriert haben. Gelingt es den Terroristen, den Datenträger auszuwerten, sind diese Menschen so gut wie tot. Euer Ziel ist es, den Stick zu finden und dann so schnell wie möglich die Koordinaten zu erreichen, an denen ihr abgeholt werdet. Die Zielpunkte findet ihr auf euren Watches. Es gibt vier Sticks an unterschiedlichen Orten, jede Gruppe muss einen bergen. Die Zielkoordinaten sind für alle gleich. Das Gewinnerteam erhält fünfzig Punkte.«

Ein Raunen geht durch die Gruppen. Es ist nämlich so: Die Punktzahl am Ende des Schuljahres entscheidet über die Aufnahme bei den Custoren. Die zehn Jahresbesten dürfen ins Turnier und die ersten drei des Turniers nehmen am Spezialtraining der Custoren teil. Fast jeder will dabei sein, und deshalb gibt es einen erbitterten Wettstreit um Punkte.

Die bekommt man für gute Noten auf die Hausaufgaben: einen für ein »C« in einem Aufsatz, zwei für ein »B« und drei für ein »A«. Besonders begehrt sind Punkte bei Wettkämpfen wie diesem, denn die kriegt nur der Sieger, alle anderen gehen leer aus. Daher sind diese fünfzig Punkte extrem wichtig. Zumal es bei keinem Training derart viele gibt. Meine Anspannung wächst.

Ich habe dieses Jahr keine Chance auf einen Platz unter den besten zehn, da ich später als alle anderen mit dem Sammeln begonnen habe. Doch Susan liegt auf Rang neun, Yorik auf sieben.

Susan hat eine Augenbraue leicht nach oben gezogen und Yorik knetet nervös seine Unterlippe. Er und Domenik sind beinahe gleichauf, was den Punktestand angeht. Die beiden werden alles daran setzten, diesen Wettkampf zu gewinnen, das steht fest. Und ich werde alles daran setzen, Yorik dabei zu helfen. Die feinen Nerven dicht unter meiner Haut beginnen zu kribbeln.

Ich brauche meine gesamte Konzentration, wenn ich meine Kräfte im Parcours einsetzen muss. Also mache ich eine von Nakomas Atemübungen und blende die Geräusche der Umgebung vollkommen aus, bis ich einen gleichmäßigen Rhythmus gefunden habe. Dann taste ich nach meinem Licht. Es leuchtet strahlend hell und die gleißenden Energiebänder pulsieren im Takt meines Herzschlags.

»Unser erster Zielpunkt, der Stick, liegt etwa zwei Kilometer nördlich von hier«, sagt Nina, die inzwischen ihre Smartwatch gecheckt hat. Ihre Stimme klingt samtig zart, wie sich öffnende Kirschblüten.

»Klasse, da liegen der Sumpf und ein Treibsandgebiet dazwischen«, brummt Yorik.

»Wir könnten den Baumwipfelpfad nach Osten nehmen. So umgehen wir den Sumpf«, schlage ich vor.

»Aber dann verlieren wir wertvolle Zeit«, wirft Susan ein. Sie steht regungslos neben Nina, den Kopf leicht schräg gelegt. Ihre Augen fixieren einen Punkt im Nirgendwo, während sie unsere Möglichkeiten abwägt.

»Immer noch besser, als im Morast zu versinken«, hält Yorik dagegen.

»Wir könnten auch am Boden drum rumgehen«, wirft Nina ein. »Im Westen ist der Unterwuchs weniger dicht als im Osten.«

»Dann lieber Morast, im Westen wimmelt es von Nachtbaumnattern«, sagt Yorik.

»Hast du Angst vor Schlangen?«, fragt Susan herablassend.

»Ich *liebe* Schlangen, ich kann nur ihr tödliches Gift nicht leiden«, blafft Yorik zurück.

Ich sehe nervös von einem zum anderen. Wir müssen uns einigen, und zwar schnell.

»Wir brauchen einen Anführer«, sage ich schließlich. Alle sehen mich an. »Egal, welchen Weg wir gehen, wir werden unterwegs Schwierigkeiten bekommen. Dann müssen wir in der Lage sein, schnell zu reagieren.«

Sie nicken zögernd.

»Ich wähle Jan«, sagt Yorik herausfordernd.

»Er hat weniger Erfahrung als wir anderen«, entgegnet Susan.

Ich zucke die Schultern. »Susan kann blitzschnell analysieren. Sie sollte das Kommando haben.«

»Er hat recht«, stimmt Nina zu.

Ich sehe Yorik fragend an. »Also?«

In Yoriks Gesicht arbeitet es. »Gut«, sagt er schließlich. »Ich bin einverstanden. Also, *Chefin«*, intoniert er ironisch, doch bevor er weitersprechen kann, fällt ihm Susan ins Wort: »Geh mir ja nicht auf die Nerven, Neandertaler, das hier ist zu wichtig.«

»Ihr lasst das beide, sofort«, fährt Nina mit einer für sie ungewöhnlichen Hefigkeit dazwischen. »Wir haben ein gemeinsames Ziel. Fünfzig Punkte sind eine ganze Menge. Ich persönlich habe keine Lust, sie jemand anderem zu überlassen, nur weil ihr euch zankt wie kleine Kinder. Also Susan, was ist die beste Strategie?«

Yoriks Augen sprühen Funken und Susan zieht eine Augenbraue leicht nach oben. Dann nickt sie knapp und lässt ihren scharfen Blick über die umstehenden Schüler, uns und den Dschungel schweifen. Nach ein paar Sekunden ist sie mit ihrer Analyse fertig und ein siegessicherer Glanz tritt in ihre Augen.

»Wir gehen über die Baumkronen«, sagt sie.

»Also der Umweg«, seufzt Yorik.

»Nein. Direkt nach Norden.«

Verblüfft sehen wir sie alle an. »Wie sollen wir das machen? Das wird ewig dauern«, wendet Nina zweifelnd ein.

Susan grinst sie an. »Schon mal *Tarzan* gesehen?«

»Lianenschwingen? So viel zum Thema Super-Strategin.« Yorik rollt genervt die Augen. »Diese Tarzan-Masche klappt nur im Film. Die Lianen sind nie da, wo man sie braucht, Susan!«

Ich sehe das genauso. »Das funktioniert nicht auf größere Distanz. Man kommt von Baum zu Baum, aber eine bestimmte Richtung zu halten, ist unmöglich.«

Susan hört gelassen zu und ihr Lächeln wird noch breiter. »Normalerweise, und für alle anderen Gruppen trifft das zu. Aber wir haben Jan.« Sie taxiert mich. »Du musst die Lianen zu uns bringen. Schaffst du das?«

Alle Augen sind nun auf mich gerichtet. Yorik ist perplex, als ihm Susans Plan aufgeht. Ich denke an die Sandexplosion und verziehe die Mundwinkel. Doch Nina sieht mich hoffnungsvoll an und ich höre mich selbst sagen: »Ich kann es versuchen.«

Warum habe ich das gesagt? Ich bin so ein Idiot!

Susan nickt. Zu Nina sagt sie: »Du musst Gefahrenquellen vor uns aufspüren, vor allem Schlangen. Wenn einer von uns gebissen wird, müssen wir das Training beenden und sofort zur Krankenstation. Dann können wir die Punkte vergessen.«

»Ja, und vor allem schwebt dann jemand in *Lebensgefahr*«, knurrt Yorik, doch er verstummt, als ich ihn in die Seite stoße.

Nina nickt. »Checkt noch mal alle die Notruf-Funktion eurer Watch.« Sie macht es vor, dann legt sie den Kopf leicht in den Nacken und blickt auf das dichte Kronendach vor uns. Winzige Fältchen erscheinen auf ihrem Nasenrücken, als sie sich auf ihre Aufgabe konzentriert. Dann wandelt sich die Farbe ihrer Augen von Stahlgrau zu dem leuchtenden Smaragdton, den ich zuletzt vor sechs Monaten gesehen habe.

Schnell verstärke ich die Barriere um meine Gedanken. Wenn sie wie Nakoma ist, wird das jedoch nicht reichen, dann wird sie etwas von meinen Gefühlen aufschnappen. Ich versuche, alle Gedanken an Nina in mir zu vergraben, konzentriere mich ganz auf die Aufgabe und hoffe, dass es genug ist.

»Direkt vor uns ist ein Nattern-Nest«, sie deutet auf den Baumriesen, der uns am nächsten steht. Mir wird übel. Das Gift der auf Eos heimischen Variante der braunen Nachtbaumnatter ist so stark, dass es einen Menschen töten kann. Die Schlangen sind durch ihre Tarnfärbung beinahe unsichtbar und sie bewegen sich mit tödlicher Lautlosigkeit. Ich habe einmal gesehen, wie Alators Notfallteam einen Schüler nach einem Biss aus dem Parcours getragen hat, halb wahnsinnig vor Schmerzen. Trotz Gegengift hat es eine Woche gedauert, bis er wieder am Training teilnehmen konnte.

»Der Baum rechts daneben ist sauber, fleischfressende Pflanzen, Ameisen und das übliche Getier, nichts Gefährliches«, sagt Nina.

Susan sieht uns an. »Bereit?« Alle nicken. Also geht es jetzt los.

Ich trete ein paar Schritte nach rechts und suche unseren Zielbaum nach einer geeigneten Liane ab. Dann greife ich nach meinem Licht. Es rotiert und pulsiert langsam und gleichmäßig. Ich befehle einem dünnen Strahl, sich um die Liane zu legen und spüre erleichtert, dass es gelingt.

Ein gellender Pfiff lässt die Luft vibrieren. Alators Startzeichen. Die anderen Teams setzen sich augenblicklich in Bewegung, klettern an den Seilen und Netzen hinunter zum Waldboden. Ich ziehe die Liane zu uns und packe sie. Sie ist etwas dünner als mein Unterarm und leicht verholzt, ideal für unsere Zwecke.

»Du zuerst«, befiehlt Susan. Ich wickle die Liane um meinen Unterarm, peile einen dicken Ast am gegenüberliegenden Baum an und stoße mich kräftig ab.

Ich fliege. Kurz nur, doch das Gefühl ist berauschend. Der Wind kühlt meine schweißnasse Haut. Dann lande ich dicht neben dem Stamm, kralle mich mit der freien Hand an zähen Efeuranken fest und schwinge die Liane zurück zu den anderen. Yorik grinst und hebt einen Daumen, während Susan mir mit einer ungeduldigen Handbewegung bedeutet, die nächste Liane zu holen. Doch erst mache ich ihnen Platz. Der Ast ist breit genug, er misst mindestens einen Meter im Durchmesser und es gibt zahlreiche Ranken und Luftwurzeln, an denen man sich festhalten kann.

Trotz Ninas Entwarnung mustere ich jede der Ranken gründlich, bevor ich sie anfasse. Das ist Alators Grundregel für das Überleben im Dschungel: Sieh genau hin. Dann landet Nina neben mir. Ich halte ihr meinen Arm hin und als sie ihn greift, treffen sich unsere Blicke für einen Herzschlag. Nina lächelt und die Geräusche des Waldes klingen zu einem entfernten Rauschen ab. Eine schwindelerregende Leichtigkeit macht mich benommen und für einen Moment vergesse ich alles, Gefahren, Domenik, den Wettkampf. Dann sehe ich das smaragdgrüne Leuchten ihrer Augen und fange mich, versenke meine Gefühle tief in mir und konzentriere mich auf die Aufgabe.

Ich schwinge die Liane zu den beiden anderen zurück und sende mein Licht zum nächsten Baum. Susan landet neben uns, Yorik folgt nur Sekunden später. Wir wiederholen denselben Trick noch dreimal, fliegen von Ast zu Art und lassen Alator hinter uns.

»Warte«, flüstert Nina plötzlich, als ich mein Licht um die nächste Liane winde. Ich drehe mich zu ihr. Sie betrachtet den Wald vor uns mit zusammengekniffenen Augen. Eine kleine Falte hat sich zwischen ihren Brauen gebildet. »Da ist etwas«, murmelt sie.

»Kannst du erkennen, was?«, fragt Susan.

Die Falte auf Ninas Stirn vertieft sich. Sie schließt die Augen. Angespannte Stille breitet sich aus. Millionen kleiner Mücken schweben in der Luft, aber die Feuchtigkeit, die über dem Wald liegt, verschluckt das Surren ihrer winzigen Flügel. Nur das Keckern der Vögel und vereinzelte Schreie kleiner Äffchen sind zu hören. In der Ferne grollt der Himmel, als wolle er uns warnen.

»Eos-Riesenspinnen«, sagt Nina niedergeschlagen und öffnet die Augen. »Eine ganze Kolonie. Sie sind direkt vor uns und es sind viele. Zu viele.« Sie schüttelt mutlos den Kopf.

Susan und Yorik stöhnen gleichzeitig auf.

Diese Spinnenart kommt nur auf Eos vor. Sie jagen in riesigen Kolonien und weben so starke Netze, dass sie sogar Menschen damit fangen können. Ihr Gift ist tödlich.

»War klar«, seufze ich. »Können wir sie umgehen?«

Nina zuckt die Schultern. »Wenn, dann wäre es ein weiter Umweg. Ich kann das Ende ihres Gebietes von hier aus nicht erkennen.«

Das Geäst der Mammutbäume ragt vor uns auf, überzogen von dicken, sich windenden Schlingpflanzen, die nach Sonnenlicht hungernd an den massigen Stämmen emporwachsen. Leuchtende Rot- und Gelbtöne von Bromelien und Orchideen, die auf den Ästen wuchern, stechen wie giftige Tupfer aus dem Grün des Blattwerks hervor. Der Dschungel sieht aus wie eine Falle, die bereit ist, uns zu verschlucken.

»Okay, andere Ideen?«, frage ich in die Runde.

»Du kannst doch Luft manipulieren, oder?«, fragt Susan an Yorik gewandt. Der Ton ihrer Stimme ist schärfer als Alators Schwert. Kein Wunder, dass Yorik seine Stacheln ausfährt, wenn sie in der Nähe ist.

»So sagt man«, antwortet Yorik schnippisch.

»Kannst du damit die Netze zerreißen?«

»Eigentlich nicht, Riesenspinnennetze sind stark.« Yorik verschränkt die Arme vor der Brust. Einer seiner Mundwinkel zuckt nach oben und ein kampflustiges Funkeln tritt in seine Augen. »Aber mit Minitornados könnte es klappen. Zeig mir die genaue Richtung, Nina«, sagt er und geht in die Hocke, starr auf das vor ihm liegende Dickicht blickend.

Nina kniet sich neben ihn, schließt die Augen und deutet nach einem kurzen Moment schräg nach vorne.

Yorik streckt seinen Arm parallel zu Ninas aus. Mit drei Fingern macht er eine kaum wahrnehmbare rotierende Bewegung und vor ihm beginnen winzige Staubkörnchen, sich zu drehen. Faustgroße Wirbel bilden sich, erst einer, dann zwei, dann fünf. Sie erfassen Staubteilchen, Mücken und Nebeltröpfchen. Dann drehen sie sich schneller und schneller und schwellen auf die Größe einer Kokosnuss an.

Immer mehr dieser Minitornados tauchen vor uns auf und zerfetzen alles, was ihnen zu nahe kommt. Dann schickt Yorik sie mit einem Wink seiner Hand los. Sie rauschen durch die Luft. Etwa auf halber Strecke zum nächsten Baumriesen gibt es ein schnalzendes

Geräusch und ein Netz aus feinen, silbrig glitzernden Fäden sinkt auf den Dschungelboden. Yorik schickt einen der Wirbel steil nach oben. Das Blätterdach wird zerrissen, dann fällt ein schwarzer, haariger Körper von der Größe eines Schäferhundes heraus. Acht lange, dürre Beine zappeln, als die Spinne zu Boden stürzt.

»Ha!«, ruft Yorik triumphierend.

Mein Blut gefriert. Unwillkürlich umfasse ich meine Liane fester. Hätte Nina mich nicht gewarnt, ich wäre direkt in ihrem Netz gelandet. Ich will ihr danken, doch dann sehe ich, dass ihr Gesicht schmerzverzerrt ist. Und es ist noch nicht vorbei. Weitere Fäden reißen und plumpe Spinnenkörper fallen überall aus den Bäumen. Nina zuckt bei jedem zusammen.

»Verdammt«, murmelt sie und dann wechselt ihre Augenfarbe von leuchtendem Grün zu mattem Stahlgrau. Sie stützt sich an einem Ast ab.

»Was ist mit dir?«, frage ich besorgt.

»Ich kann sie fühlen«, flüstert Nina, »ihre Wut und ihren Schmerz.«

Instinktiv will ich sie trösten, aber was ich dann mache, überrascht mich selbst. Ohne nachzudenken, lege ich eine Hand auf ihre, die, mit der sie sich an dem Ast hält.

»Nicht!«, ruft sie erschrocken. Doch zu spät, es trifft mich wie ein Peitschenschlag. Nina zieht ihre Hand zurück. »Alles okay?«, fragt sie.

Verwirrt betrachte ich meine Finger. Es ist keine Verletzung zu erkennen, aber … »Was war das?«

»Schmerz«, antwortet Nina. »Du hast was davon abbekommen. Ich wollte ihn an die Pflanze abgeben. Bäume sind am besten dafür.«

»Aber wie kannst du kämpfen, wenn du den Schmerz deiner Gegner spürst?«, frage ich nach.

»Abschirmung«, sagt sie. »Dann spüre ich fast nichts.«

»Ist der Weg jetzt frei?«, drängt Susan.

Das smaragdene Leuchten kehrt in Ninas Augen zurück und sie konzentriert sich wieder auf den Wald vor uns. Yoriks Tornados sind verschwunden. Letzte Silberfäden schweben zu Boden, auf dem etliche reglose Spinnenkörper liegen.

»Wir können weiter«, sagt Nina.

Mein Stichwort. Ich packe die Liane. Wenn Nina sich täuscht, lande ich im Netz einer Eos-Riesenspinne. Mir wird übel beim Gedanken an die haarigen Leiber. Mit zusammengebissenen Zähnen stoße ich mich vom Baum ab.

Ich fliege. Lande. Schwinge die Liane zurück zu den anderen.

Stoße den angehaltenen Atem aus.

Sie erreichen meinen Ast einer nach dem anderen. Ich überprüfe die Koordinaten auf der Watch. Wir sind jetzt fast am Zielort. Yorik schickt Minitornados in die von Nina angegebene Richtung. Weitere glitzernde Netze und Riesenleiber fallen zu Boden. Doch anders als zuvor versinken sie blubbernd.

»Dort unten ist der Sumpf«, sagt Yorik angewidert.

Wir starren hin. Die Körper sind bereits zur Hälfte verschwunden, als es plötzlich still wird. Das Rascheln und Wispern in den Baumkronen erstirbt, die Härchen in meinem Nacken stellen sich auf und mich beschleicht das Gefühl, beobachtet zu werden. Wir sind in Gefahr, aber es sind nicht die Spinnen.

Ninas Mimik zeugt von totaler Konzentration, doch ihre gesamte Aufmerksamkeit ist nach vorne gerichtet, auf die Tiere, die dort lauern. *In einer anderen Richtung kann sie nichts spüren,* denke ich.

Die Stille senkt sich herab wie ein Spinnennetz. Langsam, ganz langsam drehe ich den Kopf nach rechts und sehe sie. Ein schlanker, mit schlammbraunen Schuppen bedeckter Körper gleitet mit tödlicher Lautlosigkeit die dunkle Rinde des Stammes hinunter. Eissplitter kriechen meine Wirbelsäule hinauf und lähmen mich. Es ist eine Nachtbaumnatter und sie kriecht direkt auf Susan zu.

Ich schüttele die Lähmung ab und ziehe meinen Bo. »Runter Susan!«, rufe ich und sie reagiert sofort. Die Schlange schnellt hervor, doch ich stoße sie mit dem Kampfstock zur Seite.

»Nachtbaumnatter!«, rufe ich.

Im Bruchteil einer Sekunde ziehen auch Nina und Yorik ihre Bos. Susan kommt mit einer geschmeidigen Bewegung auf die Beine und zückt ihr Messer. Wir formieren uns. Jeder deckt eine Seite und damit die Rücken und Flanken der anderen. Zum Glück ist der Ast breit genug für einen sicheren Stand, doch zu schmal, um einen Kreis zu bilden. Wir müssen uns nebeneinander aufstellen.

Susan ist dem Stamm am nächsten, daneben ich, dann Nina und Yorik außen. Ich setze den rechten Fuß leicht vor den linken, beuge die Knie und greife den Bo fester. Das blank polierte Holz liegt kühl und sicher in meiner Hand, nach unzähligen Trainingsstunden ist es wie eine natürliche Verlängerung meines Armes.

»Hai!« Susans Ruf folgt ein dumpfer Schlag. »Noch eine«, keucht sie.

Neben mir bewegt sich Nina. Ich zwinge den Drang, mich zu ihr umzudrehen, nieder. Nina ist eine erfahrene Kämpferin und ich muss meine Seite schützen. Über uns entdecke ich den nächsten Schlangenleib und schlage zu. Die Natter zischt giftig, dann stürzt sie ab.

»Sie sind überall!«, ruft Yorik, während er weitere Schlangen abwehrt.

»Es sind einfach zu viele, wir müssen hier weg!«, sagt Susan. Ein eisiger Hauch lässt mich frösteln und ich erlaube mir einen kurzen Seitenblick auf Susan. Eiskristalle überziehen den Baumstamm und drei weitere Nattern stürzen steifgefroren ab.

»So kann ich keine Spinnen orten«, wirft Nina ein.

»Keine Zeit, sie kommen den Stamm runter«, keucht Susan. »Zehn, nein mehr, wir müssen in einem Nest gelandet sein!« Das dumpfe Klatschen von Holz auf Schlangenleibern lässt nicht nach. »Hau alles vor uns weg, Yorik!«

»Das ist nicht so leicht, wie du denkst, Susan«, brüllt Yorik über das Kampfgetümmel hinweg.

»Tu's einfach«, schreit sie zurück.

Hastig hole ich zwei dicke Lianen.

»Immer zu zweit«, rufe ich.

Susan wickelt sich einen der Stränge mit Schwung um den linken Unterarm, während sie eine weitere Schlange mit ihrem Kampfarm abwehrt.

»Bereit?«, ruft Yorik.

»Mach schon«, blafft Susan. Vereinzelte Strähnen haben sich aus ihrem Zopf gelöst.

Ich packe die Liane. Dann schickt Yorik einen Sturm durch den Wald. Es kracht, Blätter und Zweige fliegen, dicke Äste biegen sich. Irgendwo vor uns segeln dicke schwarze Körper durch die Luft. Ich kann nur hoffen, dass es alle erwischt hat. Rings um mich wirbeln Stöcke und glänzende Schlangenleiber stürzen zu Boden, doch für jedes gefallene Reptil kommen zwei neue nach. Wir können nicht länger bleiben.

Ich umklammere die Liane fester. »Los!«, schreie ich.

Wir stoßen uns vom Baum ab. Irgendwo hinter uns folgen hoffentlich Yorik und Nina. Ich wappne mich gegen einen Aufprall im Spinnennetz und denke daran, wie es wohl sein würde, hilflos darin zu hängen, während die Riesenspinnen auf uns zukrabbeln. Plötzlich kann ich sie wahrnehmen, Schlangen, Spinnen, eine ganze Armee. Sie sind über uns, neben uns, überall. Ihr Bewusstsein prallt gegen meines und Ekel und Furcht durchströmen mich wie ein reißender Fluss. Etwas von Ninas Empathie muss auf mich abgefärbt haben, als ich sie berührt habe. Wir müssen hier weg, schnell.

Noch im Flug taste ich nach den nächsten Lianen, ergreife sie mit dem Licht, doch es will mir nicht gehorchen. Ich richte meinen Blick nach innen und sehe die roten Funken.

Fokussiere dich. Sorge dich nicht um das, worauf du keinen Einfluss hast. Nutze all deine Kraft, um die Situation zu meistern. Es ist die Erinnerung an eine der ersten Lektionen bei Nakoma. Mit aller Kraft dränge ich die Gedanken an Riesenspinnen weg und richte meine Aufmerksamkeit nach vorne.

Ich ertaste Lianen, doch die Verbindung flackert erneut. Ich gebe ihr mehr Kraft, aber es ist schwieriger als alles, was ich zuvor mit meinem Licht getan habe. Dann landet Nina neben mir und sofort legt sich Klarheit und Ruhe über mich wie ein schützender Mantel. Als ich nochmals nach den Lianen greife, gelingt es. Wir fliegen weiter zum nächsten Baum.

»Warte«, ruft Nina, als wir landen. »Hier ist es sicher.«

Sie hat hektische Flecken auf den Wangen, doch das smaragdene Leuchten ihrer Augen ist satt und kräftig wie eine tropische Lagune.

»Wie weit ist es noch bis zum Ziel?«, dröhnt Yoriks tiefe Stimme.

»Wir müssten eigentlich da sein«, stellt Susan mit einem Blick auf ihre Smartwatch fest. Sie steht unerschütterlich wie eine Marmorsäule auf dem Ast. Außer den losen Haarsträhnen deutet nichts darauf hin, dass sie gerade einer tödlichen Gefahr entronnen ist.

Ich hingegen keuche und das Blut rauscht immer noch in meinen Ohren. Ich kann nicht anders als Respekt vor Susan zu empfinden, wenngleich ihre Abgeklärtheit unheimlich ist. Übermenschlich. Sollte sich irgendwann herausstellen, dass sie ein Android ist, wäre ich nicht überrascht.

Nun müssen wir den Stick suchen. Yorik drückt auf seiner Watch herum. »Ich habe eine App zum Detektieren von Metallen installiert, wenn der Stick ein Aluminiumgehäuse hat, müsste ich ihn damit aufspüren können.«

Konzentriert blickt er auf das Display, dann klettert er den Stamm hoch bis zum nächsten Ast, verschwindet hinter einer Wand aus Bromelien und kommt kurz darauf grinsend zurück. Triumphierend reckt er die Faust in die Höhe. Ich sehe Nina lächeln und warmes Glück rieselt durch mich hindurch. Rasch schaue ich weg.

»Gib her«, brummt Susan und will sich den Stick schnappen, doch Yorik hält ihn außerhalb ihrer Reichweite.

»Ein ›*Gut gemacht, tollkühner Yorik, Held meiner Träume*‹ genügt vollkommen, Eure frostige Hoheit«, frotzelt er und grinst frech.

Bitte nicht. Ich ziehe den Kopf ein.

»Gut gemacht«, presst Susan zwischen zusammengebissenen Zähnen hervor. »Und jetzt gib her, bevor du ihn noch fallen lässt.«

»Was ist mit dem Rest?« Yoriks Augen blitzen und Nina kichert leise.

Doch Susan taxiert ihn nur mit einem abschätzenden Blick und verzieht leicht den Mund, dann wendet sie sich demonstrativ ab.

»Lass gut sein, Mann«, zische ich Yorik zu.

»Ja, wir müssen den nächsten Zielpunkt erreichen«, gibt Nina zu bedenken.

Yoriks Grinsen erlischt. Grummelnd gibt er Susan den Stick. Sie verstaut ihn sorgfältig in einer Tasche ihrer Cargohose und schließt den Zipper. Dann deutet sie nach Westen. »Zwei Kilometer durch den Wald.«

»Ist hier viel zu dicht. Lianen scheiden aus«, sagt Yorik und ich atme auf. Mein PSI ist völlig am Ende.

»Ich schlage vor, wir gehen am Boden weiter«, entscheidet Susan nach kurzer Überlegung.

Niemand widerspricht. An Lianen hangeln wir uns nach unten. Der Waldboden ist von weichen Pflanzen bedeckt, aber nicht feucht. Wir haben die Sümpfe hinter uns gelassen. Doch vor uns liegt ungezähmter Dschungel, also zieht jeder seinen Bo. Dann gehen wir los, wobei wir die Langstäbe benutzen, um uns den Weg zu bahnen.

Hier unten ist die Luft noch drückender und feuchter als in den Kronen. Eine Armada hungriger Stechmücken surrt um uns herum und versucht, ungeschützte Hautstellen zu finden. Ich schlage sie weg, doch die Viecher lassen sich davon nicht beeindrucken und kommen immer wieder zurück.

Das Donnergrollen ist jetzt näher. Es erschüttert die Luft und kündigt das bevorstehende Gewitter an. Wir marschieren schweigend und möglichst geräuschlos, so wie Alator es uns beigebracht hat. Dabei scannen wir die Umgebung unablässig nach Gefahren. Etwa fünfzehn Minuten stummen Marsches später ändert sich die Geräuschkulisse des Dschungels. Ein Brausen und Plätschern dringt durch das Zirpen und Klackern, das kontinuierlich lauter wird, je weiter wir vorankommen.

Susan, die an der Spitze geht, hebt ihren Bo und bedeutet uns damit, stehen zu bleiben. Dann tritt sie beiseite, sodass wir eine kleine Lichtung erkennen, die sich vor uns auftut. In ihrer Mitte liegt eine türkisblaue Lagune, die von einem Wasserfall gespeist wird. Er ergießt sich in zahlreichen Kaskaden über eine gut zehn Meter hohe, steile Felswand. Feine Gischt steigt von der Oberfläche des Teichs auf. Die winzigen Tröpfchen reflektieren das Sonnenlicht, sodass es wirkt, als sei der Fels durch einen aus Diamanten gewebten Schleier verhüllt.

»Dort oben«, sagt Susan. Sie tritt aus dem Unterholz und geht auf den Felsen zu. Wir folgen ihr, aber dann lässt uns ein lautes Knacken von der anderen Seite der Lagune innehalten. Jenseits der schillernden türkisblauen Wasserfläche tritt eine Gruppe von Schülern aus dem Wald. Der größte von ihnen positioniert sich an ihrer Spitze und mustert uns feindselig.

»Domenik«, knurrt Susan.

12

FÜNFZIG PUNKTE

Der Neuling und seine Babysitter«, höhnt Domenik.

»Warum gehst du nicht jemand anderem auf die Nerven?«, gebe ich zurück.

»Warum gehst *du* nicht? Und zwar dahin, wo du hergekommen bist. Hier hast du nichts verloren.« Domeniks Stimme trieft vor Boshaftigkeit.

Eine bissige Antwort liegt mir auf der Zunge, doch Yorik ist schneller. »Hey Domenik«, mischt er sich ein. »Hast ein bisschen lange gebraucht, um den Weg her zu finden, oder nicht? Was war los, hast du dich im großen dunklen Wald verlaufen?«

Ich kann ein Auflachen nicht unterdrücken.

Domeniks Gesicht ist eine Grimasse. »Was ist los, Jan?«, ruft er. »Kannst du nicht selbst für dich sprechen? Und so jemand soll eine Rede vor der ganzen Schule halten? Du bist eine Schande für diese Akademie.« Dann spuckt er vor sich auf den Boden.

Ich versuche, die Worte an mir abprallen zu lassen, doch ich spüre, wie sich die roten Funken in mein Licht mischen.

»Vollidiot«, sagt Nina.

Susan rollt genervt die Augen. »Jungs«, schimpft sie.

Ich mustere Domeniks Team, sie sind uns mindestens ebenbürtig. Dann wandert mein Blick zum Wasserfall. Auf einer Breite von etwa dreißig Metern erhebt sich nackter, zerklüfteter Fels. Unser Zielpunkt ist dort oben, hundert Meter hinter der Kante.

»Es gibt nur zwei Möglichkeiten, dorthin zu gelangen«, sagt Susan so leise, dass nur wir sie hören können. »Außen herum, wo das Gelände flacher ist oder der direkte Weg über den Felsen.«

»Außen herum kostet zu viel Zeit«, meint Yorik.

Ich schätze die Höhe ab. Es sind mindestens zehn Meter. Wir sind geübt im Klettern, doch die Gischt, die von dem Wasserfall aufsteigt, macht das Gestein rutschig. »Wir sind noch nie über nassen Fels geklettert«, flüstere ich den anderen zu.

Susan nickt. »Trotzdem ist es die beste Wahl.«

Ich nicke. »Seid ihr so weit?«

Wir stecken unsere Langstöcke in die Halterungen.

»Kann losgehen«, flüstert Susan.

»Dann kommt.« Wir sprinten los, die wilden Rufe auf der anderen Seite der Lagune ignorierend. Gleichzeitig mit Domeniks Team erreichen wir den Felsen und beginnen, zu klettern. Kalte Gischt legt sich auf mein Haar, mein Gesicht und die Hände. Binnen Sekunden bin ich durchnässt.

Der Fels *ist* rutschig und ich kralle mich in Ritzen im Gestein fest, um Halt zu finden. Die scharfen Kanten reißen meine Haut auf, doch das eiskalte Wasser betäubt den Schmerz. Die anderen klettern schnell, die Gesichter starr vor Konzentration, den Blick nach oben auf die Kante gerichtet.

Nur der Wasserfall trennt uns vom gegnerischen Team. Domenik und ich erreichen gleichzeitig einen Felsvorsprung, der gerade breit genug ist, um darauf zu stehen. Dicht über dieser Stelle gabelt sich das Wasser und bildet schmale Streifen flüssiger Vorhänge. Nebel sammelt sich auf meiner Stirn und rinnt in großen Tropfen über mein Gesicht.

Domenik klettert nicht weiter. Stattdessen tastet er sich den Felsvorsprung entlang in meine Richtung. Ein gemeines Grinsen erscheint auf seinem Gesicht und er zieht seinen Bo. Bei einem Angriff hätte ich kaum Chancen. Wenn ich weiterklettere, brauche ich beide Hände und kann mich nicht verteidigen, aber hier zu kämpfen ist Wahnsinn. Der Fels unter meinen Schuhen ist von jahrhundertelanger beständiger Arbeit des Wassers glatt poliert, nass und so rutschig wie die Eisarena beim Winterfest.

Domenik beeindruckt das nicht. In einer fließenden Bewegung taucht er unter dem ersten Wasserschleier hindurch auf meine Seite des Felsvorsprungs und setzt zu einem Angriff an. Ich ziehe den Bo gerade noch rechtzeitig, um seinen Hieb zu parieren. Das Krachen übertönt das Tosen des Wasserfalls und ich höre die wütenden Rufe der anderen.

Ich wanke und muss Halt am Felsen suchen, doch auch Domenik ist durch den Aufprall aus dem Gleichgewicht geraten und weicht zwei Schritte zurück. »Mistratte«, schnaubt er verächtlich. Seine Augen verengen sich zu schmalen Schlitzen. »Du kannst mich nicht aufhalten«, giftet er, dann greift er wieder an.

Diesmal rutsche ich aus, doch irgendwie pariere ich trotzdem. Domenik setzt nach. Wasser trommelt auf meine Schulter. Rasch trete ich noch weiter zurück. Domenik täuscht einen Schlag an, doch nach hundert Stunden Training erkenne ich die Finte und fange auch diesen Angriff ab. Wut verzerrt sein Gesicht.

Aber ich werde ruhiger. Domenik ist zu ungeduldig und auf dem engen Vorsprung kann er seine technische Überlegenheit nicht ausspielen. Anders als sonst hat er hier keinen Vorteil. Ich glaube, ich habe eine Chance, wenn ich konzentriert bleibe.

Unsere Stäbe krachen ein ums andere Mal aufeinander und Domenik wird immer wütender. Jetzt greife ich an. Ich bin schneller als er und dränge ihn zurück. Schließlich strauchelt Domenik und verliert seinen Bo.

Eine Sekunde lang sind wir beide wie erstarrt, dann stecke ich meinen Langstock weg und mache mich daran, weiterzuklettern. Plötzlich gibt es über mir ein Geräusch, das mir durch Mark und Bein dringt, ein unheilvolles Knirschen und Knacken im Gestein. In einem Reflex drehe ich mich weg, doch etwas trifft mich an der Schläfe. Schmerz schießt durch meinen Schädel und die Welt fängt an, sich zu drehen.

Ich kralle mich im Fels fest. Ein weiteres bedrohliches Knirschen folgt, dann bricht der Stein unter meinen Händen und ich stürze ab.

Ich rudere panisch mit Händen und Füßen, spüre, wie ich dem Boden entgegenrase, und fühle mich so hilflos wie nie zuvor in meinem Leben. Entsetzte Schreie übertönen das Brausen des Wassers und die Felskante entfernt sich immer weiter. Ich weiß, ich darf nicht mit dem Rücken aufprallen, und schaffe es gerade noch so, mich zu drehen. Dann komme ich auf der Wasseroberfläche auf, es schlägt über mir zusammen und mein Unterschenkel stößt gegen etwas Hartes. Es tut höllisch weh, dann wird mein Bein taub und mir wird kurz schwarz vor Augen.

Nach einem Moment der Orientierungslosigkeit rudere ich mit den Armen, um wieder an die Oberfläche zu gelangen. Mein rechtes Bein hängt nutzlos unter mir und zieht mich hinab, trotzdem kämpfe ich mich nach oben. Die schimmernde Wasseroberfläche kommt nicht schnell genug näher, die Luft geht mir aus. Verzweifelt versuche ich, meinen Muskeln mehr abzuringen, aber das taube Bein zieht an mir wie Blei. Blitze zucken am Rand meines Gesichtsfeldes auf.

Plötzlich ergreifen mich starke Hände und ziehen mich nach oben. Ich durchbreche die Oberfläche und sauge keuchend Luft in meine schmerzende Lunge.

»Alles klar?« Ich erkenne Yorik neben mir.

Prustend schüttle ich den Kopf. Ich brauche einen Moment, um genug Atem für eine Antwort zu schöpfen. »Ich glaub, mein Bein ist gebrochen.«

Yorik stößt eine Reihe derber Flüche aus. Ich versuche zu schwimmen, doch mein rechtes Bein ist eindeutig nutzlos. Also schleppt mich Yorik zum Ufer, wo bereits Susan und Nina warten. Gestützt von Yorik humple ich an Land, und die Taubheit weicht einer neuen Welle von Schmerzen.

Es geht nicht. Ich lasse mich zu Boden sinken und kämpfe gegen die plötzliche Übelkeit. Am Fels klettert Domeniks Team derweil über die Kante. Der Sieg ist ihnen nicht mehr zu nehmen.

»Verdammt!«, fluche ich.

Susan, Nina und Yorik stehen im Halbkreis um mich und sehen abwechselnd vom Felsen zu mir und wieder zurück. In ihren Mienen ringen Zorn und Enttäuschung miteinander.

Nina untersucht mein Bein. Es ist tatsächlich gebrochen. »Das war Absicht. Domenik hat einen Stein aus dem Fels gelöst und auf dich fallen lassen.« Ihr Gesicht ist kalkweiß. »Gott sei Dank ist es nicht schlimmer.«

Daher also das Geräusch. Aber ich schöpfe Hoffnung. »Das heißt, er hat die Regeln gebrochen. Wir haben noch eine Chance. Er wird disqualifiziert werden.« Ich betaste meinen nutzlosen Unterschenkel. Das Schienbein ist durch, mindestens. Vielleicht auch das Wadenbein. Der Schmerz ist grauenvoll und die Bruchstelle schwillt schnell an. Aber Humpeln könnte trotzdem gehen. »Hilf mir mal hoch, Yorik.«

»Du kannst nicht laufen, Jan«, widerspricht Nina und stellt sich zwischen Yorik und mich, seinen ausgestreckten Arm wegschlagend. »Wir sollten den Notruf auslösen.«

»Es sind fünfzig Punkte, Nina«, widerspreche ich und versuche, mir die Schmerzen nicht anmerken zu lassen. »Wir können sie uns noch holen.«

»Willst du etwa mit einem gebrochenen Bein klettern?«

»Nein, wir gehen außen herum. Yorik stützt mich. Wir müssen nur als Zweite ins Ziel kommen.«

Nina sieht mich skeptisch an. Lange. Schließlich schnaubt sie frustriert, stemmt die Hände in die Hüfte und legt den Kopf schief. »Dann lass mich dir wenigstens eine Schiene anlegen.«

Ihre Augen wandeln sich, weiße Eiskristalle funkeln in Ozeanblau, als sie die Umgebung nach geeignetem Material absucht. Dann schient sie mit wenigen geübten Griffen mein Bein und ich erfahre, dass ihre Mutter Ärztin ist und Nina die Hälfte ihres Lebens im Krankenhaus verbracht hat. Und wirklich, sie weiß, was sie tut. Zwar fühlt es sich an, als würde ich mit glühendem Eisen gefoltert, doch ich kann kurze Zeit später an Yorik gelehnt stehen.

Sofort brechen wir auf. Yorik hat einen dicken Ast notdürftig zu einer Krücke umfunktioniert und halb auf ihn, halb auf die Krücke gestützt humple ich los. Wir brauchen dreißig endlose, schmerzhafte Minuten und als wir endlich am Ziel ankommen, bin ich kurz davor, das Bewusstsein zu verlieren. Mein Bein ist eine einzige schreiende Masse. Ich schwitze, obwohl mir kalt ist und an den Rändern meines Gesichtsfeldes wird es langsam schwarz. Doch all das ist mir egal, denn wir sind tatsächlich die zweite Gruppe im Ziel.

Domenik steht neben Neto und Alator, ein siegessicheres Grinsen im Gesicht. Alator runzelt die Stirn, als sie mich sieht, spricht kurz in ihre Smartwatch und eilt dann zu mir. Ihr strenger Blick irritiert mich.

»Domenik meint, du hättest deine Kräfte gegen ihn angewandt. Stimmt das?«, fragt sie.

»Was?« *Dieser Mistkerl.*

Dann reden alle gleichzeitig auf Alator ein, bis sie die Hand hebt und alle verstummen.

»Es war genau andersherum!«, sage ich und berichte rasch, was am Wasserfall wirklich geschehen ist.

Alator sieht mich prüfend an und überlegt lange. »Ich glaube dir«, sagt sie schließlich. »Aber unsere Sensoren haben keine Paraaktivität festgestellt. Womöglich hat etwas im Gestein eine Störung verursacht. So etwas gibt es.« Sie verschränkt die Arme vor der Brust und sieht von mir zu Domenik und wieder zurück. »Es tut mir leid. Selbst wenn ich dir Glauben schenke, es gibt keinen Beweis für deine Version dieser Geschichte.«

»Das heißt, er bekommt die Punkte«, sage ich resigniert.

»Ich kann nichts machen«, sagt Alator.

»Das ist unfair«, bricht es aus mir heraus.

Ich fühle mich betrogen. All die Qualen waren umsonst. Als ich sehe, wie Domenik triumphierend abzieht, muss ich nicht in mein Licht schauen, um zu wissen, dass die Funken sich vervielfacht haben. Ich spüre sie, rot wie Glut, brennend wie Feuer.

Ein Heli bringt mich zur Schule zurück. Die nächsten zwei Tage verschlafe ich auf der Krankenstation, wo eine Ärztin mit einem besonderen Talent meine Knochen in wenigen Minuten wieder zusammenwachsen lässt.

Doch die Prozedur ist so schmerzhaft, dass ich die Mittel, die mich schlafen lassen, dankbar annehme. Am ersten Tag fühlt sich mein Bein an wie mit flüssigem Eisen gefüllt, am zweiten, als würden eine Million Ameisen darin krabbeln.

Am dritten Tag darf ich aufstehen, doch ich schaffe nur wenige Meter, bis ich völlig entkräftet bin. Ich versuche, mich zu mehr zu zwingen, doch dann schlafe ich wieder bis zum Abend.

Als ich wieder aufwache, bekomme ich einen Besuch, mit dem ich nicht gerechnet habe.

Es ist später Abend und vor den geöffneten Fenstern liegt Dunkelheit über dem Dschungel wie eine samtene Decke. Das Gewitter ist abgeklungen und das Nachtleben im Wald erwacht, begleitet von einem vielstimmigen Chor zirpender, raschelnder und summender Tiere. Eine schmale Leiste über der Tür verbreitet spärliches Licht und teilt das Zimmer in helle und dunkle Bereiche.

Ein kurzes Klopfen, dann wird die Tür geöffnet und eine schlanke Gestalt huscht herein. Ich bin sofort hellwach. Sie hätte ich hier am allerwenigsten erwartet.

»Du hast mich überrascht«, sagt Susan ohne Umschweife. Keine Begrüßung, keine Frage nach meinem Befinden.

»Ach ja?« Ich hasse es, wie ich automatisch ihre Arroganz spiegle, und kann Yorik plötzlich verstehen. Manchmal ist es schwer, sich in Susans Gegenwart selbst zu mögen.

»Ja.« Susans Stimme ist kühl und nüchtern und wie immer schwingt ein Hauch Überheblichkeit darin mit. »Du bist zäher, als ich dachte.«

Klar, für Susan bin ich immer noch der Neue, niemand Bemerkenswertes also. »Und weiter?«

»Ich habe ein paar Informationen über dich eingeholt und bin zu dem Schluss gelangt, dass es zu meinem eigenen Vorteil ist, wenn du so viel wie möglich über Savant weißt.«

Jetzt bin ich überrascht. »Wie eingeholt? Und warum zu deinem Vorteil?«

»Sagen wir einfach, ich will nicht, dass Savant dich in die Finger bekommt. Du bist genau das, was er braucht. Ein Teil davon ist mir klar geworden, als ich gesehen habe, was du nach gerade mal sechs Monaten Training gelernt hast.«

»Ich glaube kaum, dass Savant jemanden braucht, der sich ein Bein brechen kann.«

Die Andeutung eines Lächelns erscheint auf Susans ernstem Gesicht, dann verschwindet es so schnell, wie es gekommen ist. »Ich habe deinen Willen gesehen. Du setzt dich für andere ein und bist bereit, über dich hinauszuwachsen. Aber was noch wichtiger ist«, sie sieht mich eindringlich an, »die Menschen folgen dir. Du hast das Zeug zum Anführer und Savant will genau das.«

»Ach ja? Und woher sollte Savant das wissen? Ich meine, er kennt mich nicht, wir sind uns nie begegnet.«

Susan hebt gelangweilt eine Augenbraue und lächelt spöttisch. »Glaub mir, Savant weiß alles über dich, was es zu wissen gibt.«

Das ist unmöglich. Ich bin einer unter Milliarden, eine einzelne Welle im Ozean, ein Sandkorn in der Wüste. Bevor mein Licht ausgebrochen ist, hat niemand außerhalb unserer kleinen Stadt Notiz von mir genommen. Aber Susan scheint sich dessen absolut sicher zu sein und das jagt mir eine Gänsehaut über den Rücken.

»Zum Beispiel diese Sache mit der Einführung eines Recyclingkonzepts an deiner Heimatschule, die Organisation eines Spendenlaufs für Kriegswaisen, die Gründung des Klimarates.«

Das könnte sie von Robinson wissen. Nein, Robinson gibt keine Daten von Schülern weiter. War sie in seinem Computer?

»Soll ich weitermachen? Man braucht keine außergewöhnlichen Hackerfähigkeiten, um das herauszufinden. Ich musste mich nicht mal anstrengen und Savant weiß sicher noch viel mehr.« Sie dreht sich zum Fenster, doch ich meine, für den Bruchteil einer Sekunde einen wehmütigen Zug in ihrem Gesicht bemerkt zu haben. »Savant muss dir nicht begegnen, um dich zu kennen. Im Gegenteil. Durch persönlichen Kontakt würde er nichts über dich erfahren.«

»Wie meinst du das?«

»Er kann aus Gestik und Mimik nichts ablesen. Daher auch seine Schwierigkeiten im Umgang mit Menschen. Er wird aus ihnen nicht schlau.«

»Warst du deshalb seine Assistentin? Weil er jemanden brauchte, der dieses Manko ausgleicht?«

»Nein. Ich wollte mehr über Computerprogrammierung lernen, also hab ich ihn nach Zusatzkursen gefragt. Er hat mich unter der Bedingung unterrichtet, dass ich an seinen Projekten mitarbeite. Ich wusste nicht, worum es geht, also habe ich zugesagt. Als er zunehmend merkwürdige Dinge gesagt und getan hat, habe ich mir seine Programme und Dateien genauer angesehen und bin auf etwas gestoßen.

Er verfügt über ein Computerprogramm, das gewaltige Datenmengen auswertet, in einer Größenordnung, die weltweit einzigartig ist. Die Algorithmen sind so komplex, dass es vermutlich keine Handvoll Menschen gibt, die damit etwas anfangen können.«

Im Dschungel schreit ein Tier, ein großes, eine Raubkatze vielleicht. Oder ein Affe, der einer Riesenspinne ins Netz gegangen ist.

»Aber du hast es geschafft.«

Susan nickt bedächtig.

»Was für Daten? Worum geht es dabei? Komm zum Punkt, Susan«, sage ich ungeduldig.

»Ich bin dem Datenstrom zu seinem Ursprung gefolgt, und was ich gefunden habe, ist schockierend.« Ihr Tonfall ist derselbe, in dem sie »Algorithmus« oder »Computerprogramme« ausspricht, dennoch wächst mein Unbehagen. Susan verwendet Worte wie »schockierend« nicht einfach so.

»Susan«, sage ich drängend. »Der Punkt.«

»Er hat alles gehackt, Jan.«

»Wie, *alles gehackt?*«

»Einfach alles, was Daten über Menschen enthält. Staatliche Behörden, Mobilfunkanbieter, soziale Netzwerke, Banken, Kreditkartenfirmen, Geheimdienste, Müllverwertungsbetriebe, Konsum, Logistik, Bildung, Verkehr, alles, einfach alles.« Susan hat sich wieder umgedreht. Ihre Augen blicken fest in meine. »Er hat *alles* gehackt.«

Mein Magen zieht sich zusammen. Das ist unvorstellbar. Ich brauche einen Moment, um das zu begreifen. Noch vor sechs Monaten hätte ich das für unmöglich gehalten, doch nachdem ich die Akademie gesehen habe, die Savant aufgebaut hat, weiß ich, dass er außerhalb meines Vorstellungsvermögens arbeitet.

»Aber wozu? Ich meine, was hat er mit all den Daten gemacht?«

»Ich konnte mir erst keinen Reim darauf machen, daher habe ich ihn gefragt.«

»Du hast was?«

»Gefragt, Jan. Und er hat es mir erzählt.«

Wieso hat er es Susan erzählt?

»Er hat mir viel erzählt, von seinen Studien, seinem Leben.« Wieder wendet sie sich dem Fenster zu.

Savant hat Susan vertraut. Eine Unmenge an Fragen drängt auf mich ein, doch ich zügele meine Ungeduld. Es fällt ihr sichtlich schwer, weiterzusprechen.

»Savant war einsam. Er hat Menschen nie verstanden, wollte sich damit aber nicht abfinden. Also hat er sie studiert, wollte herausfinden, was genau sie ausmacht. Sein Lieblingsthema waren menschliche Moralvorstellungen, der Unterschied zwischen Richtig und Falsch, Gut und Böse. Er hat Muster zwischen seinen Daten und Charaktereigenschaften gesucht und gefunden. Genug, um daraus eine Formel zu entwickeln, einen Algorithmus, der den Charakter eines Menschen anhand seiner belegten Aktivitäten errechnet. Er hat Jahre darin investiert und seine Ergebnisse in einer komplizierten Formel aufsummiert. Er behauptet, damit den ›Gutmensch-Faktor‹ berechnen zu können.«

Das klingt ganz, *ganz* übel.

»Savant denkt, er könne anhand des Verhaltens eines Menschen, anhand seiner vergangenen Taten, dessen innere Werte berechnen. Er glaubt, damit eine Vorhersage darüber treffen zu können, wie dieser Mensch sich in Zukunft verhalten wird.«

Gar nicht gut. »Und das will er mithilfe von Daten von Müllverwertungsbetrieben machen?«

»Klar. Auf den Mülltonnen sind inzwischen auch diese Barcodes, schon mal bemerkt? Die werden gescannt, wenn dein Müll abgeholt wird. Dann kann man zurückverfolgen, ob du auch vorschriftsmäßig trennst oder nicht. Savant ist überzeugt davon, dass Menschen, die nicht recyceln, der Natur generell keinen Respekt zollen. Und dass sie auch in Zukunft der Umwelt schaden werden.«

Überhaupt nicht gut. »Und die Kreditkartendaten?«

»Na überleg doch mal. Wer kauft Bioprodukte oder Fairtrade, wer gibt Geld aus, um nachhaltige Bewirtschaftung zu unterstützen? Manche Läden verkaufen Kleidung, die unter unmenschlichen Bedingungen produziert wird, oder Produkte aus Kinderarbeit. Savant weiß, wer sich die Mühe macht, das zu recherchieren. Er weiß, wer durch seinen Konsum faire Arbeitsbedingungen unterstützt. Aber er weiß auch, wem Kinderarbeit egal ist, wer lieber Luxusartikel kauft, statt eine Solaranlage auf sein Dach zu packen. Dazu die ganzen

Daten aus den sozialen Netzwerken: Wer verbreitet Hass und Hetze im Netz? Wer ruft zu Gewalt auf, wer mobbt? Und wer macht was gegen diese Mobber? Du zum Beispiel, wie Savant sehr gut weiß.

Er füttert sein Programm mit all diesen Daten, und es spuckt die Liste von Menschen aus, die Savant für seinen Neustart braucht. Eine Liste mit den Menschen, die Werte wie Frieden, Schutz der Natur, Hilfsbereitschaft und Gemeinwohl verkörpern und die sich in ihrem alltäglichen Leben aktiv dafür einsetzen, auf die eine oder andere Weise.«

Jetzt wird mir richtig schlecht. *Eine Liste?* »Er will Menschen töten, weil sie ihren Müll nicht trennen?«

Susan nickt. »Er wird sich durch nichts davon abhalten lassen. Nur so, glaubt er, kann er die Welt retten.«

»Aber das ist doch total irre.«

»Mir ist das auch klar.«

»Hast du sie gesehen, diese Liste?« *Stehen wir auch darauf?*

»Savant hat alles mehrfach verschlüsselt, was er hier zurücklassen musste. Wir vermuten, die Liste ist irgendwo im System, allerdings haben wir sie bisher nicht gefunden. Und selbst wenn, wird es noch dauern, sie zu entschlüsseln. Aber du stehst auf jeden Fall drauf, denn er braucht dich.«

»Als Chef-Recycler«, sage ich spöttisch.

»Als Anführer.«

»Dachte ich mir's doch.«

Susan verdreht die Augen. »Kurz vor seiner Flucht hat er mir von seiner Vision erzählt. Er sprach über die Sintflut der Bibel und die Arche. Savant war besessen von der Idee, dass die richtige Zusammensetzung einer Arche-Population die Menschheit in eine bessere Zukunft führen würde. Ohne Krieg, Gewalt und Umweltverschmutzung.«

Ich erschauere. *So rechtfertigt er einen Massenmord.*

»Savant sprach auch von Noah, also dem, den Gott ausgewählt hat, um die Menschen in eine neue Zeit zu führen. Seiner Meinung nach ist diese Person der Schlüssel. Die Menschen brauchen jemanden, an dem sie sich orientieren können, jemanden, dem sie sich anvertrauen und dem sie folgen wollen. Aber Savant weiß, dass er das nicht kann.«

»Nein, Savant sieht sich selbst als Gott.«

»Ich denke, er will *dich* als Noah.«

»Weil ich einen Spendenlauf organisiert habe?«

»Nicht nur. Umweltschützer und Menschenfreunde gibt es viele. Ehrlich? Ich kann auch nicht glauben, dass Savant dich deshalb ausgesucht hat. So besonders ist das auch wieder nicht. Aber sein Programm sieht die Gesamtheit aller Daten. Dein gesamtes Verhalten muss klimatechnisch nahezu perfekt gewesen sein, dein Alter jedenfalls ist es: Du bist schon fast so weit, dass du als Anführer akzeptiert werden wirst, aber noch so jung, dass Savant dich formen kann. Zumindest glaubt das sein Programm. Dann noch dein starkes PSI-Talent. Wenn Savant dich nicht auf seiner Seite in eine hohe Position bringt, riskiert er, dass dich die Gegner bekommen. Jemanden mit deiner Macht will er keinesfalls als Feind.«

Wir schweigen eine Weile.

»Susan, wie gefährlich ist Savant?«

»Er hat die Insel verlassen. Wenn er das getan hat, um seine Idee von einem Neuanfang der Menschheit zu verwirklichen, dann bedeutet das …«

»Eine Katastrophe«, beende ich ihren Satz.

Susan nickt nur.

»Wir brauchen diese Liste. Wenn Savant genau diese Menschen retten will, dann wird er sie kontaktieren. So können wir ihn aufspüren!«, sage ich heftig.

»Wir haben vielleicht eine Kopie.«

»Warum nur *vielleicht*?«

Einer von Susans Mundwinkeln zuckt. »Als klar war, dass Savant übergeschnappt ist, habe ich so viele Datenmodule wie möglich kopiert.«

»Aber sie sind verschlüsselt.«

Susan nickt. »Robinson hat eine ganze Armada von IT-Spezialisten darauf angesetzt, jeden, der vertrauenswürdig ist. Wir tun alles, um das Ding zu knacken, aber Savants Sperren sind nahezu perfekt. Es wird noch dauern.«

»Wir? Du auch?«

Wieder ein Nicken.

»Ich kenne Savants Arbeit am besten. Und ich …« Susan stockt, unterdrückt ein Grinsen und spricht dann rasch weiter. »… hab vielleicht mal unter Beweis gestellt, dass ich gut geschützte Systeme hacken kann.«

Klar. Sie hat Eos gehackt.

Doch Susan ist bereits an der Tür. »Wichtig ist nur, dass Savant dich unter keinen Umständen in die Finger bekommt. Und er wird es versuchen. Egal, was es kostet.«

13

DONNERVÖGEL

Nach einer weiteren Nacht, in der ich kaum Schlaf gefunden habe, darf ich die Krankenstation endlich verlassen. Dank Dr. Morgan ist der Bruch vollständig verheilt. Zwar warnt sie mich davor, das Bein zu stark zu belasten, aber ich darf an leichtem Training teilnehmen. »Wenn du es langsam angehen lässt«, mahnt sie noch.

Zurück im Baumhaus erwartet mich der Maki. Ich hole zwei Kekse aus meinem Vorrat und halte sie dem pelzigen Kobold hin. Inzwischen hat er seine Scheu abgelegt und futtert genüsslich auf dem Tisch. Ich kann die Hand ausstrecken und ihn streicheln, er lässt es geschehen, ja, er genießt es sogar.

Der Unterricht der nächsten Tage verläuft wie gewohnt. Die Sequenz »Überlebenstraining im Dschungel« ist zu Ende und über die neue Unterrichtseinheit wissen wir nichts, außer dass wir uns nach dem Mittagessen am Strand versammeln sollen.

Es wird getuschelt und gemutmaßt, Gerüchte über Rettungsschwimmen inmitten gentechnisch veränderter Haie und Riesenkraken machen die Runde. Sean reißt ein paar Witze darüber, doch mit jeder Minute wird die Stimmung angespannter. Die Sonne brennt von einem azurblauen Himmel und erste dunkle Gewitterwolken brauen sich im Süden zusammen, wie immer um diese Tageszeit, doch noch sind sie weit entfernt. Wir warten im Schatten unter den Palmen.

Zum ersten Mal seit dem Vorfall am Wasserfall sehe ich Domenik wieder. Er grinst höhnisch, ballt beide Hände zu Fäusten und macht eine drehende Bewegung, als würde er jemandem das Genick brechen. Ich spüre die Wut in mir hochkochen.

Yorik packt mich an der Schulter. »Lass dich nicht provozieren«, mahnt er. »Das ist genau das, was er erreichen möchte.« Wie zur Bestätigung kreischt ein Papagei in der Palme über uns und schlägt wie wild mit den Flügeln.

»Ich weiß«, zische ich durch zusammengepresste Zähne. Also kämpfe ich die Wut nieder, setze einen gleichgültigen Gesichtsausdruck auf, wende mich mit demonstrativer Gelassenheit ab und beobachte das Meer.

Kleine Wellen branden sanft gegen den Strand und färben ihn dunkel. Das konstante Rauschen ist hypnotisch. Die Luft riecht nach Salz und ist von den Rufen der Vögel erfüllt, die nach Fischen tauchen.

Am rechten Ende des Strandes taucht eine Gestalt an der Brandungslinie auf, etwa hundert Meter entfernt. Es ist ein Mann, groß und stämmig und bereits aus der Ferne beeindruckend. Er sieht aus wie eine Mischung aus Pirat und Hafenarbeiter, ein Typ wie aus einem Wikingermärchen. Unter einem sandfarbenen Leinenhemd, das ihm bis zu den Oberschenkeln reicht, wölbt sich ein wuchtiger Bauch. Große Muskelpakete spannen den Stoff an seinen Oberarmen und seinem mächtigen Brustkorb, kräftige Beine stecken in verblichenen Jeans.

Unter einem schwarzen Dreieckshut drängt langes rotblondes Haar hervor, in das ein paar Zöpfe geflochten sind. Er trägt Cowboystiefel aus hellem Leder, die über und über mit Zeichnungen und Symbolen bedeckt sind. Die Spitzen zieren silberne Beschläge, die im Sonnenlicht blitzen wie blank polierte Spiegel.

Je näher er kommt, umso stiller wird es in der Gruppe. Als er uns erreicht, regt sich niemand mehr. Der Hüne verschränkt die Arme vor der Brust und mustert uns. Seine Haut hat die Farbe von Leder, das durch jahrzehntelangen Regen und unbarmherzige Sonne rissig geworden ist. Buschige Brauen umrahmen hellblaue Augen. Ein rotblonder Schnurrbart verdeckt seine Oberlippe und wackelt beständig hin und her, als würde er etwas kauen.

Als er uns begrüßt, klingt es wie eine Warnung. Seine Stimme ist ein tiefes Dröhnen. Sein grimmiger Blick kriecht über jeden Einzelnen von uns, als wären wir Eindringlinge, die sein Allerheiligstes entehren wollen. »Ich bin Professor Hadding. Ihr habt das große Privileg, als erste Klasse ein absolut neuartiges und noch nie da gewesenes Unterrichtsfach kennenzulernen.«

Er scheint zu überlegen, ob er etwas hinzufügen soll, entscheidet sich jedoch dagegen. »Mitkommen«, sagt er ruppig, dreht sich um und schlägt einen schnellen Laufschritt an. Uns bleibt nichts übrig, als ihm zu folgen.

Der Sand saugt an den Füßen und von oben brennt die Sonne. Wieder dauert es keine Minute und alle sind schweißüberströmt. *Warum muss man so was unbedingt mittags machen?*, frage ich mich. Doch immerhin finde ich beim Laufen endlich Zeit, Yorik von meinem Gespräch mit Susan zu erzählen. Wir halten uns etwas abseits, damit uns niemand hören kann.

»Ein Computerprogramm, das global Daten abgreift und dann entscheidet, wer gut und wer böse ist? Scheiße, was soll das denn?« Schweigend laufen wir ein paar Meter weiter, während Yorik meine Worte verdaut. »Passt aber«, murmelt er irgendwann verbissen. »Er hat also eine Liste erstellt, ja? Und das mittels Daten, die zeigen, wie sauber du deinen Müll trennst?«

»Und was du auf Facebook postest, welche Partei du unterstützt, von wem die Kleidung hergestellt wird, die du trägst, ja.«

»Das ist doch verrückt, Mann.«

»Sehe ich auch so.«

Wir erreichen die felsigen Klippen, die das nördliche Ende des Strandes markieren, und klettern darüber hinweg. Meine Finger finden wie von alleine Halt zwischen den Gesteinsbrocken und ich genieße die frische Brise, die vom Meer heranweht.

Auf der anderen Seite laufen wir weiter. Ich finde meinen Rhythmus und hänge meinen Gedanken nach. Wie will Savant das wohl anstellen? Wie plant man eine Massenvernichtung? Und wie plant man sie so, dass genau zehntausend Auserwählte überleben?

Susans Arche-Vergleich geht mir durch den Kopf. Ein Mega-Tsunami, der alle Kontinente überspült? Ganz unmöglich finde ich das nicht, wenn ich an den verheerenden Tsunami von Weihnachten 2004 denke. Ein gewaltiges unterseeisches Erdbeben schickte eine Welle um die halbe Welt, mehr als 200.000 Menschen starben. Wenn Savant ein Seebeben auslösen kann, das stark genug ist …

Er bräuchte ein Schiff, eher eine Flotte von Schiffen, um für Überlebende zu sorgen. Besser noch U-Boote. Auch müsste er Sprengkörper auftreiben, die stark genug sind und die perfekten Sprengorte ermitteln. Ich habe das Gefühl, als würden kräftige Hände meine Eingeweide zusammenpressen. Für jemanden mit Savants Fähigkeiten ist das womöglich machbar.

»So! Hier wären wir.« Haddings dröhnende Stimme unterbricht meine Gedanken. Mein Herz schlägt schnell von der Anstrengung des Laufs, die Sonne knallt unbarmherzig auf unsere Köpfe und das bisschen Wind, das vom Meer heranweht, reicht nicht aus, um für Abkühlung zu sorgen.

Hier war ich noch nie. Wir befinden uns in einer kleinen Bucht, die am linken Ende durch Felsgestein und rechts durch eine bewaldete Landzunge begrenzt wird. Der Strand ist hier breiter, etwa fünfzig Meter liegen zwischen der Wasserlinie und dem Dschungel und es gibt Ruderboote. Sie sind mit dem Kiel nach oben dicht über der Hochwasserlinie am Strand aufgereiht.

Das Wasser ist klar und ruhig wie an unserem Strandabschnitt, doch viel tiefer. Ideal für Haie und Steinfische. Ihre Stacheln enthalten ein Gift, das zu Nervenlähmung, Atemlähmung und Herzstillstand führt. Green hält ein paar Exemplare im Biozentrum, weil man ihr Gift auch zur Herstellung von Medikamenten nutzen kann. Sie sind so sehr mit Algen überwachsen, dass man sie kaum erkennen kann.

Mir wird mulmig. Ich mag Wasser sowieso nicht besonders, seit ich als Kind in den kleinen Fluss hinter unserem Haus gefallen und beinahe ertrunken bin. Schwimmen kann ich zwar, aber nicht besonders gut und auch nicht besonders lange. In der Regel vermeide ich es, so gut es geht.

»Wow! Das ist cool.« Yorik tritt neben mich und deutet auf einen großen Felsen, der etwa 150 Meter vom Strand entfernt aus dem Wasser ragt. Er sieht aus wie ein riesiger Torbogen. Steile, beinahe senkrechte Felswände führen zu einem dicht von Gräsern und Gestrüpp bewachsenen Plateau.

Plötzlich erhebt sich etwas von diesem Plateau. Gewaltige Schwingen, die einen mächtigen Körper tragen. Mit wenigen kräftigen Flügelschlägen steigt das Tier in den Himmel, dann kreist es in großen Bahnen über dem Meer wie ein Adler. Sein Federkleid ist eine Sinfonie aus Flammenfarben, es glitzert in der Sonne wie ein Paradiesvogel. Das ist das schönste Tier, das ich je gesehen habe.

Über unseren Köpfen fliegt es eine Schleife und ich sehe, dass es viel größer als ein Adler ist, größer als jeder Vogel, den ich kenne. Monströs, wie ein Gigant aus der Urzeit. Es misst mindestens drei Meter vom Kopf bis zum Ansatz der Schwanzfedern, die selbst etwa einen Meter lang sind. Die ausgebreiteten Schwingen sind noch länger, vier Meter oder mehr. Sein Schnabel erinnert an einen Flugsaurier. Als es ihn öffnet, schallt ein greller Ruf über die Bucht.

Als das Tier direkt über uns ist, recken alle die Köpfe. Die Flügel leuchten in Rot- und Orangetönen, der Körper in sattem Gold. Jetzt kann ich erkennen, woher das Glitzern kommt: Sein Rumpf ist nicht von Federn bedeckt, sondern von Millionen kleiner Schuppen, die das Sonnenlicht reflektieren.

Dann schlägt der Vogel erneut mit seinen gewaltigen Flügeln und steigt steil in den Himmel, wobei er unablässig diese durchdringenden Rufe ausstößt. Er kreist in der Mitte der Bucht, hoch über dem Wasser, aber plötzlich zieht er die Flügel ein und stößt wie ein Pfeil herab. Mit tödlicher Präzision taucht er ins Meer.

Alle halten den Atem an. Luftblasen steigen auf, dann nichts mehr. Ein paar Sekunden starren wir auf den Eintauchpunkt, bis der Vogel plötzlich durch die Wasseroberfläche bricht, seine Beute im keilförmigen Schnabel. Es ist ein Schwarzspitzen-Riffhai. Trotz der sengenden Sonne habe ich das Gefühl, als würde sich mein Blut in Eis verwandeln. Neben mir höre ich halblaute Flüche und einen erschrockenen Schrei.

»Was ist das?«, fragt Sean. Er ist ganz grün und auch in den Gesichtern der anderen spiegeln sich die unterschiedlichsten Emotionen, von wilder Faszination bis zu nackter Panik.

»Das, meine Lieben, ist ein Donnervogel.« Hadding lächelt, als er das Tier beobachtet, das zurück zu seinem Nest fliegt. »Sie sind die Krönung, der größte Erfolg unserer Gentechnik-Abteilung: Eine neue Art von Nutztieren, mit deren Hilfe Menschen nach Erdbeben oder Überschwemmungskatastrophen gerettet werden können. Wie Helikopter erreichen sie jede noch so schwer zugängliche Stelle, aber sie sind besser: Sie können auf dem kleinsten Hausdach landen, sogar auf Bäumen, und sie brauchen weder Treibstoff noch technische Wartung.«

»Faszinierend«, murmelt Susan hinter mir.

»Wie steuert man so einen Vogel?«, will Yorik wissen.

Hadding grinst und entblößt dabei einen funkelnden Goldzahn. »Ihr werdet sie reiten.«

Mein Mund wird trocken. Um mich herum sehe ich entgeisterte Gesichter. Nur Yorik strahlt, als würde er zum Surfen gehen. »Das wird Spaß machen«, flüstert er.

Als wir mit den Booten zur Insel rudern, dröhnt Hadding rechts von uns: »Diese Tiere sind stark genug, um fünf Menschen zu tragen, und sie dringen bis in die entlegensten Gebiete vor. Sie lassen sich von einem Reiter lenken, aber«, er senkt seine Stimme zu einem Flüstern und zieht die Brauen zusammen. »Die Tierchen sind empathisch und reagieren sehr, *sehr* sensibel auf die Stimmung ihrer Reiter. Man muss sich vollkommen konzentrieren und *kontrollieren*, um nicht abzustürzen. Klar?«

Innerlich stöhne ich. Ich muss nicht in mein Licht sehen, um zu wissen, dass dort rote Funken flitzen. In Domeniks Nähe sind sie immer da. Während ich weiter die schweren Riemen durchs Wasser ziehe, versuche ich, meine Nervosität zu vertreiben, indem ich mich auf das konstante *Flappflapp* der Wellen konzentriere, die gegen die Planken schlagen.

»Sind übersensible Tiere für Rettungseinsätze nicht total ungeeignet?«, fragt Susan.

Eines muss man ihr lassen: Sie hat Mumm. Ich glaube, jeder hat sich dasselbe gefragt, aber nur sie hat sich getraut, es auszusprechen.

»Die Verbindung zwischen Reiter und Vogel wird nach mehreren Monaten intensiven Trainings so stark, dass die Tiere ihm völlig vertrauen. Sie verlieren ihre Nervosität und tun ohne Zögern alles, woran er denkt. Damit sind sie präziser zu steuern als jeder Heli.«

Viel zu früh erreichen wir den Felsen und klettern auf das Plateau. Der Anblick ist atemberaubend. Eine Gruppe von etwa zwanzig Riesenvögeln kauert in Nestern aus Palmblattwedeln und Seegras. Die Luft ist getränkt vom durchdringenden Geruch unbezähmbarer Wildnis. Der Vogel mit dem Flammenfederkleid steht am Rand der Kolonie und beäugt uns misstrauisch. Seine Augen sind rot wie ein ausbrechender Vulkan.

Hadding nähert sich ihm langsam, eine Hand vor sich ausgestreckt. »Sanft, aber bestimmt. Seht ihr, so.« Die anderen Donnervögel haben sich inzwischen von ihren Nestern erhoben. Ich sehe eine lange Reihe spitzer Schnäbel, neben denen selbst Hadding zwergenhaft wirkt, doch er geht unbeirrt weiter. Dann bleibt er vor dem Flammenden stehen und sieht ihn lange an, ohne sich auch nur das kleinste bisschen zu bewegen. Der Donnervogel erwidert den Blick. Schließlich hebt er den Schnabel in den Himmel und stößt einen dieser grellen, durchdringenden Schreie aus. Hadding zuckt nicht einmal.

Irgendwann lässt sich der Vogel vorsichtig sinken. Ich höre einen schwachen Seufzer irgendwo hinter mir. Hadding tritt neben das Tier, streichelt beruhigend über die goldenen Schuppen und schwingt sich dann auf den Rücken des Donnervogels wie ein Cowboy auf sein Pferd.

»Ihr könnt ihnen euren Willen nicht aufzwingen. Wenn sich ein Vogel reiten lässt, dann immer nur freiwillig. Ihr müsst ihnen die Entscheidung überlassen, klar?«

Sean ist nach wie vor grünlich, doch er nickt tapfer. Yorik strahlt und Susan taxiert bereits die anderen Vögel auf der Suche nach dem perfekten Tier für sich. Nina steht wie immer etwas abseits, doch einer der Vögel tritt auf sie zu und sinkt vor ihr zu Boden. Seine Schuppen und Federn funkeln in satten Grüntönen wie der Dschungel.

Oder wie ihre Augen, denke ich und tatsächlich entdecke ich wieder das smaragdene Leuchten.

Yorik dreht sich zu mir und grinst. »Also ich fühle mich zu zwei Dritteln aufgeregt, zu einem Viertel voller Vorfreude und der Rest ist pure Angst. Ob mich das Tierchen so wohl reiten lässt?«

Ich muss unwillkürlich lachen. »Zehn zu eins, dass du als Erster im Wasser landest.«

»Du da!« Haddings ausgestreckter Zeigefinger ist auf mich gerichtet. »Du bist der Nächste.«

Mein Magen schrumpelt zu einer harten Nuss. Langsam gehe ich auf einen erdfarbenen Donnervogel zu und bleibe in respektvollem Abstand stehen. Raubvogelaugen fixieren mich, und ich fühle mich plötzlich gläsern, durchschaubar, als läge meine Seele bloß. Unter meiner Haut kribbelt es wie von tausend Ameisen. Der Vogel stößt seinen grellen Schrei aus.

Der Laut dringt mir bis in die Knochen, dann spüre ich eine fremde Präsenz in meinem Geist. Keine Worte, sondern eine Reihe von Gefühlen. Sanfte Freundlichkeit und Neugier, aber auch sehr viel Zurückhaltung, beinahe Angst. Vorsichtig strecke ich eine Hand aus, ignoriere das Zittern und lege sie auf den schuppenbedeckten Rücken des Vogels. Ich warte eine Weile, bis ich spüre, dass es für ihn okay ist, dann sitze ich auf.

Die schuppige Haut des Tieres ist dick, trocken und wahnsinnig warm, wie ein Ofen. Wo meine Beine den Rücken des Vogels umklammern, spüre ich kräftige Muskeln. Als ich über seinen Hals streichle, richten sich sechs Reihen dicker Schuppen auf. Ideal, um sich festzuhalten.

Wenig später sind auch die anderen abflugbereit. Susans Vogel erstrahlt in Silber und Weiß wie eine lebende Eisscholle. Yoriks Tier ist hellblau und türkis wie das Meer an einem perfekten Strandtag.

Dann stellt Hadding die erste Aufgabe. Wir sollen eine Handvoll Sand holen. Ich blicke zum Strand und konzentriere mich, spüre Einverständnis und Freude, mein Vogel liebt das Fliegen. Dann spannen sich auch schon seine Muskeln, er breitet die Schwingen aus und erhebt sich in den Himmel.

Der Ruck wirft mich beinahe ab. Ich vergrabe die Knie fester in den Flanken und kauere mich an die Nackenschuppen. Kühler Wind zerzaust meine Haare, doch das Gefühl ist berauschend. Unter uns rast der türkisblaue Ozean vorbei und ich fühle mich einfach nur frei und schwerelos, wie am höchsten Punkt einer Achterbahn, kurz bevor die Gondel kippt.

Hinter mir flucht jemand derb, dann ertönt ein lauter Schrei. Ich drehe mich um und sehe gerade noch, wie Sean auf der spiegelnden Wasseroberfläche aufprallt. Domenik, der ihm auf einem rauchschwarzen Vogel folgt, richtet sich auf und lacht hämisch.

Ich spüre Zorn und Wut. Nur ein wenig, aber es genügt. Mein Vogel wirft unruhig den Kopf hin und her und wir verlieren an Höhe. Ich kralle mich in dem dicken Schuppenpanzer fest und konzentriere mich mit aller Macht auf den Strand. Ich versuche, sämtliche Gedanken an Domenik hinter mir zu lassen. Langsam, ganz langsam wird mein Vogel wieder ruhiger.

Nina ist bereits am Strand. Sie fliegt tiefer, doch sie landet nicht. Ihr Vogel zieht eine enge Kurve und Nina beugt sich locker zur Seite und greift den Sand im Flug! Mir stockt der Atem. Das ist unglaublich. Jetzt richtet sie sich wieder auf, scheinbar mühelos, und reckt triumphierend die Faust.

Auch Yorik erreicht nun den Strand. Er versucht, es Nina gleichzutun, doch sein Vogel bockt und Yorik fliegt in hohem Bogen über dessen Kopf. Als ich kurz darauf lande, ist er schon wieder auf den Beinen und rennt grinsend zu seinem Tier. »Cool, oder? Da machen wir eine neue Sportart draus.«

Ich bin einfach nur froh, nicht abgestürzt zu sein, steige von meinem Vogel und greife eine Handvoll Sand. In diesem Moment landet Domenik.

»Das war ja eine ganz schöne Bruchlandung«, feixt er.

»Halt die Klappe, Domenik«, sage ich.

»Verlierer.«

»Kannst du nicht jemand anderen nerven?«

»Hm, mal überlegen.« Er sieht mich von oben herab an. »Nina vielleicht.«

Ein Stich mitten in der Brust. Bevor ich denken kann, gehe ich auf Domenik zu, doch Yorik tritt dazwischen.

»Hast du gesehen, wie sie fliegt? Ich glaube kaum, dass sie Interesse an einer lahmen Schnecke wie dir hat«, sagt er.

Domeniks Wangen färben sich rot. »Ach nein? Wir werden ja sehen.«

»Lass sie in Ruhe«, sage ich. Leise. Ich muss leise sprechen, weil in meiner Brust ein wütendes Tier brüllt, das sich kaum noch zügeln lässt. Wenn ich mich jetzt gehen lasse, bricht es aus.

Domenik wirft mir nur einen verächtlichen Blick zu. Dann greift er sich eine Handvoll Sand und hebt ab.

»Der ist schlimmer als eine Eiterbeule.« Yorik schüttelt sich angewidert.

Ich nicke nur. Der Ausdruck in Domeniks Augen geht mir nicht aus dem Kopf. »Lass uns zurückfliegen.«

Eine Minute später sind wir auf der Insel und kurz nach uns auch der tropfnasse Sean. Hadding murrt zufrieden und erläutert die nächste Aufgabe. »Stellt euch Folgendes vor: Erdbeben erschüttern die Westküste Amerikas. Millionenmetropolen und zig Kleinstädte sind zerstört, Lava tritt aus Erdspalten aus und die Straßen sind nur noch Schutt und Asche. Ihr müsst mit den Vögeln die Überlebenden rausholen, und zwar schnell. Mit jeder Minute, die vergeht, sterben Menschen. Klar?«

»Wie sieht der Übungsparcours aus?«, fragt Susan.

»Ihr müsst durch ein Labyrinth aus Ruinen, also müsst ihr eure Tiere schnell und auf engstem Raum wenden. Gleichzeitig brennt es, Gaslecks explodieren und es hagelt Schutt und Asche. In all dem Chaos müsst ihr die Ruhe selbst sein, damit eure Tiere euch gehorchen. Die Professoren Alator, Robinson und ich haben für diesen Zweck eigens eine kleine Arena erstellt.« Der Professor deutet auf eine Reihe Felsen weiter draußen im Meer, die wie Finger aus dem Wasser ragen.

»Ich sehe keine Arena«, flüstert Yorik mir zu. »Du?«

Ich schüttle den Kopf. Da ist nur der Ozean, dunkel, lauernd. Ein paar kleine Motorboote warten am Rand der Strecke.

»Im Prinzip ist es einfach. Auf jedem Felsen gibt es einen Dummie, der in Größe und Gewicht einem Erwachsenen entspricht. Der am schwierigsten zu Rettende ist zehn Punkte wert. Ihr müsst entweder landen oder ihn in der Luft stehend zu euch ziehen. Danach bringt ihr ihn zurück. Der Schnellste bekommt zehn Punkte obendrauf, alle Folgenden jeweils einen Punkt weniger.«

Zwanzig Punkte also maximal. Zwanzig. Nach dem Desaster im Dschungel müssen wir die holen, vor allem ich muss endlich Boden gutmachen. Nina ist die klare Favoritin, ich konzentriere mich also auf Platz zwei und rufe mir die Lektionen Nakomas in Erinnerung, die mir geholfen haben, die Funken zu vertreiben. Ich atme, fokussiere mich, entspanne, atme, visualisiere das Positive, das Gute, das Ruhende, die Kraft und die Stärke.

Hadding gibt uns zwei Sekunden, dann ertönt das Startsignal und sechzehn Donnervögel heben in einem wilden Haufen ab. Die Flugmuskeln meines Tieres arbeiten und werfen mich wieder fast ab. Dann fliegen wir. Nein, wir rasen wie abgeschossene Pfeile auf das Ziel zu. Wind zerrt an meiner Kleidung und treibt mir Wasser in die Augen.

Der dichte Pulk entzerrt sich, je näher die Fingerfelsen kommen. Susan sehe ich nicht mehr, doch Yorik ist rechts von mir auf gleicher Höhe. Nina hat sich locker an die Spitze des Feldes gesetzt.

Dann schießen plötzlich Wasserfontänen aus dem Meer wie Geysire. Ich zucke und mein Vogel scheut. Nach einer Schrecksekunde fange ich mich. Atmen, visualisieren, fokussieren. Es ist knapp, doch ich bleibe auf dem Rücken und wir steigen wieder und fliegen rechts und links an weiteren Fontänen vorbei wie Skifahrer beim Slalom.

Etliche Reiter sind inzwischen im Wasser und werden von den Mannschaften in den Booten herausgezogen. Ich konzentriere mich auf die Ausweichmanöver und mein Vogel legt sich in die Kurve. Wieder und wieder werde ich herumgeschleudert, klammere mich fest und bin in Gedanken in Nakomas Raum. Stille, Ruhe, Licht. Dann sind wir durch. Ich spüre wilde Freude und augenblicklich steigert der Donnervogel sein Tempo noch einmal.

Einen Herzschlag später explodiert die Luft vor uns und ein kreischendes Inferno bricht los. Panik und Entsetzen fluten mich, und mein Vogel scheut erneut. Doch dann erkenne ich die Illusion, die Hologrammtechnologie und fange mich.

Es ist verdammt gut gemacht: Brennende Hochhäuser erscheinen aus dem Nichts und versperren uns den Weg. Sie lodern wie Fackeln, schwarzer Rauch quillt aus den Fenstern. Einige neigen sich bedrohlich in die schmalen Schluchten zwischen den Gebäuden. Eine Detonation lässt die Luft erzittern und ein tonnenschwerer Stahlträger senkt sich direkt vor uns. *Runter*, denke ich mit rasendem Herzen und mein Vogel gehorcht. Wir sausen unter dem tödlichen Geschoss hindurch und ich stoße den angehaltenen Atem aus. Ich weiß, es sind nur Illusionen, aber sie wirken so wahnsinnig *real*.

Die Felsen kommen in Sicht. Nina ist weit voraus. Sie steuert das am schwersten zu erreichende Ziel am Ende des Parcours an, wo mit Sicherheit der höchstdotierte Dummie liegt. Ihr Mut und ihr Geschick mit dem Donnervogel sind bewundernswert.

Ich entdecke einen Dummie mit einer großen, schreiend roten NEUN auf einem näher gelegenen Felsen und fliege hin. Mein Vogel bleibt in der Luft stehen und ich ziehe die Puppe zu mir. Mit einer Hand halte ich sie fest und vergrabe die andere wieder in den Nackenschuppen.

Dann sehe ich Domenik, zwei Felsen rechts von mir. Er hat ebenfalls einen Dummie auf seinem Tier, doch er bereitet sich augenscheinlich nicht auf den Rückflug vor. Er sieht Nina nach, dann lässt er langsam seinen Dummie zurück auf den Boden gleiten und positioniert sich mit seinem Vogel in einer Halteposition hinter dem Felsen.

Er lauert ihr auf! Wut setzt meine Nerven in Brand und augenblicklich scheut mein Vogel. Ich zwinge mich zur Ruhe und streiche ihm sacht über die glatten Schuppen.

Wir beruhigen uns. Hoffentlich nicht zu spät. »Flieg, so schnell du kannst«, raune ich ihm zu und wir rauschen davon. Der Wind brennt wie Sand in meinen Augen und schleudert mir Salzwasser ins Gesicht, doch ich spüre es kaum. Ich blende alles aus, konzentriere mich ganz auf den Weg, der vor mir liegt.

Hadding hat die Illusionen verstärkt. Lavabecken explodieren neben und vor uns und erschrecken die Vögel. Sie wissen nicht, dass es nicht echt ist, allein das Vertrauen zu ihren Reitern kann sie durch das Inferno bringen. Ich gebe alles in unsere Verbindung, um meinem Tier Ruhe und Zuversicht zu vermitteln.

Irgendwie reicht es und wir kommen auf Domeniks Höhe. Er entdeckt uns neben sich, einen Wimpernschlag lang spiegelt sich Furcht in seinen Zügen, dann zieht er die Augenbrauen zusammen und ein grimmiger Ausdruck erscheint in seinem Gesicht.

»Du schon wieder«, ätzt er.

»Was ist los, noch keinen Dummie geholt? Ist das hier etwa zu schwer für dich?« Das ist bewusste Provokation, meine Wut und meinen Ärger verschließe ich ganz tief in mir. Dennoch wird mein Vogel nervös, ich spüre es.

»Ich geb mich eben nicht mit dem Baby-Dummie ab«, gibt Domenik zurück. Seine Augen blitzen boshaft.

»Was ist los? Angst, abzustürzen?«

»Ich hab vor gar nichts Angst, du Ratte.«

Aus den Augenwinkeln sehe ich Nina zurückkehren. Sie hat den wertvollen Zehn-Punkte-Dummie bei sich. Mein Herz macht einen Sprung. Sie ist unglaublich. Ich lasse nicht zu, dass Domenik ihr den Sieg nimmt.

»Ach ja? Dann zeig's doch.« Ich lenke meinen Vogel provozierend nahe an Domeniks heran, hebe den Arm meines Dummies und winke ihm damit zu. »Der ist neun Punkte wert«, höhne ich.

In Domeniks Blick brennt jetzt purer Hass. Wie er seinen Vogel ruhig halten kann, ist mir ein Rätsel, doch anscheinend verstehen sich die beiden ausgezeichnet.

»Schwirr ab«, knurrt er.

»Vergiss es.« Langsam hebe ich meinen Dummie hoch. »Ich bring den jetzt zu Hadding, Loser.« Endlich ist Nina vorbei und ich sende meinem Vogel einen einzigen klaren Gedanken: *Flieh*.

Im gleichen Moment hetzt Domenik sein Tier mit einem wilden Aufschrei auf uns. Mein Donnervogel lässt sich wie ein Stein fallen, mein Magen macht einen Satz und ich kralle mich in den Schuppen fest. Dann fliegen wir eine enge Wende und steuern in irrem Tempo den Zielfelsen an. Wie Raketen schießen wir durch den Himmel. Der

Wind lässt meine Augen tränen, sodass die Welt um mich herum zu blassen Schemen verschwimmt.

Domenik taucht an meiner rechten Seite auf. Eine Wasserfontäne zischt vor uns und er nutzt den Moment, um uns abzudrängen. Wir trudeln, ich kämpfe um mein Gleichgewicht und finde es schließlich wieder. Ein feiner Sprühregen benetzt meine Haut und die Schuppen meines Vogels. Das sind keine Illusionen mehr! Adrenalin rauscht durch meine Adern. Hadding hat die Spielregeln geändert. Schlimmer noch: Domenik ist nirgendwo zu sehen.

Bei der nächsten Fontäne muss ich nach links ausweichen, doch plötzlich ist Domenik da und versperrt den Weg. Wir rasen auf das Wasserhindernis zu. Ich versuche, die Höhe zu ändern, doch Domenik klebt wie Kaugummi an meiner Seite und kommt immer näher.

Als er uns berührt, scheut mein Vogel. Ein ohrenbetäubendes Kreischen lässt die Luft erzittern und ich finde keinen Halt mehr. Ich spüre noch, wie der Dummie von mir weggezogen wird, dann stürze ich fluchend ins Meer.

Der Aufprall presst mir die Luft aus den Lungen. Warmes Wasser schlägt über mir zusammen und blendet den Lärm des Infernoparcours schlagartig aus. Mit zwei kräftigen Beinschlägen komme ich wieder an die Oberfläche, kann jedoch nur noch zusehen, wie Domenik auf dem Zielfelsen landet.

Dann ist auch schon ein Motorboot da und ich werde an Bord geholt, bevor die Haie mich fressen. Auf der Rückfahrt tropfe ich vor mich hin und ärgere mich, die Kontrolle verloren zu haben. Doch ein kleiner Sieg bleibt: Ich habe Nina vor Domenik beschützt.

14

IM BIOZENTRUM

Am nächsten Morgen bleibt Professor Robinsons Platz am Tisch der Lehrer leer. Ist es so weit? Haben sie die Liste entschlüsselt? Stellen Robinson und die Custoren Savant eine Falle? Oder tappen sie gerade selbst hinein? Nachdenklich kaue ich meine Pfannkuchen mit Ahornsirup, während Yorik einen Berg Schokocroissants verschlingt.

Nach dem Frühstück schließen wir uns achtzehn anderen Schülern an, die über den Baumwipfelpfad zum zwei Kilometer entfernten Biozentrum trotten.

Der Pfad, eine Mischung aus Holzsteg und Seilbrücke, führt in gerader Linie über das Kronendach des Dschungels hinweg, sechzig Meter über dem Boden. Auf den schwankenden Brettern bekommt man ein leicht schwindeliges Gefühl, aber ich genieße den fantastischen Blick auf die grüne Wildnis. Es ist ähnlich, wie aus einem Flugzeug eine Wolkendecke von oben statt von unten zu betrachten.

Am Ende des Pfades liegt eine kleine Lichtung und in deren Mitte die gläserne Schildkröte. Sie ist vier Stockwerke hoch und fasst Lehrsäle, unzählige Labors und Gewächshäuser, sogar einen kleinen Hangar mit eigenem Helikopter. Die Fassade ist bedeckt von Solarzellen, die den gewaltigen Energiehunger der Anlage stillen.

Wir betreten das Foyer. Es ist lichtdurchflutet und nimmt die gesamte vordere Hälfte des Erdgeschosses ein. Linker Hand geht es zu den Labors, Gewächshäusern und Übungsräumen. Professor Aloés Abteilung liegt im vierten Stock, doch zunächst müssen wir den Einführungsvortrag über uns ergehen lassen.

Der Eingang zum Hörsaal befindet sich am hinteren Ende der Halle. Im krassen Gegensatz zum futuristischen Stil des Gebäudes ist er in traditionellem Universitätsstil gebaut und der einzige Raum, der durch normale Türen mit Klinken betreten wird. Alle anderen Zimmer sind mit automatischen Schiebetüren ausgestattet.

Der Saal selbst ist ein sanft abfallendes Oval und bietet Platz für fünfhundert Schüler. Zwanzig fest montierte, geschwungene Tischreihen folgen dem Gefälle des Raums von den Türen am oberen Ende bis zum Podium ganz unten über ebenso viele Stufen. Zwei Gänge rechts und links der Sitzreihen führen zur Rednerfläche. Professor Aloé, die wissenschaftliche Leiterin des Biozentrums, ist bereits da und breitet ihre Unterlagen auf einem zehn Meter breiten Pult aus. Hinter ihr befindet sich eine zehn mal zwanzig Meter große Leinwand.

Wir sitzen in den ersten zwei Reihen in der Mitte, denn Aloé besteht darauf, dass sich niemand in den Tiefen des Saals versteckt. Sie ist klein und schlank, beinahe zierlich und wirkt in ihrem langen weißen Laborkittel etwas verloren. Ihre alabasterfarbene Haut hebt sich kaum davon ab. Vielleicht färbt sie deshalb ihre Haare rot. Sie ist Französin und die einzige Professorin, die auffallend auf Chic achtet: Stets wählt sie Schmuck in der Farbe ihrer Augen (jadegrün), lackiert ihre Fingernägel passend zu ihrem Lippenstift (weinrot) und trägt elegante Schuhe mit hohen Absätzen.

»Heute beginnen wir mit dem Kapitel der Virologie, meine sehr verehrten Damen und Herren.« Sie blinzelt in Richtung der Leinwand und der schematische Bauplan eines Virus erscheint. »O'Leary, wie vermehren sich Viren?«

Sean beginnt zu schwitzen und grinst verlegen. Offensichtlich hat er das Skript nicht gelesen. »Äh, also ich denke, sie gehen erst mal einen Kaffee trinken oder in einen Pub oder so, und dann, äh …«

Lautes Gelächter füllt den Hörsaal. Aloé verdreht die Augen und wendet sich seufzend der Abbildung auf der Leinwand zu.

»Viren sind in der Lage, in Zellen einzudringen und diese so umzuprogrammieren, dass sie Kopien des Virus herstellen. Die Wirtszellen produzieren dabei so viele neue Exemplare, dass sie schließlich platzen. Wie all diejenigen unter Ihnen, die ihre Hausaufgaben gemacht haben, wissen, versuchen Wissenschaftler auf der ganzen Welt, diese Eigenschaft von Viren gezielt gegen Krebs einzusetzen. Stellen Sie sich nur einmal vor: Ein Virus, der nur Krebszellen angreift, in sie eindringt und sie umprogrammiert, sodass sie Milliarden weiterer Viren produzieren und sich dabei selbst zerstören. Gelingt uns das, können wir alle Krebserkrankungen mit einer einzigen Spritze heilen.«

In Aloé flackert ein Feuer, während sie spricht. Ich werde von ihrer Begeisterung angesteckt. Eine einfache Spritze, das ist unglaublich, aber irgendwie auch ...

»Voll *Star Trek*, Mann«, flüstert Yorik neben mir. Ich nicke. Für einen Moment vergesse ich sogar Savant und dessen finstere Pläne.

»Doch seit der Corona-Pandemie haben wir unseren Forschungsschwerpunkt verlagert: Wir entwickeln nun auch Impfstoffe gegen Viren, die potenziell für Bioterrorismus eingesetzt werden können. Damit wir einer terroristischen Bedrohung immer einen Schritt voraus sind.«

»Welche Viren sind das?«, fragt Susan. Sie sitzt schräg vor mir, sodass ich ihre Mitschrift einsehen kann, die tadellos ist, wie immer. Susan hat sogar den Vermehrungszyklus vollständig abgezeichnet. Wie machen Mädchen das nur? Haben die irgendein Gen für Feinmotorik, das uns fehlt?

»Mutationen und Kreuzungen der tödlichsten und ansteckendsten Viren, die Sie auf dem Globus finden«, antwortet Aloé. »Coronaviren, HIV, Pest, Ebola. Jeder für sich ist erforscht und es existieren Impfstoffe oder Medikamente. Auch wenn sie im Einzelfall gefährlich sind und einige wie HIV noch nicht heilbar, so stellen sie immerhin keine globale Bedrohung mehr dar. Sollte es jedoch einer Gruppe von Terroristen gelingen, neue Kombinationen aus diesen Stämmen zu züchten, dann hätten wir dem nichts entgegenzusetzen. Gar nichts.« Aloé lässt ihre Worte ein paar Sekunden lang wirken. »Unsere Abteilung arbeitet daran, dass das nicht passiert.«

Sean meldet sich. »Braucht man zur Entwicklung von Impfstoffen nicht eine Probe des Virusstammes? Ich meine, sollten Terroristen neue Krankheitserreger züchten, stellen sie uns die bestimmt nicht vorab zur Verfügung, bevor sie sie einsetzen.«

»Natürlich nicht. Wir müssen ihnen immer einen Schritt voraus sein.«

»Heißt das, Sie stellen selbst neue Virusmutanten her?«

»Selbstverständlich, nur so können wir die Impfstoffe generieren, die im Ernstfall Leben retten. Denken Sie an COVID-19: Es hat Monate gedauert, bis die ersten Impfstoffdosen geliefert wurden, und es war pures Glück, dass die Krankheit auch ohne Impfung in neunzig Prozent der Fälle relativ mild verlief. Der Anteil der Verstorbenen lag weit unter zehn Prozent. Aber stellen Sie sich vor, eine militante Gruppe schafft es, einen Virus mit viel höherer Letalität mit einem stark ansteckenden Erreger wie SARS-CoV-2 zu kreuzen und auf die Menschheit loszulassen – dann haben wir maximal acht Wochen, um den Impfstoff global zu verteilen. Nicht annähernd genug Zeit für die Entwicklung. Die Welt könnte auf eine solche Bedrohung nur mit totaler Unterwerfung reagieren. Nein, wir müssen zu jeder möglichen Kombination von Virenstämmen Impfstoffe parat haben.«

»Dann züchten Sie globale Killer? Hier?«

»Fällt Ihnen ein besserer Ort dafür ein?«

Schweigen.

»Wir lagern sie aber natürlich nur temporär. Nach Entwicklung der Impfstoffe werden die Viren vernichtet und das Vakzin wird bei Bedarf synthetisch vervielfältigt. Dank der mRNA-Technologie geht das im Ernstfall schnell genug und wir könnten es sogar durch Austausch einzelner RNA-Bausteine im Labor an ähnliche Varianten, die wir nicht selbst hergestellt haben, anpassen.«

Temporär – diese Aussage beruhigt nicht sonderlich. »Welche Viren lagern derzeit in den Labors?«, frage ich.

»Ein paar Kreuzungen der Viren, die ich Ihnen zuvor genannt habe, knapp zwanzig, darunter ein sehr besorgniserregender Stamm, sollten wir nicht darauf vorbereitet sein: eine Kreuzung des Ebolavirus und der Corona-Variante Omikron.«

»*DIE* Omikron-Variante? Die so ansteckend ist?«

»Sobald sie freigesetzt wird, ja. Aber das wird sie nicht. Wir haben eine Reihe von Sicherheitsvorkehrungen, die das verhindern. Zudem vernichten wir alle Viren restlos, wenn wir mit der Entwicklung des Impfstoffes fertig sind, also in diesem Fall in etwa vier Wochen. Bis es so weit ist, haben Sie die einmalige Gelegenheit, bei der Erforschung des Virus zu assistieren.«

»Ist Ebola nicht tödlich?«, frage ich. Ich erinnere mich an Bilder aus diesem Film mit Dustin Hoffman, aber auch aus den Nachrichten. Menschen, die an Fieber, Flüssigkeitsverlust und multiplen Blutungen sterben.

»Ebola hat eine Sterberate von bis zu neunzig Prozent«, fällt Susan ein. Nur eine minimale Falte auf ihrer Stirn verrät ihre Besorgnis.

»Das stimmt.« Aloé wendet sich ihr zu. »Ebola ist hochinfektiös und nicht effektiv behandelbar. Umso wichtiger, dass wir Impfstoffe gegen alle möglichen Mutationen dieses Virus herstellen, bevor Kriminelle ihn als Druckmittel einsetzen.«

»Und wie verhindern Sie, dass diese Viren in die falschen Hände geraten?«

»Der beste Schutz ist natürlich unsere Geheimhaltung. Niemand kennt uns, niemand weiß, was wir tun.«

»Ach ja? Was ist mit Savant?«, frage ich.

»Hier einzudringen ist für Savant völlig uninteressant. Zum einen weiß er, dass wir ihn jagen, ihm Fallen stellen und er gegen die vereinte Macht von Professoren und Custoren nicht ankommt. Zurück auf die Insel zu kommen, wäre Wahnsinn, das Risiko, in eine Falle zu tappen, viel zu hoch.

Außerdem haben wir strengere Sicherheitsvorkehrungen als jedes andere Labor auf dem Planeten. Dazu gehört auch, dass wir beim versuchten Eindringen von Terroristen die Viren sofort vernichten. Auch das weiß Savant. Um die Insel herum ist ein Schutzschild gespannt, ein technisches Warnsystem, das pausenlos Himmel und Wasser im Umkreis von hundert Meilen scannt. Es meldet jedes Stück Treibholz und jeden Vogel, der sich der Insel nähert. Ein eigenes Team von Wachleuten geht sämtlichen Aktivitäten nach.«

»Technik kann versagen«, wirft Susan ein.

»Sie haben recht. Unser System wird erst durch die menschlichen PSI-Talente unüberwindbar. Sie würden Savant aufspüren, selbst wenn es ihm gelingt, die Technik zu umgehen. Glauben Sie mir, er kommt nicht einmal in die Nähe unserer Viren.«

Ich kann ihrer Logik folgen. Nakoma kann Savants Annäherung spüren und das Labor warnen. Sie vernichten den Virus, während Savant vielleicht sogar gefangen wird. Die PSI-Fähigkeiten der Custoren kenne ich noch nicht einmal, aber sicher hat Savant keine stärkeren Talente, wenn er sie erst seit einem Jahr ausbildet. Mag sein, dass er ziemlich viel kann, aber auch er ist nur ein Mensch. Aloé ist sich ihrer Sache wohl zu Recht sicher.

»Noch Fragen?«, will sie wissen, und als alle schweigen, fährt sie fort: »Gut, dann folgen Sie mir zu den Labors.«

Wir gehen einen Flur entlang, der alle zwanzig Meter einen leichten Knick macht, sodass wir die Eingangshalle bald aus dem Blick verlieren.

Im Erdgeschoss befinden sich neben dem Hörsaal mehrere Kursräume und Übungslabors. Durch ein zentrales Treppenhaus erreicht man den ersten Stock, in dem die Gewächshäuser untergebracht sind, sowie die zweite Etage mit den Labors und Arbeitsräumen der Botaniker. Der dritte Stock ist das Reich der Genetiker, Zoologen und Zellbiologen. Die medizinische Forschung, also Aloés Herzstück, liegt im vierten Stock.

Aloé führt uns an den Treppen vorbei zu einem Personenaufzug. Sie fischt eine Magnetkarte aus einer der Taschen ihres Laborkittels, steckt sie in den Schlitz neben der Tür und tippt eine vierstellige Ziffernfolge in das Tastenfeld daneben. Ein schmaler Leuchtstreifen über der Tür wechselt von Signalrot zu einem einladenden Grün und die Metalltür gleitet geräuschlos beiseite.

Der Fahrstuhl bietet Platz für alle zwanzig Schüler. Die Tür schließt sich und ein Gefühl, als würde mein Magen angehoben, verrät, dass wir nach unten fahren. Nach unten. Ich habe noch nie von einem unteren Stockwerk gehört.

»Sie haben inzwischen vier Sicherheitsvorkehrungen passiert. Unbefugte kommen nicht einmal in die Nähe dieses Fahrstuhls«, sagt Aloé.

Ich stelle mich neben Susan. »Weiß du, was sie meint?«

Susan grinst. »Könnte sein.«

»Sag schon.«

»Winzige Kameras in den Wänden zeichnen jede Person auf, die sich dem Aufzug nähert. Eine Gesichtserkennungssoftware gleicht sie mit den gespeicherten Bildern derjenigen ab, die eine Zugangsberechtigung haben. Betritt jemand ohne Berechtigung den Gang, werden die Labors abgeriegelt und ein stummer Alarm wird ausgelöst. Sowohl hier als auch in der Akademie und bei drei Teams von Custoren außerhalb der Insel. Niemand betritt diesen Bereich ohne ihr Wissen.«

»Aber Savant hat die Insel mit aufgebaut. Bestimmt auch das Sicherheitssystem. Ist es nicht möglich, dass er es schafft, einzudringen?«

»Klar ist das möglich. Daher wurde das gesamte System geändert. Es hat Monate gedauert, aber sein Vorteil ist damit weg. Zudem ist das System von der Außenwelt isoliert. Er müsste schon direkt auf der Insel sein, um sich einhacken zu können. Wenn er es versucht, schnappen wir ihn.«

Klingt gut. Aber unter der Haut in meinem Nacken kribbelt es.

Der Fahrstuhl entlässt uns in einen weiteren Gang. Boden und Decke bestehen hier aus einer Art gläsernem Kunststoffharz, das in Isolierstationsweiß glänzt. Eine Reihe rechteckiger Leuchtpaneele, die zu beiden Seiten eingelassen sind, verbreiten taghelles Licht. Die Wände sind aus schwarzglänzendem, verspiegeltem Glas. Die Architektur erinnert an ein Raumschiff und ich habe zudem das Gefühl, aus den dahinterliegenden Räumen beobachtet zu werden.

Das Stakkatoklicken von Aloés Absätzen hallt durch den Gang. Wir passieren zwei Kreuzungen, an denen kleinere Quergänge abzweigen, und biegen an der dritten nach rechts ab. Kurze Zeit später stehen wir vor einer mattgrauen Schwelle, die sich über den Boden, die Decke und beide Wände erstreckt. Sie ragt etwa zehn Zentimeter aus der Wand- und Deckenverkleidung in den Gang hinein. Darin sind eisblau leuchtende Lichtleisten eingebettet, die ein kaum sichtbares Flirren in der Luft erzeugen.

Aloé benutzt erneut ihre Magnetkarte und drückt ihren Zeigefinger auf ein Touchpad, das aus der Wand fährt. Das blaue Licht erlischt und die Luft vor uns blitzt kurz auf. Das Flirren jedoch ist verschwunden. Aloé hat ein Kraftfeld deaktiviert.

Sie wartet, bis auch der letzte Schüler die Schwelle passiert hat, dann aktiviert sie es wieder.

»Der Sicherheitscode und die Magnetkarte sind jeweils 24 Stunden gültig, für die tägliche Erneuerung braucht man die Authentifizierung zweier Sicherheitsleute mit der höchsten Geheimhaltungsstufe«, flüstert Susan mir zu.

Ich gebe zu, die Sicherheitsvorkehrungen sind wirklich gut. Dennoch, der Virus könnte sich bei Freisetzung über die Luft verbreiten und innerhalb weniger Wochen alle Menschen auf dem Globus infizieren. Da der Impfstoff noch in der Entwicklung ist, könnte er niemals rechtzeitig verteilt werden. Neunzig Prozent der Weltbevölkerung würden die Krankheit nicht überleben, der Rest geht am Zusammenbruch der Systeme zugrunde. Nichts funktioniert mehr, die Überlebenden sterben an anderen Krankheiten oder dem psychischen Schock.

Wir stehen vor zwei großen, verchromten Schiebetüren. Die Stille ist drückend. Niemand flüstert, niemand raschelt. Zwanzig Teenager auf einem Haufen und man kann jeden einzelnen Atemzug hören. Erneut tippt Aloé ihren Geheimcode ein und benutzt ihre Magnetkarte, dann gleiten die Türen beiseite.

Gleißendes Licht verschluckt uns. Wir sind jetzt in einem achteckigen Raum, an dessen Wänden kanariengelbe Schutzanzüge hängen. Ich kenne so etwas aus den Nachrichten, Spezialeinheiten der Seuchenbekämpfung tragen das. Mit einem mulmigen Gefühl ziehe ich meinen Anzug an, setze den Helm mit dem Plexiglasvisier auf, streife die Handschuhe über und schließe die Verbindungsschellen.

»Dieser Anzug ist Ihre Lebensversicherung.« Aloés Stimme dringt über ein Kommunikationssystem leicht verzerrt direkt in den Helm. »Also achten Sie darauf, dass er richtig sitzt. Überprüfen Sie alles zweimal. Sollten Sie in Kontakt mit dem Virus kommen, erkranken Sie nach einer Inkubationszeit von etwa acht bis zehn Stunden. Zunächst bekommen Sie Fieber, alle Anzeichen einer Grippe, dann treten innere Blutungen auf. Es folgen Erbrechen, Delirium, Krämpfe und schließlich der Tod.«

Ich kann es kaum glauben, aber es wird noch stiller. Ich kann meinen Herzschlag hören. Zu laut, zu schnell.

»Äh, also, und wir gehen da jetzt rein, ja?« Zum ersten Mal überhaupt klingt Yoriks Ton nicht scherzend. Ich erkenne seine Stimme kaum.

»Keine Sorge, wenn Sie Ihr Skript gelesen haben, dann wissen Sie alles über sichere Arbeitstechniken. Dann stecken Sie sich auch nicht an.« Aloés Stimme klingt kühl, doch ihre Augen funkeln belustigt.

Sean wird schon wieder grün im Gesicht. »Äh, kann man auch erst mal zugucken?«

Aloé schüttelt den Kopf. »Wir müssen zusammenbleiben.« Sie geht zur rechten von zwei Durchgangsschleusen, einer grauen Kammer, die gerade genug Platz für die Gruppe bietet. Die Schleuse ist ein Unterdrucksicherheitssystem, das verhindert, dass Viren aus dem Labor entweichen können.

»Voilà. Hinter dieser Tür befindet er sich: Ebola-CoV-Omikron.« Sie macht keinerlei Anstalten, die Tür zu öffnen. »Wie gesagt, die Sicherheitsvorkehrungen sind so gut, wie sie nur sein können. Die elektronischen Sperren sind auf Zugangscodes und Fingerabdrücke einer Handvoll Mitarbeiter eingerichtet. Iris-Scanner schützen den inneren Sicherheitsring. Das Labor selbst kann nur von mir geöffnet werden und ich bin die einzige Person, die es betritt.« Ihr Blick streift Sean für eine Millisekunde. Sie grinst. »Auf keinen Fall lasse ich eine Handvoll Schüler in diesen Raum.«

Sean stöhnt und sinkt erleichtert gegen die Wand. Eine Reihe von Seufzern, hysterisches Lachen und nervöses Gebrabbel dringt durch das Kommunikationssystem. Ich selbst habe das Gefühl, als würde ein ganzer Fels von meinen Schultern genommen. Aloé führt uns in das andere Labor, wo wir den restlichen Tag über Arbeitstechniken einüben. Doch das Kribbeln lässt mich nicht mehr los.

15

ALARM

In der folgenden Nacht träume ich von sterbenden Menschen auf Isolierstationen, Schlangen von Krankenwagen vor überfüllten Notaufnahmen und bürgerkriegsähnlichen Zuständen in den Städten. Ebola überall. Nur ich lebe. Ich will helfen, doch jeder, den ich berühre, stirbt durch einen Schauer roter Funken, die aus meinen Händen schießen. Ich erwache weit vor Sonnenaufgang, schweißgebadet und zitternd. Als Yorik und ich am Morgen zum Pavillon aufbrechen, fühle ich mich elender als je zuvor.

Zähe Nebelschwaden kriechen über den Boden wie Überreste meiner Albträume. Das Summen und Zirpen von Milliarden Insekten dringt gedämpft durch den Nebel, dazu das aufgeregte Zwitschern und Pfeifen der Paradiesvögel. Doch sie klingen anders als sonst, als würde irgendetwas sie nervös machen.

Im Pavillon selbst herrscht eine für diese Zeit untypische Stille. Leises Flüstern ersetzt das ausgelassene Lachen und Klappern. Ich sehe in betretene Gesichter. Sorge, Anspannung, Angst. Dann erkenne ich den Grund: Der Tisch der Lehrer ist komplett leer. Kein einziger Professor ist da. Das gab es noch nie.

»Was hat das zu bedeuten?«, flüstere ich.

Yorik sieht sich stirnrunzelnd um. »Nichts Gutes.«

Ich sehe, wie die anderen leise tuscheln, den Kopf schütteln oder hilflos die Schultern heben. Anscheinend weiß niemand, was los ist. Als Cooks aus der Küche kommt, verstummen alle. Er sieht aus, als hätte er einen Schlag in den Magen bekommen. Seine Haut hat die Farbe von Asche und er geht gebeugt, als würde ein Gewicht ihn niederdrücken. Langsam steigt er auf den Lehrertisch.

Alle Augen sind auf ihn gerichtet.

Cooks räuspert sich. »Ich muss eine Mitteilung machen.« Laut und klar schallen die Worte durch den Pavillon. »Vor zwei Stunden hat uns eine beunruhigende Nachricht von einem Custoren-Team erreicht. Es ist ihnen gelungen, unseren ehemaligen Professor Asker Savant aufzuspüren …«

Aufgeregtes Gemurmel. Irgendjemand klatscht. Vereinzelte »Yes«-Rufe, gefolgt von »Still, du Idiot« irgendwo hinter uns. Ich kann mich nicht freuen. Irgendetwas muss dabei schiefgelaufen sein. Warum sonst sieht Cooks aus, als wäre unser aller Tod nahe?

Cooks hebt beide Hände, um für Ruhe zu sorgen. »Wie es scheint, gerade zur rechten Zeit. Sie haben konkrete Informationen zu dem Anschlag, den Savant plant. Es ist ein Terrorakt, wie ihn die Welt noch nie gesehn hat. Was er vorhat, wird den halben Planeten zerstören.«

Mir wird heiß. Das Einzige, was ich denken kann, ist *nein, nein, nein*. Immer wieder, in Endlosschleife. Ich bin noch nicht bereit. Ich suche in Cooks' Gesicht nach einem Anzeichen, dass ich mich verhört habe, aber seine Miene bestätigt seine Worte. Anspannung, Ernsthaftigkeit, Angst, die er zu verbergen versucht.

Die Schüler reden nun alle durcheinander. Wieder hebt Cooks die Arme, um für Ruhe zu sorgen. Diesmal dauert es länger, bis er weitersprechen kann. »Wir müssen annehmen, dass er die Atomraketen der Vereinigten Staaten von Amerika in seinen Besitz bringen und noch heute abfeuern wird. Alle Professoren, ausgenommen Aloé, die hier gebraucht wird, haben sich den Custoren angeschlossen. Sie brauchen jeden Mann und jede Frau, um Savant aufzuhalten.«

In der folgenden kurzen Pause schwillt das Stimmengemurmel erneut an. Ich sage nichts. Ich fühle mich schwindelig. Es hat also bereits begonnen, und ich bin hier, wo ich nichts tun kann.

Ein Zittern der Tischbank zu meiner Rechten reißt mich aus meinen Gedanken. Bin ich das? Ich konzentriere mich auf mein Licht. Rote Funken schießen kreuz und quer, mehr als je zuvor, und schleudern Teile meines Lichts umher. Das muss ich sofort stoppen. Langsam und beherrscht atmend fokussiere ich mich, gehe durch Nakomas Meditation. Die Funken werden weniger, doch es kostet enorme Kraft. Der Tisch steht wieder still.

»Professor Robinson hat Aloé und mir für die Zeit seiner Abwesenheit die Leitung übertragen. Der Unterricht wird für die Dauer dieser Krise ausgesetzt. Ihr alle, Schülerinnen und Schüler, bleibt bis auf Weiteres zu eurem eigenen Schutz in der Akademie und studiert die Notfallpläne für nukleare Zwischenfälle. Wenn die Atomraketen, wie Savant es plant, ihre Ziele finden, wird es zu tektonischen Verschiebungen kommen. Erdbeben, Vulkanausbrüche und Tsunamis zerstören die Infrastruktur, Stromausfälle und atmosphärische Störungen legen die Kommunikation lahm.«

Das Ende der Welt. So wie Savant es angedroht hat.

»Bereitet euch darauf vor, auf euch gestellt zu überleben und Überlebende zu retten. Bildet Übungsgruppen und probt den Ernstfall. Bleibt alle zusammen, in der Schule, im Pavillon und bei Netos Halle. Das ist alles. Viel Glück.«

Dröhnende Stille lastet über dem Pavillon. *Atomraketen, Gott steh uns bei.* Ich denke an meine Eltern, an Maren. Wie kann ich sie warnen? Und wozu? Was könnten sie tun? Wie könnten sie sich davor schützen?

Um mich herum sehe ich versteinerte Mienen, Entsetzen und Fassungslosigkeit. Und ich sehe Nina. Gefolgt von Susan kommt sie schnurstracks auf uns zu. »Kommt mit«, flüstert sie und führt uns zu einem der verwaisten hinteren Tische, wo niemand uns belauschen kann.

»Wir müssen was tun«, beginnt sie.

»Wir könnten wieder ein Team bilden, hat doch super funktioniert letztes Mal«, sagt Yorik und wirft Susan einen herausfordernden Blick zu.

Die legt den Kopf leicht in den Nacken und betrachtet ihn von oben herab. »Solange du dich an die Anweisungen hältst«, meint sie.

»Bitte, könnt ihr euch nicht einmal zusammenreißen«, faucht Nina. »Das hier ist ernst.«

»Hat irgendjemand eine Idee, was wir tun können?«, frage ich.

»Wir müssten erst einmal von der Insel runter«, sagt Yorik.

»Da keiner von uns einen Heli oder einen Jet fliegen kann, ist das so gut wie unmöglich«, meint Nina.

»Donnervögel«, sagt Susan und die Diskussion erstirbt.

»Und wo bitteschön sollen wir damit hinfliegen?« Yorik sieht Susan fragend an.

»Na dorthin, wo Savant uns definitiv nicht haben will«, sagt sie. »Er hält Talente für eine Art überlegene Rasse. Auf keinen Fall würde er riskieren, einen von uns zu töten. Er denkt, wir sind alle hier, in Sicherheit, sodass er uns nach seinem Armageddon abholen kann. Aber was, wenn wir uns auf den Kontinenten verteilen? Wenn wir ihn wissen lassen, dass wir im Zielgebiet sind, dann kann er keinen der Sprengköpfe zünden. Nicht ohne sein Projekt zu gefährden.«

»Bist du da *tod*sicher?«, fragt Yorik scharf.

»Ich bin ziemlich sicher, dass er seinen Angriff zumindest verschieben würde und die Professoren dadurch Zeit gewinnen. Der Plan ist vielleicht nicht perfekt, aber auf dem Weg nach Auckland zum Flughafen können wir daran feilen. Jetzt drängt die Zeit.«

Niemand sagt ein Wort. Stattdessen werden die Gesichter meiner Freunde erst blass, dann weiß. Susan hat diesen abwesenden Ausdruck, wie immer, wenn sie ihre Chancen ausrechnet. Ninas Augen wandeln sich von Blau zu Grau.

Yorik spricht als Erster. »Wir können die Vögel über so eine Strecke nicht kontrollieren.«

Nina schaltet sich ein. »Ihr nicht, aber ich.«

»Wir lassen dich nicht alleine fliegen«, wende ich ein.

»Es gibt eine Möglichkeit«, sagt sie und schließt die Augen. Es scheint, als ringe sie mit sich, und ich wüsste zu gern, was in ihr vorgeht, aber wie immer habe ich keine Ahnung. »Ich kann euch stabilisieren«, sagt sie schließlich.

»Aber selbst wenn das klappt, wie soll Savant erfahren, wo wir sind? Und was hält ihn davon ab, uns einfach einzusammeln und weiterzumachen? Oder doch wegzupusten? Ich meine, vier Talente mehr oder weniger sind vielleicht doch nicht soo wichtig für ihn«, gebe ich zu bedenken.

»Wir wissen, dass Savant die Daten von Kreditkartenfirmen abgreift, oder?«, fragt Susan.

Alle nicken.

»Jan, hast du deine Karte dabei?«, fragt Susan.

Ich nicke.

»Ziemlich sicher hat er seinen Computer darauf angesetzt.«

»Wie kommst du darauf?«, fragt Yorik.

»Weil er es kann und weil er jede Chance nutzen wird, Jan zu bekommen. Überlegt doch mal! Er hat Jan aufgespürt, bevor sein PSI ausgebrochen ist. Die einzige Möglichkeit dazu war Savants Supercomputer. Der muss irgendwie berechnet haben, dass Savant Jan braucht. Warum und wie hätte er sonst *vor* dem Ausbruch da sein können? Der Computer wollte Jan, und nur das zählt für Savant. Wenn wir also mit Jans Karte in Auckland vier Flugtickets kaufen, sagen wir, nach Berlin, nach Washington, Dubai und Tokio – wie lange wird Savant brauchen, um uns aufzuspüren?«

»Er würde uns vermutlich am Zielflughafen abgreifen, sobald wir aussteigen«, sagt Yorik angespannt.

»Das denke ich auch«, sagt Susan.

»Dann sollten wir besser nicht in diesen Fliegern sitzen«, sage ich.

»Natürlich nicht. Wir sollten einfach nur die Chance nutzen, Savant auf die Spur zu kommen. Der Plan hat Lücken, das ist mir klar, aber wir können das schaffen. Wir müssen nur so schnell wie möglich los.«

Susan hat recht, wir müssen an dem Plan noch feilen, aber eine bessere Idee habe ich auch nicht. Dafür das drängende Gefühl, wenigstens *irgendetwas* tun zu müssen.

»Cooks sagt, wir sollen in der Akademie bleiben«, meldet sich Yorik wieder zu Wort.

»Wir sollen uns auf den Ernstfall vorbereiten und auf Erdbeben. Und womit kann man in Erdbebenregionen am schnellsten helfen?«, gebe ich zurück.

»Er hat recht«, sagt Nina. »Wir könnten ganz offiziell zum Donnervogeltraining aufbrechen.«

Susan schüttelt den Kopf. »Dann gehen wir das Risiko ein, dass Cooks es verbietet und uns anschließend so streng bewacht, dass wir keine Chance haben, wegzukommen.«

Ich muss ihr recht geben. »Besser, wir nutzen das Chaos und setzen uns gleich ab. Also, seid ihr dabei?«

Nina und Susan nicken.

»Irgendjemand muss ja auf dich aufpassen«, witzelt Yorik.

Damit ist es beschlossen und zwanzig Minuten später sind wir in Kampfkleidung, mit Messer und Bo unterwegs. Als wir die Ruderboote an der Insel der Donnervögel vertäuen, ist weniger als eine Stunde vergangen.

Frischer Wind setzt die Wasseroberfläche in Bewegung und kräftige Wellen branden gegen den Felsen. Die Luft schmeckt salzig und Gischttropfen kühlen unsere von der Anstrengung erhitzte Haut.

Die Vögel spüren, dass etwas nicht stimmt. Meiner ist unruhig und lässt mich erst beim zweiten Versuch aufsteigen. Er tänzelt nervös von einem Bein aufs andere, dann breitet er die Schwingen aus und schüttelt den Kopf. Ich greife in die warmen Schuppen und klammere mich fest, streiche über seinen Hals, den Rücken, die Flügel. Spüre das Zittern seiner Muskeln und die weichen Federn an den Flügeln. Nach und nach beruhigt er sich, doch er ist angespannt, das merke ich.

»Erst einmal eine Runde zum Aufwärmen«, sagt Nina. »Okay?«

»Dafür ist keine Zeit!« Ich hasse es, dass ich ihr widersprechen muss.

»Wenn wir über offenem Meer abstürzen, werden keine Boote da sein, um uns aufzusammeln«, beharrt Nina. »Wir müssen erst Sicherheit gewinnen, auch wenn es Zeit kostet. Nur Sicherheit und behutsames Vorgehen wird unsere Vögel beruhigen.«

Ich denke an Ninas Flug. Wie sie vom ersten Moment an ihr Tier verstanden hat. Wie sie geflogen ist, als hätte sie nie etwas anderes gemacht. Ich wäre ein Idiot, wenn ich nicht auf sie höre.

Ich nicke. »Dann einmal um die Felsen, jeder in seinem Tempo.«

Susan und Yorik packen die aufgerichteten Halsschuppen ihrer Vögel. Dann heben sie ab. Gewaltige Schwingen, blau und schneeweiß, wirbeln die Luft auf und werfen uns fast um.

Nina ist noch da, direkt neben mir. Sie sieht mich an und das Grau ihrer Augen weicht dem Blau eines unendlichen Ozeans. »Denk nicht an Savant, wenn wir fliegen, sondern an die, die wir retten werden.« Dann hebt auch sie ab. Ich folge ihr eine Millisekunde später.

Sofort zerrt der Wind an meinen Haaren und mein Shirt flattert um meinen Oberkörper. Unter mir bewegen sich gewaltige Muskeln im Rhythmus des Flügelschlages meines Vogels und ich spüre seine Erleichterung, weil er endlich etwas tun darf.

Wir fliegen knapp über der Wasseroberfläche, dann steigen wir höher, machen eine enge Wendung nach rechts, dann nach links. Immer wieder scheut mein Vogel und ich muss mich mit Händen und Beinen festklammern, um nicht abgeworfen zu werden. Als ich mich auf mein Licht konzentriere, wird mir klar, was das Tier stört. Die roten Funken sind noch da, und es sind viele.

Wir jagen weiter durch den Himmel, und ich versuche, gleichzeitig zu meditieren und zu fliegen. Ich bin so in mich versunken, dass ich den Felsen der Donnervogelkolonie zu spät entdecke. Wir können nicht mehr ausweichen, also legt mein Vogel die Flügel an und taucht mit einem Schrei, der die Luft erzittern lässt, unter dem steinernen Torbogen hindurch.

Mein Herz jagt und ich drehe mich ungläubig um. Hinter mir macht Nina unser Manöver nach. Doch sie ist viel näher dran. Im Flug richtet sie sich auf und berührt die Felsendecke. Sie ist unglaublich.

Nach zwei weiteren Schleifen winkt Nina uns zu sich. Wir fliegen an ihrer Seite, etwa zwanzig Meter über der Wasseroberfläche. »Wir versuchen es jetzt über der Insel. Anderes Terrain, weniger Aufwind. Das ist schwieriger«, ruft sie über den Wind.

»Ein Sturz über dem Festland kann übel ausgehen«, wendet Susan ein.

»Dann sollten wir besser nicht stürzen«, sage ich, ihrem frostigen Blick standhaltend.

»Keine Bange, ich fang dich auf und rette dich, wenn dein Vogel scheut«, ruft Yorik grinsend.

Susan antwortet mit einem Blick, der Lava gefrieren lassen kann. »*Ich* werde nicht fallen«, meint sie nur.

»Wir haben unterschiedliches Gelände auf der Insel«, unterbricht

Nina das Geplänkel. »Dschungel in allen Richtungen, im Osten heiße Quellen und einen Geysir, der Wasserfontänen auswirft. An der Küste im Nordosten gibt es einen Steinwald aus Felsnadeln.«

Yorik verzieht das Gesicht. »Das ist das übelste Trainingsgelände für diese Viecher hier, die sind ziemlich schreckhaft.«

»Nur wenn ihr Reiter schreckhaft ist«, stichelt Susan.

»Es ist das perfekte Trainingsgelände«, unterbricht Nina die beiden. »Wir werden auf dem Weg dorthin einen Formationsflug üben. Es beruhigt die Vögel, wenn sie nahe beieinander sind. Und wir vereinen unsere Lichter.«

»Was?« Yorik sieht so perplex aus, wie ich mich fühle.

»So kann einer den anderen stabilisieren«, erklärt Nina.

»Du meinst, deine Ruhe färbt auf uns ab?«

»Genau.«

»Aber können wir dann nicht die Gedanken der anderen lesen? Und umgekehrt?« Yorik wirft einen zweifelnden Blick auf Susan. »Das ist mir zu gruselig.«

»Dort, wo sich unsere Geister verbinden, können wir Gedanken teilen. Niemand darf weiter in das Bewusstsein eines anderen eindringen, und nur das, was ihr anderen zeigen wollt, sendet ihr in die Verbindung«, erklärt Nina.

Ich denke mit Sorge an die roten Funken in meinem Licht. »Aber wir könnten dich destabilisieren«, rufe ich Nina zu.

Sie schüttelt den Kopf. »Ich kann das kontrollieren«, sagt sie.

»Es wäre von strategischem Vorteil«, stimmt Susan zu.

Ich sehe Nina an. Sie wirkt völlig ruhig und selbstsicher. Ich kann nur hoffen, dass sie sich nicht täuscht, denn uns läuft die Zeit davon.

»Lasst es uns versuchen«, rufe ich schließlich.

Nina nickt. Dann mischen sich grüne Wirbel in das Blau ihrer Augen. »Schließt die Augen und greift nach eurem Licht. Sendet einen Teil eures Geistes aus und versucht, die anderen damit zu berühren.«

Ich folge ihrer Anweisung, doch nur minimal. Mehr traue ich mich nicht, denn die roten Funken schießen beständig umher. Dann verbindet Nina uns. Es ist ganz leicht, beinahe so, als ob man sich an der Hand fasst. Ich spüre einen Hauch der anderen am Rande meines Geistes, eine kühle Präsenz, eine wilde und eine ruhige.

Ein Gefühl von Ruhe und Harmonie entsteht an der Stelle unserer Vereinigung. Es ist Nina, die dieses Gefühl aussendet, und ich spüre, wie sich mein Vogel danach ausstreckt wie nach einer Hand, die ihn streichelt.

Na dann los. Ich sende ein mentales Bild eines Ortes, den wir alle kennen, in die Verbindung und wir fliegen zeitgleich los zum Wasserfall im Inneren der Insel.

Stille begleitet unseren Synchronflug. Ich konzentriere mich auf die roten Funken, versuche, meinen Geist zu klären, doch ich kann sie nicht vertreiben. Aus irgendeinem Grund werden es immer mehr. Ich kann nur gerade eben verhindern, dass sie in die Verbindung gelangen. Irgendetwas stimmt nicht. Plötzlich habe ich ein ganz schlechtes Gefühl, wie an dem Tag, als Savant mich zum ersten Mal angriff.

Dann passiert alles gleichzeitig. Wir erreichen die Lagune am Wasserfall, unsere Schatten gleiten über die spiegelglatte Oberfläche wie Hartgummischeiben über eine Eisfläche und ich weiß plötzlich, dass er wieder angreift. Jetzt. Es ist dasselbe Gefühl wie damals in der Küche: Todesangst. Etwas Schreckliches wird passieren.

Als ich den Mund öffne, um die anderen zu warnen, dröhnt der Alarm los. Ohrenbetäubender Lärm, über uns, unter uns, überall. Sirenengeheul drückt meine Trommelfelle nach innen. Wir haben keine Chance – die Vögel bäumen sich auf und kreischen panisch. Die Verbindung zwischen uns bricht ab und ich werde abgeworfen. Im Fallen höre ich die Schreie der anderen, dann pralle ich auf dem Wasser auf.

Das schrille Kreischen wird durch einen verzerrten Brummton ersetzt, als das Wasser über mir zusammenschlägt. Ich sinke einige Meter, werde umhergewirbelt und brauche ein paar albtraumhafte Sekunden, um herauszufinden, wo oben und unten ist. Kräftig schlage ich mit Armen und Beinen, das Sonnenlicht kommt näher. Als ich durchbreche, brennt meine Lunge und ich sauge keuchend die Luft ein. Sofort schwillt das Sirenengeheul wieder an.

Neben mir tauchen Susan und Yorik auf, beide nach Luft japsend. Jemand fehlt. Mein Magen verkrampft vor Sorge.

»Nina«, rufe ich mit aller Kraft, doch bei dem kreischenden Sirenengeheul ist es kaum zu hören.

Ich suche die Umgebung ab, aber sie ist nicht da. Ich denke nicht, sauge einfach so viel Luft wie möglich in meine brennende Lunge und tauche. Sofort dämpft das Wasser den Alarmton und ich sehe sie mit geschlossenen Augen etwa zwei Meter neben mir treiben. Zwei kräftige Schwimmzüge und ich bin bei ihr, ziehe sie hoch und bete, flehe, mit allem, was ich habe.

Wir durchbrechen die Oberfläche nahe des Ufers und Yorik und Susan hieven uns an Land. Susan stößt mich beiseite und prüft Ninas Atmung, doch da öffnet sie bereits die Augen. Sie hustet und spuckt Wasser, aber sie ist bei Bewusstsein. Die Erleichterung haut mich beinahe um. Ich zittere und spüre einen Kloß im Hals, der mich würgt. Meine Augen brennen und mein Herz rast, als wolle es zerspringen.

Nina sagt etwas und hebt den Daumen. Über den Lärm kann man jedoch nichts verstehen. Dann hört es abrupt auf. Die Stille dröhnt in meinem Schädel wie das Nachbild eines Blitzes.

»Hat irgendjemand eine Ahnung, was das war?«, fragt Yorik.

»Der Evakuierungsalarm.« Susan drückt ihre nassen Haare aus, lässt den Kopf langsam nach links, dann nach rechts sinken und kreist die Schultern. Einmal mehr erinnert sie mich an einen Roboter. »Wir müssen sofort zum Sammelplatz.«

»Angriff.« Eine scheppernde Lautsprecherstimme hallt über die Insel und unterbricht Susan. »Nuklearsprengkörper steuern auf Eos zu. Zeit bis zum Einschlag: Zwanzig Minuten.«

Ninas Augen weiten sich vor Entsetzen. Ein gähnender Abgrund tut sich vor mir auf. Wir haben uns getäuscht, so gnadenlos getäuscht! Savant schert sich einen Dreck um uns.

»Notevakuierung der Insel in zehn Minuten. Begeben Sie sich unverzüglich zum Hangar. Start der Truppenhelikopter in neun Minuten. Ich wiederhole.«

Gelähmt vor Entsetzen hören wir die Durchsage erneut. Susan

findet als Erste ihre Stimme wieder. »Der Hangar ist beim Schulgebäude«, flüstert sie.

»Die Vögel sind weg, sie fliehen zu ihrem Nest«, sagt Nina, ein Zittern in der Stimme.

Ich spüre, wie die Panik sich anschleicht, und kann sie nur mühsam zurückhalten. »Susan, gibt es irgendeine Möglichkeit, wie wir es rechtzeitig zum Hangar schaffen können?«

Zum ersten Mal, seit ich Susan kenne, sehe ich Furcht in ihren Augen.

»Nein«, sagt sie tonlos.

16

AM HIMMEL

Niemand bewegt sich. Wassertropfen laufen über meine Stirn und bleiben in meinen Augenbrauen hängen. »Es muss einen Weg geben.« Ich weigere mich, aufzugeben. Nicht nach all dem Training, all der Qual.

Meine Gedanken wirbeln durcheinander. Wird Cooks merken, dass wir fehlen? Ist das möglich bei der Evakuierung von 500 Menschen? Und wenn ja, wird er eine Gelegenheit finden, uns zu holen? Ich versuche es mit meiner Smartwatch, doch ich kann keine Verbindung aufbauen. Die anderen auch nicht. Niemand weiß, dass wir hier sind.

Das ist merkwürdig. Warum ist die Kommunikation ausgefallen? Was machen wir jetzt? Verzweifelt sehe ich mich um und erblicke die steile Felswand. Von dort oben kann es nicht mehr weit sein bis zum Biozentrum. Ich klammere mich an die aufblitzende Hoffnung wie ein Ertrinkender an Treibholz. »Susan, können wir das Biozentrum erreichen?«

Erkenntnis dämmert in ihrem Gesicht. Sie rechnet nach. Währenddessen klärt man uns über Lautsprecher auf, dass es noch neunzehn Minuten bis zum Einschlag sind. Die Zeit fliegt. Ich starte einen Countdown an meiner Watch, dann meint Susan: »Wenn wir schnell sind, haben wir eine Chance.«

»Worauf warten wir dann noch?«, sagt Yorik.

Wir sprinten los, erreichen die Felswand am Wasserfall und klettern daran empor. Die Gischt hüllt uns in einen kühlenden Nebel und macht die Steine unter unseren Händen rutschig.

»Notevakuierung der Insel in fünf Minuten«, scheppert die Tonbandstimme. Ich beschleunige mein Tempo und erreiche die Felskante.

»Notevakuierung in vier Minuten. Begeben Sie sich zu den Truppenhelikoptern«, warnt die Lautsprecherdurchsage.

Wir ziehen uns über die Felskante und Yorik packt mich am Arm. Er schüttelt den Kopf. »Da stimmt was nicht.« Er schreit, um gegen das Tosen des Wasserfalls anzukommen.

»Wie meinst du das?«, schreie ich zurück.

»Das ergibt keinen Sinn. Warum sollte Savant die Insel angreifen?«

»Um alle auszuschalten, die ihn aufhalten können«, gebe ich zurück.

Yorik schüttelt den Kopf. »Er kennt doch die Sicherheitssysteme. Verdammt, er hat sie entworfen. Er *weiß*, dass alle rechtzeitig evakuiert werden. Warum sollte er einen Atomsprengkopf vergeuden? Das bringt ihm doch nichts.«

Yoriks Stirn ist umwölkt, sein Gesicht blass. Und seine Worte machen so viel Sinn. Aber was sollen wir tun? Er packt mich am Arm und sieht mich eindringlich an. »Glaub mir, da stimmt etwas nicht.«

Ich schüttle den Kopf. »Wir müssen hier weg.«

Susan und Nina hieven sich über die Kante. Wir helfen ihnen auf und rennen los.

Wenn wir heute überleben, dann wegen unseres Trainings. Der Boden hier ist nackter Fels, poliert vom Wasser des Flusses und in kleinen Stufen ansteigend. Doch unsere Füße finden sicheren Halt auf dem rutschigen Untergrund. Wir rennen und springen, überwinden die Kaskaden, ohne zu straucheln, getrieben vom Adrenalin, das durch unsere Adern strömt, jagen in Höchstgeschwindigkeit durch das Bachbett. Jeder von uns kann dieses Tempo noch lange beibehalten, falls es sein muss. Aber wird es reichen?

Alle meine Sinne sind geschärft, doch ich nehme nur das Wichtigste wahr. Die Geräusche des Wasserfalls und das Zwitschern der Vögel klingen zu einem fernen Rauschen ab, gleichzeitig höre ich jeden Schritt und jeden Atemzug meiner Freunde. Ich weiß genau, wo sie sich befinden, sehe jedes Steinchen auf meinem Weg, jede Unebenheit im Boden, jede Lücke im näher kommenden Blätterdickicht des Dschungels vor uns.

Wir springen die letzten Stufen hinauf und brechen in das Grün.

Dunkelheit hüllt uns ein und drei Schritte lang fliege ich blind, bis sich meine Augen an die Schatten gewöhnt haben. Die Tonbandstimme sagt irgendetwas, doch ich höre nichts mehr. Meine gesamte Aufmerksamkeit ist auf das Dickicht und den schmalen Pfad vor uns gerichtet.

Ich fordere meinen Muskeln jetzt alles ab. Zweige schlagen mir ins Gesicht, meine Stiefel hämmern auf den Boden, finden wie von selbst ihren Weg über Wurzeln und Steine. Meine Freunde sind dicht hinter mir. Ich kann sie hören, ihren Atem in meinem Nacken spüren. Der Weg ist nur breit genug für einen, damit bin ich ein Hindernis für alle, die schneller laufen können. Ich steigere mich noch einmal. Ein Zweig reißt mir die Wange auf.

»Nein!« Ninas frustrierter Aufschrei lässt mich herumfahren. Sie ist stehen geblieben und blickt fassungslos zum Himmel. Ich halte ebenfalls an und folge ihrem Blick. Etwa zweihundert Meter vor uns steigt ein großer Helikopter auf. Das laute Knattern der Rotorblätter dröhnt durch den Dschungel wie Salven aus einem Maschinengewehr.

»Verdammt!« In Yoriks Ruf liegt die Verzweiflung, die meinen Brustkorb einengt.

»Nina, kannst du telepathisch mit ihnen Kontakt aufnehmen?«, frage ich.

Sie schüttelt den Kopf. »Sie sind zu weit weg.«

»Versuch es«, dränge ich. »Etwas Einfaches, ein Hilferuf, versuch es, bitte.«

Nina schließt die Augen. In ihrem Gesicht ist deutlich die Anstrengung zu lesen. Sie hebt beide Hände gen Himmel. Als sie die Augen wieder öffnet, sind sie von einem so leuchtenden Smaragdton, wie ich ihn noch nie zuvor bei ihr gesehen habe, und ein plötzlicher Schwindel erfasst mich. Wärme flutet meine Brust und breitet sich über meinen gesamten Körper aus bis in die Fingerspitzen. Ich habe das Gefühl, als würde jemand aus großer Entfernung um Hilfe rufen.

Dann sehe ich Ninas Gesicht. Sie ist leichenblass. Der Versuch hat sie viel Kraft gekostet.

»Ich glaube nicht, dass es gereicht hat.« Ihr Blick findet meinen und hält ihn fest. Meine Hoffnung schwindet. »Was machen wir jetzt?«

Ich blicke in abgekämpfte, verschwitzte Gesichter. Yorik schüttelt den Kopf. Nina schließt die Augen und lässt sich gegen einen Baumstamm sinken. Dann richtet sie sich ruckartig auf und reißt die Augen auf. Sie ist überrascht. Lächelt. Strahlt.

»Was?«, will ich wissen. »Was ist passiert?«

»Da kommt jemand«, flüstert sie.

Jetzt höre ich es auch. Das unverkennbare Knattern eines Helikopters, noch weit entfernt, doch es schwillt mit jeder Sekunde an.

»Sie haben dich gehört!«, jubelt Yorik, packt Nina und wirbelt sie herum. »Du bist großartig, Nina!«

Ja, sie ist großartig. Sie ist umwerfend. Und wundervoll.

Da verändert sich Ninas Gesichtsausdruck erneut. Kleine Fältchen erscheinen zwischen ihren Augenbrauen und ihr Mund wird zu einer dünnen Linie.

»Da stimmt etwas nicht«, meint sie.

»Was? Was ist los?«, will ich wissen.

Nina schließt die Augen und senkt den Kopf. »Ich spüre etwas Falsches. Etwas, das nicht zusammenpasst.« Sie lauscht auf etwas, das nur sie hören kann. Oder fühlen. »Mit diesen Leuten stimmt was nicht, Jan, ganz und gar nicht. Wir dürfen auf keinen Fall einfach weiterrennen.«

Sie scheint sich vollkommen sicher zu sein.

»Was spürst du?«, frage ich.

»Ich glaube nicht, dass es jemand von unseren Leuten ist. Jan, diese Menschen sind gefährlich.«

»Wie meinst du das? Wer sollte …?« Dann ist plötzlich nur Leere in meinem Kopf. Ich weiß, wer, aber der Gedanke ist so schrecklich, dass ich mich weigere, ihn zuzulassen. Mir wird abwechselnd heiß und kalt. Alle Professoren sind weg, die Schüler und der Rest des Personals evakuiert. Die Insel ist verlassen. Wir sind schutzlos. Leichte Beute.

Ein Heli von der Größe eines Truppentransporters kommt in Sichtweite. Er ist natogrün. Die Flotte der Schule ist mattschwarz.

Laut meiner Watch haben wir noch eine Minute bis zum Einschlag.

Der Heli landet auf dem Dach des Biozentrums.

Nina schüttelt den Kopf. »Es wird nichts passieren, der Alarm ist falsch.«

Und selbst wenn, denke ich, *ist es jetzt zu spät.*

Ich halte meine Watch so, dass jeder den Countdown verfolgen kann, und wir sehen zu, wie die Sekunden verrinnen. Ich versuche selbst, meine Sinne nach dem Heli auszustrecken, doch meine Empathie ist so schwach, dass ich nichts spüre.

Dreißig Sekunden noch.

»Wenn wir das hier überleben, dann haben wir ein ernsthaftes Problem.« Susans Stimme ist kühl und nüchtern.

»Wenn jemand in das Biozentrum eingedrungen ist, müssen wir sie aufhalten.« Yorik hat die Lippen fest zusammengepresst und die Muskeln an seinem Kiefer arbeiten.

Fünfzehn Sekunden.

Entweder werden wir von einer Explosion in Stücke gerissen, oder wir müssen ganz allein einen Angriff abwehren.

»So eine Scheiße«, flüstert Yorik.

Gebannt blicken wir auf meine Watch, als die letzten Sekunden ablaufen.

03

02

01

17

ANGRIFF

Niemand atmet. Die Anzeige meiner Watch blinkt und gibt hohe, nervtötende Pieptöne von sich. Wir sind noch am Leben, oder? Ich beende das Piepen durch ein Tippen auf das Display.

»Scheiße«, murmelt Yorik, dann sinkt er auf die Knie und schließt mit einem tiefen Seufzer die Augen. Ich weiß nicht, ob es Erleichterung oder Frust ist. Im nächsten Moment rammt er eine Faust in die Erde und flucht.

»Ich habe es noch nie so gehasst, Recht zu haben«, sagt Nina, stemmt die Arme in die Hüfte und lässt den Kopf hängen.

»Hey, immerhin leben wir noch.« Ich versuche, mehr Zuversicht in meine Stimme zu legen, als ich fühle.

»Savant ist hier«, knurrt Susan.

»Aber …«

»Doch.« Susan fällt Yorik ins Wort. »Irgendwie hat er es geschafft, einen Atomangriff zu simulieren. Jede Wette. Sein Plan ist perfekt, denkt doch nach! Warum ist Eos für ihn unangreifbar? Weil er außer des technischen Schutzschirms mit der geballten Macht der Professoren rechnen muss! Sensoren kann er täuschen, aber Nakoma und andere Empathen spüren, wenn er sich nähert, nur deswegen war es für ihn unmöglich, einzudringen. Für einen erfolgreichen Angriff auf die Insel musste er sie loswerden. Indem er sie weggelockt hat, hat er die Insel angreifbar gemacht.«

»Im Biozentrum lagert der Virus«, sagt Nina. Sie ist noch blasser geworden.

Ich fühle mich wie der größte Idiot der Geschichte. Wie konnte ich auch nur eine Sekunde lang glauben, dass Savant Atomraketen einsetzt? Er hätte damit zerstört, was er bewahren will. Das war nie sein Plan, nein, sein Plan ist genial. Er schützt alle, die er retten will, an einem isolierten Ort auf der Erde und lässt dann den Virus frei. Er wird sich genauso unaufhaltsam verbreiten wie Corona, nur schlimmer. Über die Luft wird jeder infiziert, aber statt fünf Prozent aller Infizierten sterben neunzig Prozent. Der Rest verliert sein Leben an die Nachwirkungen der Pandemie: Schock, fehlende Infrastruktur und Panik. Allgemeines Chaos.

Savant braucht nur Vorräte für ein paar Wochen, dann ist alles vorbei und die Erde gehört ihm. Unversehrt, aber menschenleer. Vermutlich hat er sogar daran gedacht, auch ein Paar jeder Tierart, die ebenfalls von dem Virus befallen werden könnte, auf seiner Arche mitzunehmen. Perfekt für einen Neustart. Trotz der Hitze wird mir kalt.

»Müsste es nicht eine automatische Vernichtungsvorrichtung für den Fall einer Evakuierung geben?«, frage ich, nach einem Strohhalm greifend.

»Die Selbstzerstörungsautomatik springt an, wenn sich irgendetwas der Insel nähert. Aber sie muss manuell bestätigt werden, damit nicht jeder größere Fischschwarm oder ein verirrtes Frachtschiff sie auslöst. Im Falle eines Nuklearangriffs ist es jedoch nicht nötig, das zu tun. Die Explosion selbst würde jegliche Viren und andere infektiöse Substanzen vernichten«, sagt Susan.

»Dann hatte Aloé keinen Grund, die Viren zu vernichten«, sagt Yorik.

Susan sieht nachdenklich zum Biozentrum. »Wir müssen das überprüfen.«

»Kann Savant das Sicherheitssystem des Labors bereits gehackt haben?«, frage ich nach. Dann wäre er nicht mehr aufzuhalten.

»Nein«, sagt Susan. »Das geht nur, wenn er sich im Biozentrum befindet. Und selbst er braucht dafür Zeit.«

Wenigstens etwas. »Wir müssen verhindern, dass er das schafft«, sage ich.

»Und Hilfe holen«, wirft Nina ein. »Jemand muss erfahren, dass der Alarm ein Fake war.«

»Werden die Professoren nicht merken, dass die Insel noch

existiert? Ich meine, sie werden das doch feststellen, oder etwa nicht?«, frage ich.

Susan schüttelt den Kopf. »Savant hat bestimmt daran gedacht und die Sensoren manipuliert. Daten einer nuklearen Zerstörung zu simulieren, ist ein Kinderspiel für jemanden wie ihn.«

»Dann müssen wir Kontakt zu den Professoren aufnehmen«, sage ich. »Außerdem brauchen wir ein genaues Bild der Lage.«

»Nina, kannst du fühlen, wie viele es sind und was sie vorhaben?«, fragt Susan.

Nina, die sich bereits ein paar Schritte von uns entfernt hat und aussieht, als würde sie in den Wald lauschen, öffnet die Augen. Sie sind leuchtend grün, so intensiv, dass der Dschungel um sie herum verblasst. »Nein. Ich weiß nur, dass dort vorne mehrere Personen sind. Ich spüre Kälte von ihnen ausgehen, Hass und Feindseligkeit, besonders von einer Person. Er oder sie ist zu allem bereit. Wir müssen sehr vorsichtig sein.«

Ich überlege. Es ist Wahnsinn, ohne weitere Informationen und ohne Verstärkung ins Biozentrum zu gehen, aber wir haben keine Wahl. Uns läuft die Zeit davon. Angst schnürt mir die Kehle zu, doch ich dränge das Gefühl beiseite. »Wir könnten uns aufteilen«, schlage ich vor. »Jemand geht zur Schule und stellt Kontakt zur Außenwelt her. Ich gehe ins Biozentrum.«

»Nicht allein, Mann«, widerspricht Yorik. »Ich komme mit.«

Susan tritt vor. »Alleine schafft ihr es nicht. Ich komme auch mit.«

»Ich auch.« Nina schließt den Kreis.

Weit entfernt stößt ein Donnervogel seinen Schrei aus.

Ich unterdrücke den Impuls, zu widersprechen. Eigentlich will ich Nina da raushalten. Beim Gedanken daran, sie mitten in die Höhle des Löwen zu führen, verkrampft sich alles in mir. Aber es gibt keine Alternative. Wenn wir Savant nicht aufhalten, ist Nina nirgendwo in Sicherheit. Und wenn sie dabei ist, stehen unsere Chancen wesentlich besser. Wir müssen jeden Vorteil nutzen, den wir haben.

Ich nicke. »Dann los.«

Nina nimmt den Platz an der Spitze ein, sodass sie ungestört ihre

Sinne aussenden kann. Sie bewegt sich mit der Geschmeidigkeit eines Panthers. Schnell und lautlos, wie Alator es uns beigebracht hat, folgen wir ihr. Nach etwa hundert Metern lichtet sich das Grün. Wir ducken uns hinter die letzten schützenden Büsche und scannen die Lichtung.

Die gläserne Fassade des Biozentrums reflektiert das Sonnenlicht. Zwei wie Soldaten gekleidete Männer stehen am Eingang. Sie tragen schwarze Kampfanzüge, schwere Stiefel und halten Maschinengewehre im Anschlag. Ich denke an den roten Punkt auf der Stirn meiner Mutter und mein Puls beschleunigt sich.

»Es sind noch mehr drinnen«, flüstert Nina. »Und zwei von ihnen umrunden das Gebäude in entgegengesetzter Richtung.«

»Wir müssen da rein«, sage ich. »Irgendwelche Vorschläge?«

»Im Kraftwerksgebäude gibt es passwortgeschützte Eingänge«, flüstert Yorik. »Wette, die sind nicht bewacht.«

»Wie kommen wir da rein?«

Yorik grinst. »Na, ich hab den Code, du Schlaumeier. Hier entlang.«

Wir umrunden das Biozentrum im Schutz der Bäume, bis wir die Rückseite des Reaktorgebäudes erreichen. Etwa zwanzig Meter trennen uns von einer grauen, unscheinbaren Tür ohne Wachen. Dann erscheinen die patrouillierenden Soldaten.

Wir tauchen tiefer in die Schatten und sie sehen uns nicht, gehen aneinander vorbei und verschwinden hinter dem Gebäude.

»Alles frei«, flüstert Nina. Unter der zarten Haut an ihrem Hals pulsiert eine Ader, schnell und stark. Ihr Herz rast genauso wie meins. »Jetzt!«

Wir sprinten geduckt über die freie Fläche und pressen uns mit wild pochendem Herzen an die Außenwand. Während Yorik ein Tastenfeld neben der Tür bedient, suche ich das Gelände nach weiteren Soldaten ab, entdecke aber keine. Dennoch ziehe ich den Bo. Wer weiß, was uns dort drinnen erwartet. Ein leises Klicken ertönt und die Tür schwingt auf. Lautlos huschen wir hinein.

Eine schwache Notbeleuchtung taucht den Korridor in gespenstisches grünes Licht. Es ist kühl und vollkommen still. Yorik führt uns zielstrebig durch ein Labyrinth aus verzweigten Gängen. Das Material unserer Kampfstiefel ist auf Unhörbarkeit getrimmt, und der labortypische ESD-Boden schluckt auch noch das letzte Geräusch. Wir rennen geduckt und gehen vor jeder Abzweigung in Deckung, immer auf der Hut vor Savants Leuten, die sich mit Sicherheit ebenso lautlos bewegen wie wir.

Auf diese Weise kommen wir kaum voran und das Gefühl, in eine Falle zu laufen, lässt mir den Schweiß ausbrechen. Wir müssen uns irgendwie einen Überblick verschaffen. Wie viele sind es? Und wo stecken sie? Ich hoffe, Yorik hat die gleichen Gedanken.

Wir folgen ihm über ein Treppenhaus eine Etage nach unten und gelangen in einen codegesicherten Raum, der vollgestopft ist mit Bildschirmen und Computerterminals. Ich werfe einen letzten Blick in den Gang, dann schließe ich die Tür und verriegle sie.

Von einer Wand starren die schwarzen Riesenaugen von etwa dreißig Flachbildschirmen auf uns herab. Im Zentrum das Zimmers steht eine Art Konferenztisch mit sechzehn Arbeitsplätzen und einer obsidianschwarz glänzenden Oberfläche.

»Das ist der Kontrollraum. Von hier aus kann ich Zugang zum gesamten Biozentrum bekommen.« Yorik setzt sich an den Tisch, tippt irgendetwas an, und plötzlich blinken vereinzelte daumennagelgroße Anzeigen, wie App-Symbole. Der ganze Tisch ist ein einziger Touchscreen. Vor Yorik leuchten eine Sensortastatur und Schaltflächen auf, die ich nicht kenne.

»Wir brauchen einen Überblick. Wir müssen wissen, wie viele es sind und wo sie sich aufhalten. Geht das?«, frage ich ungeduldig.

Yoriks Finger fliegen bereits über die Anzeigen. »Wenn wir das System zum Laufen kriegen, müssten wir die Kameras im Biozentrum anzapfen können.« An den Wänden erwachen die ersten Monitore zum Leben. »Bingo«, ruft Yorik und trommelt mit beiden Händen auf die Schenkel.

Susan setzt sich neben ihn und bedient nun ebenfalls eine Touchfläche. »Wir brauchen Lagepläne. Kannst du mir einen eigenen Zugang verschaffen?«

»Schon dabei.« Yoriks Finger fliegen über die Anzeigen. »Voilà, hier kommt er.«

Susans Augen glänzen und dann beginnt auch sie, mit rasender Geschwindigkeit auf den Touchscreen einzutippen.

Neben mir lässt sich Nina gegen die Wand sinken. Ihre Augen wirken matt und eingefallen, ihre Haut blass. Sie atmet schnell und flach.

Sorge packt mich. »Was hast du?«

»Nichts«, sagt sie, doch sie klingt müde.

»Sag schon«, dränge ich.

»Na ja, es ist anstrengend, nach Feindseligkeit Ausschau zu halten.« Sie versucht zu lächeln, doch eine einzelne Träne rollt über ihre Wange und verrät sie. Ihren Schmerz. Ihre Tapferkeit. Eine Woge verwirrender Gefühle überrollt mich und bevor ich nachdenken kann, wische ich sanft die Träne von ihrer Wange. Ich denke an den Dschungelparcours und ihre Hand am Baum, als sie den Schmerz abgeleitet hat. Und dann nehme ich ihre Hand in meine. »Lass mich dir helfen«, flüstere ich und sehe sie direkt an.

Das smaragdene Leuchten hat etwas an Glanz verloren, doch sie hält es. Sie schirmt sich nicht ab. Irgendwo in mir springt ein Warnsignal an. Für einen Moment flackert ihr Blick nervös, dann schlägt sie schnell die Augen nieder.

Sie entzieht mir die Hand. »Ich glaube nicht.«

»Wieso nicht?«

»Du hast …« Sie stockt. »Da ist etwas in dir, so viel … Schmerz. Und noch etwas anderes.«

Es ist wie eine lautlose Explosion, als ich begreife. *Die roten Funken.* Ich erinnere mich an die Nacht unter Netos Treppe und versuche, wie damals ein imaginäres Tuch über mein Licht zu stülpen, doch es gelingt nicht. Das Licht ist zu wild, es pulsiert und flackert, die Funken sprühen wie ein Vulkanausbruch. Ich kann sie nicht abschirmen.

In diesem Moment registriere ich alles an ihr, jedes Detail. Die fahle, kränkliche Blässe ihrer Haut, den Schmerz in ihren großen, wunderschönen Augen, das leichte Zittern ihrer Lippen. Ich tue ihr das an. Meine Nähe schadet ihr.

Hastig rücke ich von ihr ab. Ich spüre etwas wie kaltes Feuer in meiner Brust und weiß nicht, ob es von mir kommt oder von ihr oder von uns beiden. Ich will sie in den Arm nehmen und trösten, aber das darf ich nicht. Also trete ich einen weiteren Schritt zurück. Das eisige Brennen in meinem Brustkorb wird stärker, doch der Schmerz in ihren Augen weicht. Sie atmet auf, kann ihre Erleichterung nicht verbergen.

Vor zwei Jahren bin ich in eine Schlägerei geraten und habe einen Faustschlag in den Magen bekommen. Ich bin vor Schmerz beinahe ohnmächtig geworden. Doch das hier ist schlimmer. Ein gähnender Abgrund tut sich in mir auf und ich hasse mich, hasse mein Licht. Ich wünschte, ich könnte es herausreißen und einfach wieder ich sein. Niemandem mehr wehtun.

Ich wünschte, ich könnte hier weg. Jetzt gleich. Mich verstecken, mich ertränken oder mich vor einen Zug werfen. Ich will das hier nicht, habe es nie gewollt. Aber für mich gibt es kein Zurück mehr. Für niemanden von uns.

Ein lauter Fluch von Yorik lässt mich herumfahren. »Nein, verdammt!« Er schlägt mit der Faust auf die Tischplatte.

»Was ist?« Ich blicke auf die Bildschirme und erkenne auf zweien davon verschiedene Korridore. Ich bin schon mal dort gewesen, einer der Gänge ist durch Leuchtpaneele in der Wand taghell erleuchtet. Es ist der unterirdische Gang, der zu den Virenlabors führt. Er ist leer.

Der andere Bildschirm zeigt den oberirdischen Flur zum Aufzug, mit dem Aloé uns hinuntergebracht hat. Zwei bewaffnete Soldaten stehen dort, die Maschinenpistolen auf den Boden gerichtet. Mein Mund wird trocken. »Sie haben es tatsächlich auf den Virus abgesehen.«

Ein weiterer Bildschirm zeigt die Eingangshalle des Biozentrums. Noch mehr Soldaten sind hier postiert. Ich zähle über dreißig. Die Kameras zeigen nur einen Teil des Gebäudes, es könnten also noch sehr viel mehr sein.

»Was ist mit den anderen Ebenen?«, frage ich Yorik.

Er betätigt eine Reihe von Schaltflächen und die Ansicht ändert sich. Bilder der Videokameras zeigen ein weitgehend verwaistes

Biozentrum. In die Forschungslabors und die Gewächshäuser sind sie nicht eingedrungen. Doch in den Gängen patrouillieren Zweierteams.

Das Bild der Eingangshalle erscheint wieder. Die Computerkonsole im linken Bereich ist zu sehen. Ein hochgewachsener blonder Mann in einem eleganten Anzug steht davor.

»Zoom näher ran«, sage ich.

Das Gesicht des Mannes wird erkennbar. Ein schmaler, verkniffener Mund und eng beieinanderstehende Augen. Ein Ausdruck grimmiger Entschlossenheit liegt in seinen Zügen. Seine Körperhaltung ist aufrecht, beinahe steif und seine Finger gleiten flink über die Konsole.

Susan ist aufgestanden. Nun tritt sie neben mich, ihre Wangen sind gerötet und Blitze schießen aus ihren Augen. »Savant.«

Das neben mir ist nicht die Susan, die ich kenne. Nie zuvor haben sich ihre Gefühle so deutlich in ihrem Gesicht abgezeichnet. Sein Verrat muss sie tiefer getroffen haben, als sie je zugeben würde.

»Was hat er vor?«, frage ich.

Yoriks Hände fliegen immer noch über die Konsole. »HA!«, ruft er schließlich und stößt sich mit Schwung vom Tisch ab. Auf seinem Bildschirm leuchtet ein greller Schriftzug auf: ACCESS GRANTED.

»Ich bin drin.«

Jetzt setzt sich auch Susan wieder an eine Konsole des Tisches. Sie tippt eine Reihe von Befehlen, mit denen ich nichts anfangen kann, woraufhin lange Zeilen von Codes erscheinen, gefolgt von einem halblauten Fluch von Susan.

»Der Mistkerl versucht, in das Computersystem einzudringen.«

»Blockier ihn«, weist Yorik sie an.

»Bin dabei«, gibt Susan zurück.

Mit jeder Sekunde wächst meine Ungeduld. Ich starre auf Savant im Foyer, präge mir jedes Detail an ihm ein. Das ist der Mann, der versucht hat, meine Eltern zu töten. Er wird es wieder tun, wenn wir ihn nicht aufhalten. Alles in mir spannt sich an und ein dumpfes Pochen erwacht in meinem Kopf.

»Er will an die Sicherheitscodes für das Virenlabor.«

»Scheiße, das darf nicht wahr sein«, ruft Yorik entsetzt.

»Was denn noch?«, frage ich.

»So ein Mistkerl«, sagt Susan.

Ich drehe mich um. Yorik hat die Hände in einer Geste der Hilflosigkeit an den Kopf gelegt und Susan starrt auf einen weiteren Monitor, der das Innere des großen Hörsaals zeigt.

Dort sitzt, an Händen und Beinen an einen Stuhl gefesselt, Professor Aloé. Ihr Kopf ist nach vorne auf die Brust gesunken und scharlachrotes Blut leuchtet anklagend auf ihrem Laborkittel.

Niemand sagt etwas. Das Bild ist einfach zu furchtbar. Nina geht näher an den Monitor heran, eine Hand vor den Mund gelegt. Sie zittert.

Es ist Susan, die schließlich ausspricht, was wir alle denken. »Er kann Aloé zwingen, den Fingerabdrucksensor und den Netzhaut-Scanner zu bedienen. Es ist nur eine Frage der Zeit, bis sie unter der Folter zusammenbricht und den Code preisgibt.«

»Das würde sie nie tun«, sagt Nina leise.

»Das sind kaltblütige Schlächter, glaub mir, die wissen genau, was sie tun. Aloé hat keine Chance«, sagt Susan.

»Dann müssen wir ihr helfen.« Nina sieht mich an. Sie wirkt mitgenommen, die Haut viel zu blass, die Augen tief in den Höhlen. Ich kann ihr nicht helfen, ich kann sie nicht einmal in den Arm nehmen.

»Und wir müssen den Virus vor ihm holen«, sage ich.

»Aber wie? Dadrin sind fünfzig professionelle Söldner. Sie haben Gewehre. Das ist eine Nummer zu groß für uns!«

»Wir müssen sie überrumpeln, und wir brauchen einen Plan.« Ich sehe Yorik an. »Kannst du in das Sicherheitssystem eindringen?«

»Das wird schwierig, aber …«

»Ich war vielleicht dabei, als es programmiert wurde«, mischt sich Susan ein.

»Du warst … was?« Yorik sieht Susan an und schüttelt den Kopf. »Und das sagst du jetzt?«

»Ich kann uns reinbringen«, meint Susan nur.

»Dann machen wir es so«, sage ich. »Ich gehe rein. Susan bleibt hier und verhindert, dass Savant in das System kommt.«

»Yorik kann helfen«, sagt Susan zur Überraschung aller. Yorik sieht sie perplex an und nickt. »Und Deckung geben, für den Fall, dass wir entdeckt werden.«

»Nina, du hältst mich über Funk auf dem Laufenden«, sage ich.

»Nein, ich komme mit dir«, sagt Nina.

»Das ist zu gefährlich.«

»Eben drum. Alleine ist es noch gefährlicher. Zu zweit sind unsere Chancen doppelt so groß, lebend wieder rauszukommen. Wenn du alleine reingehst und es nicht schaffst, sterben wir alle, sobald Savant den Virus freisetzt.« Ihr Blick fängt meinen ein. Smaragdgrünes Feuer. Hypnotisierend und unbeschreiblich schön.

Dann passiert etwas in mir. Ihre Stimme dringt in meinen Körper, in meinen Geist. Sie findet den Schmerz und legt sich wie ein wohltuender Balsam darüber. Mein Hass auf Savant flaut ab, genau wie meine Angst vor dem, was er anrichten könnte. Plötzlich sehe ich alles viel klarer. Nina hat recht, wir müssen überlegt handeln.

Dann zucke ich zurück. Was macht sie? Was hat sie getan? Ich blocke Ninas Stimme ab und suche nach meinem Licht. Die roten Funken schießen wild durch die gleißend hellen Bänder in meinem Geist, doch es sind weniger. Irgendwie hat sie sie neutralisiert.

»Nicht«, flüstere ich und weiche beschämt einen Schritt zurück. Sie soll nicht noch mehr Kraft verlieren, nicht wegen mir. Also schließe ich die Augen, atme tief und gleichmäßig. Ich kann sie nicht entfernen, es sind zu viele und meine Angst, zu versagen, ist zu groß. Aber ich muss es irgendwie schaffen, damit Nina nicht länger darunter leiden muss, unter mir. Das ertrage ich nicht.

Ich darf nichts mehr nach außen dringen lassen.

Plötzlich weiß ich genau, was ich tun muss. Das heißt, ich weiß nicht, *was* ich da eigentlich mache, denn es ist nichts, was Nakoma mir beigebracht hat. Ich lasse mich von einem Instinkt leiten, greife nach dünnen Fäden meines Lichts und webe ein Netz, das die Funken in sich einschließt. Dichter und dichter. Es kostet immer mehr Kraft, je mehr Licht ich einwebe, doch es funktioniert. Zumindest für den Moment ist der Sturm in mir bezähmt.

Jetzt sehe ich auch ein, dass Nina recht hat. »Also gut.«

Kurz mustern wir einander. Winzig kleine Kristalle funkeln im flammenden Grün ihrer Iris. Sie ist so stark wie niemand sonst, den ich kenne, und gleichzeitig so verletzlich. Und so schön, dass alles in mir durcheinander ist, wenn sie mich nur ansieht. Ich werde nicht zulassen, dass ihr dadrin etwas passiert.

»Aber wir brauchen einen Plan«, sage ich.

»So kommt ihr rein.« Auf einem Bildschirm vor Yorik erscheinen die Lagepläne des Biozentrums. Er deutet auf einen der Gänge. »Hier sind wir. Dort ist der Verbindungsgang zum Biozentrum. An diesen Stellen hier und hier«, er deutet auf kleine Rechtecke, »bekommt ihr Zugang zu den Versorgungsschächten. Die sind überall groß genug, dass ihr darin kriechen könnt.«

»Kommen wir darüber bis zum Virenlabor?«

»Äh, nein«, ächzt Yorik. »Die Versorgungsschächte gibt es nur in den oberen Ebenen.«

»Wie kommen wir dann runter?«

»So, wie Aloé es uns gezeigt hat.«

Wir müssen also irgendwie in den Aufzug gelangen. An den Soldaten vorbei.

»Und die Sicherheitssperren? Kannst du die ausschalten, Susan?«, frage ich.

»Schon, aber dann hätte Savant leichtes Spiel. Besser, wir ersetzen die gespeicherten biometrischen Daten durch neue. Deine.«

Susan führt mich zu einem Touchpad, auf das sie meinen rechten Zeigefinger drückt, und dann zu einer Kamera, die meine Netzhaut scannt. Anschließend nennt sie mir einen vierstelligen Code.

»Damit kommst du in den Aufzug.« Sie drückt mir eine Magnetkarte in die Hand. Ich präge mir die Ziffernfolge ein und stecke die Karte in die Hosentasche.

»Wie kommen wir an denen vorbei?« Ich blicke zu den Bildschirmen. Zwei bewaffnete Söldner stehen immer noch im Gang, weitere vermutlich in Rufweite.

»Wir brauchen ein Ablenkungsmanöver.« Susan sieht hoch konzentriert auf den Bildschirm. Ihr Gesicht ist ausdruckslos, doch ihre Augen bewegen sich sehr schnell hin und her. »Ich werde in einem der oberen Labors einen Alarm auslösen, das sollte sie weglocken.«

»Sollte, hm?« Ich greife den Bo fester.

»Fällt dir was Besseres ein?«

Ähm.

»Kannst es mir ja per Funk durchgeben, falls doch.«

Eine bessere Möglichkeit wäre schön – aber die Zeit drängt.

»Hier.« Yorik zieht eine Schublade auf und fischt ein paar kleine silberne Knöpfe heraus. »Kommunikationsknöpfe«, sagt er und gibt jedem von uns ein Paar.

»Einen steckt ihr ins Ohr, den anderen auf die Haut über dem Kehlkopf. Da sind Sender drin, also wissen wir, wo ihr gerade seid. Kann aber sein, dass das Signal die Abschottung der unteren Ebene nicht durchdringen kann.«

»Also sind wir dort auf uns gestellt.«

Yorik nickt ernst.

Nina studiert unterdessen die Lagepläne. »Es gibt nur diesen einen Zugang. Da müssen wir auch wieder raus. Sollten wir Besuch bekommen, haben wir nur ein paar weitere Labors, in denen wir uns verstecken können.«

»Was ist mit Lüftungsschächten?«, frage ich und analysiere nun ebenfalls den Lageplan.

»Die untere Ebene hat eine autonome Versorgung, die vom Rest des Biozentrums abgekoppelt ist«, antwortet Yorik, der mit einer schnellen Tastenkombination einen dreidimensionalen, rotierenden Plan des Biozentrums auf den Schirm bringt. »Die sind aber zu klein für euch.«

»Ist jetzt nicht das, was ich hören wollte«, sage ich nur. Dennoch präge ich mir die Lage der Schächte genau ein. Ebenso die Kraftfelder und weitere Sicherheitssperren.

»Ich gebe euch Bescheid, sobald ich den neuen Code und die Muster in das System gespielt habe«, sagt Susan.

»Und die Überwachungskameras? Wenn sie Savant keine Bilder mehr liefern, schöpft er doch Verdacht«, sage ich.

»Ich habe Aufnahmen von leeren Räumen und leeren Gängen, die schicke ich statt der Echtzeitaufnahmen.« Yorik hat inzwischen weitere Monitore eingeschaltet, die verschiedene Flure und Labors zeigen. Von Zeit zu Zeit tauchen Söldner darin auf, die Maschinenpistolen einsatzbereit in der Hand. Ein Schauder fährt über meinen Rücken.

»Gut, und wenn wir drin sind? Was machen wir dann mit den Viren? Mitnehmen? Worin?«, frage ich. »Wir wissen ja nicht einmal, wie viele weitere Stämme oder tödliches Material dort unten lagern!«

»Jetzt schon.« Susans Finger fliegen über die Konsole, dann leuchten viele kleine rote und ein grüner Punkt auf dem Lageplan der unterirdischen Labors auf. »Die roten sind potenzielle Killer. Der grüne ist die manuelle Exterminationssteuerung. Von dort aus könnt ihr alles eliminieren, was Savant benutzen könnte.«

Susan beschreibt uns die Konsole und ihre Bedienung.

Was wir vorhaben, ist Wahnsinn. So vieles kann schiefgehen, aber ich verbiete mir, darüber nachzudenken. Wir müssen es einfach schaffen, das Schicksal der Welt liegt in unseren Händen.

Ich werfe Nina einen forschenden Blick zu. »Letzte Möglichkeit, hierzubleiben«, sage ich leise und bete stumm, dass sie sich doch noch dafür entscheidet.

Aber der entschlossene Ausdruck in ihrem Gesicht verhärtet sich. »Wir gehen da zusammen rein.«

Wie kann eine Stimme gleichzeitig so glockenhell und so hart sein? Ich wende mich ab, bevor ich mich weiter in ihrem Anblick verliere, und schwöre mir, dass zumindest Nina lebend wieder herauskommt.

18

ABLENKUNGSMANÖVER

Kann losgehen«, presst Yorik hinter zusammengebissenen Zähnen hervor. »Wir senden falsche Videobilder in Endlosschleife.«

Nina und ich verlassen den Raum. Als die Tür mit einem leisen Klicken ins Schloss fällt, schalten sich meine inneren Gefahrensensoren ein. Alles in mir ist angespannt, meine Muskeln, meine Nerven. Mein Mund ist trocken und das Pochen in meinem Kopf nimmt mit jedem Schritt zu.

Ich sehe mich ständig um. Der Korridor vor und hinter uns ist leer. Nina geht voraus und sucht empathisch nach Söldnern in unserem Weg. Ich webe weitere Lichtfäden in die Wände des Käfigs in meinem Inneren, bis kein Schimmer mehr nach außen dringt. Ich kann meine Telekinese jetzt sowieso nicht nutzen, das wäre Wahnsinn, so unkontrollierbar, wie mein Licht im Moment ist. Also kann ich sie auch gleich blockieren.

Als wir den Verbindungsgang zum Biozentrum durchqueren, gebietet mir Nina mit einer Handbewegung, anzuhalten. Auch ohne Worte und ohne Empathie kann ich an ihren alarmiert geweiteten Augen ablesen, dass einer der Söldner in der Nähe ist. Wir pressen uns in einen Türrahmen, sodass wir vom Flur aus nicht gesehen werden können, und halten die Luft an.

Nie zuvor bin ich Nina so nahe gewesen. Ich atme ihren Duft ein, eine Mischung aus salzigem Schweiß von dem Sprint durch den Dschungel und dem Geruch ihrer Haut, eine Erinnerung an sich öffnende Blüten am Morgen. Mein Herz schlägt schneller, doch diesmal nicht aus Angst.

In dem Wissen, dass es unmöglich ist, hier und jetzt meine Gefühle vor ihr zu verbergen, konzentriere ich mich auf die Wärme und das Glück, das ich in ihrer Nähe empfinde. Ich hoffe, dass es die tiefer liegenden, verwirrenden Emotionen überdeckt, doch so wie sie mich kurz ansieht, weiß ich, dass sie etwas davon gespürt haben muss.

Nach einer kleinen Ewigkeit bedeutet Nina mit einem Nicken, dass der Weg nun frei ist. Wir huschen geduckt weiter. Die gläserne Tür am Ende des Korridors gleitet lautlos in die Wand und wir betreten das Biozentrum.

Aufgepeitscht vom Adrenalin registriere ich jedes Geräusch. Das Summen der Beleuchtung, das nicht völlig verschluckte *Taptap* unserer Stiefel auf dem weniger schallgedämmten Bodenbelag, das charakteristische Swuschen automatischer Türen irgendwo im Gebäude. Meinen eigenen Atem.

Der nächste Zugang zu den Versorgungsschächten ist in einem Labor links von uns. Mit einem leisen Geräusch gleitet auch diese Tür zur Seite und wir betreten einen Raum, der von fünf Reihen Labortischen beherrscht wird. Hohe Wände an jedem Tisch, in denen sich Geräte und Chemikalien hinter Glas befinden, versperren die Sicht auf die Rückwand.

»Komm«, raunt Nina und wir eilen den Seitengang entlang.

Hinter der letzten Labortischwand finden wir den Schacht in Brusthöhe in die Wand eingelassen. Als ich den Entriegelungsmechanismus betätige, öffnet sich die Abdeckung mit einem geräuschvollen Zischen, das in der vollkommenen Stille ohrenbetäubend laut ist. Ich beiße mir auf die Unterlippe. Ob uns jemand gehört hat?

»Schnell«, flüstert Nina.

Der Schacht ist eine lange dunkle Röhre, etwa einen Meter breit und nicht ganz so hoch. Wir müssen auf Händen und Knien hindurchkriechen, einer hinter dem anderen.

Als Erstes lege ich unsere Kampfstöcke hinein. Nina zieht einen kleinen Hocker heran, steigt darauf und schlüpft elegant in den Schacht.

»Beeilt euch, da kommt einer«, erklingt Yoriks Stimme aus dem Knopf in meinem Ohr. Ich fluche innerlich und folge Nina, wobei ich dem Hocker einen leichten Schubs verpasse, sodass er von der

Wand wegrollt. *Leise*, flehe ich in Gedanken, doch der Hocker prallt mit einem Knall gegen den Tisch.

Verdammt! Ich lasse mich vollständig in die dunkle Röhre gleiten, drehe mich um und schließe die Abdeckung, vorsichtig darauf bedacht, kein weiteres Geräusch zu verursachen.

Zwei LED-Leisten links und rechts der Bodenplatte spenden ein wenig Licht. Das wundert mich erst, doch dann sehe ich die Aluminiumgitter, die alle zwei Meter die Bodenplatte ersetzen. Darunter sind zahlreiche Rohrleitungen und Kabel sichtbar. Es ist also auch ein Wartungsschacht, daher die Beleuchtung.

Boden und Wände sind mit einer glänzend anthrazitfarbenen Kunststoffbeschichtung überzogen, die sich glatt und kühl unter meinen Handflächen anfühlt. Ein abstoßender metallischer Geruch steigt mir in die Nase.

Das leise *Swuusch* der automatischen Tür lässt meinen Atem stocken. Das Geräusch dumpfer Schritte dringt zu uns in den Schacht. Ein Söldner. Ich halte instinktiv die Luft an, doch dann wird mir klar, dass das idiotisch ist. Stattdessen zwinge ich mich, so flach wie möglich zu atmen, ohne ein Geräusch zu machen. Es funktioniert, doch dafür höre ich nun das Blut in meinen Adern rauschen. Ich hoffe nur, der Söldner kann es nicht hören. Die Schritte nähern sich und ich spüre eine minimale Bewegung, als Nina ihr Gewicht vorsichtig verlagert, um eine Hand auf meine Schulter zu legen. Sofort senkt sich Ruhe über mich und das Rauschen in meinen Ohren klingt ab.

Ich denke nach. Der Wachposten wird nicht gehen, ohne die Quelle des Lärms gefunden zu haben. Wenn mir nichts einfällt, wird er uns entdecken. Gibt es eine glaubwürdige Erklärung für das Geräusch? Ich schließe die Augen. Das dumpfe Tappen der Stiefel stoppt irgendwo in der Mitte des Zimmers. Zwei Sekunden verstreichen. Dann weitere Schritte. Er nähert sich unserem Versteck.

Ich muss es riskieren, also fokussiere ich mich und öffne die Blockade um mein Licht ein winziges bisschen. Die roten Funken flitzen immer noch wie verrückt in dem Käfig herum. Vorsichtig lenke ich einen kleinen Faden heraus, nur ganz wenig. Dann stelle ich mir das Labor vor, sende mein Licht zu einem der Schranktürchen am gegenüberliegenden Ende des Raumes und zupfe sanft daran. Ich spüre, wie es aufschwingt. Dann lasse ich los und ein Klappern ertönt. Die Schritte stoppen.

Ich bete, dass der Wachmann kein Empath ist, denn meine Angst muss weithin spürbar sein. Nach einer gefühlten Ewigkeit entfernen sich die Schritte von unserem Versteck. Ein leises Quietschen, erneutes Klappern. Der Wachmann prüft die Schranktür. Eine tiefe Stimme murmelt einen Fluch. Wieder tappen die Stiefel über den Boden und dann hören wir das Swuschen der Labortür. Anscheinend hat der Wachmann den Köder geschluckt. Dennoch verharren wir noch einige Sekunden regungslos.

»Er ist weg«, flüstert Nina so dicht an meinem Ohr, dass ich ihren Atem spüre.

»Das war knapp«, stoße ich leise hervor. Und unser Auftrag hat gerade erst begonnen. Es ist noch ein weiter Weg bis zum Virus.

Wir kriechen durch den Schacht, folgen dem Plan, den wir uns eingeprägt haben. Knick nach rechts, dann zweimal links, geradeaus. Endlich sind wir da: über dem Gang direkt vor dem Aufzug zu den Virenlabors.

»Zwei Söldner vor dem Fahrstuhl«, raunt Nina.

Ich flüstere fast unhörbar in den Knopf: »Wir sind da. Ablenkungsmanöver.«

Einen Atemzug lang passiert gar nichts, dann bricht die Hölle los.

Ein gellender Heulton schrillt durch das Biozentrum, lässt die Luft vibrieren und erschreckt mich fast zu Tode. Mein Herz hämmert wie wild und ich suche Ninas Blick. Angespannt warte ich auf ihr Zeichen, dass die Luft rein ist, doch sie schüttelt den Kopf.

»Sie bleiben«, formt sie mit den Lippen. So ein Mist aber auch! Das verläuft gar nicht nach Plan. Und wir haben keine Alternative.

Das ohrenbetäubende Heulen frisst sich in meinen Kopf, verstärkt das Pochen und hindert mich am Denken. Wir müssen diese Soldaten ausschalten, ohne dass es bemerkt wird. Und zwar jetzt.

»Susan? Hast du den Code geändert?«, frage ich, doch das Sirenengeheul überstrahlt alles. Ich kann sie nicht verstehen. Ninas Gesicht ist starr vor Konzentration, ihr Blick abwesend. Kleine Falten bilden sich auf ihrer Stirn. Ich werde noch nervöser. Wenn Susan das Sicherheitssystem noch nicht auf die neuen Parameter umprogrammiert hat, sitzen wir in der Falle. Schließlich kehrt Leben in Ninas Augen zurück und sie nickt zögerlich.

»Ich glaube, sie hat es«, formt sie mit den Lippen.

Das muss genügen. Ich wende mich der Luke zu, hinter der die Söldner immer noch ihre Position halten. Es erfordert eine beträchtliche Menge meiner Kraft, und das geht nicht, ohne den Käfig zumindest teilweise zu öffnen. Vorsichtig entflechte ich einen Teil der Abschottung und werfe einen Blick auf mein Licht. Beunruhigend schnell schießen die roten Funken herum. Es sind schon wieder mehr geworden. Doch mir bleibt keine Wahl.

»Du schirmst dich jetzt besser ab«, sage ich zu Nina, doch ihre Augen haben bereits die Farbe gehärteten Stahls angenommen.

Ich hoffe einfach, dass Susan es inzwischen geschafft hat. Dann greife ich nach meinem Licht, sende es aus und ertaste damit die Maschinengewehre der Wachposten. In dem Moment, als ich die Verbindung herstelle, strömt eine gewaltige Menge Energie hindurch. Viel mehr, als ich beabsichtigt habe. Viel zu viel. Erschrocken schließe ich die Barriere wieder. Hoffentlich habe ich sie nicht getötet.

Hastig öffne ich die Abdeckung des Schachts und springe heraus. Nina landet mit katzenhafter Geschmeidigkeit neben mir. Die Söldner liegen bewusstlos am Boden. Aus hässlichen Platzwunden an ihrer Stirn sickert Blut.

Mit zwei Schritten sind wir bei ihnen. Beide haben einen kräftigen Puls, stelle ich erleichtert fest. Wir packen sie unter den Armen und zerren sie in das nächstgelegene Labor. Ich durchsuche in Windeseile die Schränke und finde eine Rolle Paketklebeband. Damit fesseln wir ihnen Arme und Beine und bedecken nach kurzer Überlegung auch ihre Münder mit je einem breiten Streifen.

Dann verlassen wir das Labor und hasten zum Fahrstuhl. Ich hole die Magnetkarte aus der Hosentasche, schiebe sie in den Schlitz, tippe den Code in das Zahlenfeld und schicke ein Stoßgebet zum Himmel. Oder besser gesagt zu Susan.

Als die Aufzugtür sich öffnet, lasse ich erleichtert den angehaltenen

Atem raus. Wir steigen ein und als die Türen sich wieder schließen, wird der Alarm so abrupt und vollständig abgeschottet, dass die darauffolgende Stille ebenso schockierend ist wie der Höllenlärm zuvor. Einen Moment lang befürchte ich, ich sei taub.

Dann höre ich Nina fluchen. Sie lehnt mit dem Rücken an der chromglänzenden Rückwand des Fahrstuhls und hat die Augen geschlossen. Sofort brennt wieder Sorge in mir. Hat sie etwas von den roten Funken abbekommen?

»Alles okay?«

»Alles gut.« Sie öffnet die Augen und versucht zu lächeln. Ihr Gesicht ist blass, noch blasser als zuvor. Und ihre Augen haben an Glanz verloren. Doch sie sind immer noch grün.

Ich ertrage das nicht. »Schirm dich ab, Nina«, dränge ich.

Sie schüttelt den Kopf. »Ich kann sie fühlen, Jan. Jeden Einzelnen. 29 von Savants Männern suchen gerade die Stockwerke zwei bis vier nach uns ab. Savant ist mit siebzehn seiner Leute im Foyer und zwei sind im Hörsaal. Bei Aloé.« Sie schluckt schwer.

»Wie geht es ihr?«

»Sie hat Schmerzen.« Auf Ninas Stirn bilden sich zwei kleine Falten und eine einzelne Träne rinnt über ihre rechte Wange.

Etwas in meiner Brust verkrampft sich. Ich will ihre Hand halten, ihr Trost spenden, aber damit setze ich ihr vermutlich nur noch mehr zu. Verdammt!

Rasch webe ich die Abschirmung um mein Licht wieder zu, mache sie so dicht und undurchdringlich wie möglich. Nichts davon darf nach außen gelangen. Gerade als ich sicher bin, dass ich die Funken restlos unterdrückt habe und Ninas Hand nehmen will, stößt sie sich mit einem wütenden Schlag ihrer kleinen Fäuste von der chromglänzenden Wand ab und fängt an, in der Aufzugskabine auf und ab zu gehen.

»Mistkerle!« Dann lehnt sie den Kopf an die Seitenwand und atmet tief durch. »Wenn ich mich öffne, spüre ich alles Schlechte in ihnen, diese Kälte und Grausamkeit. Aber wenn ich es abblocke, verliere ich den Kontakt. Dann weiß ich nicht, wann sich uns jemand nähert. Ich will das nicht riskieren.«

Wenn ich mich nicht gut genug im Griff habe, wenn sie in ihrem empfindsamen Zustand etwas von meinen Funken abbekommt, wird ihr das noch mehr zusetzen. »Nina, du verstehst nicht. Du solltest dich wirklich abschirmen.« Ich sehe sie an, dieses wunderschöne, starke Wesen und ihr Leiden. Solange diese Funken mein Licht verseuchen, werde ich ihr nie nahekommen können, nicht, ohne sie zu verletzen. Die Erkenntnis ist grausam.

»Ich weiß, was ich tue«, sagt sie nur und hält meinem Blick stand.

»Nein, das weißt du nicht!« Sie hat schließlich keine Ahnung von meinem Dilemma.

Ihre grünen Augen funkeln mich an. Sie erwidert nichts, doch ich weiß, dass ich ihre Meinung nicht ändern kann. Ich merke es an der Art, wie sie mich ansieht. Mit diesem ernsten, entschlossenen Blick, den Kopf leicht gehoben, die Lippen eine gerade Linie, nicht verkrampft, sondern bestimmt.

»Nina, bitte. Du musst dich vor mir schützen.«

»Muss ich nicht.«

»Nina …«

»Nein! Du hast dich im Griff.«

»Das glaube ich nicht.«

»Ich schon.«

Wieder zerfleischen mich die unterschiedlichsten Gefühle. Pures Glück, dass sie an mich glaubt, und tiefe Bestürzung, dass ihr dadurch so eine Gefahr droht. Dazu noch Scham, denn ich habe ihr Vertrauen nicht verdient.

Aber ehe ich weiter widersprechen kann, stoppt der Lift und die Türen öffnen sich.

Nina dreht sich um und tritt in den weißglänzenden Korridor. Das helle Licht formt eine Korona um ihre Silhouette, die sie wie eine Himmelsgestalt wirken lässt. Ich kann sie vielleicht nicht überzeugen, aber ich schwöre mir, nicht zuzulassen, dass das Chaos in meinem Inneren ihr schadet.

Wir rennen durch den Korridor und halten nur an, wenn ein Kraftfeld uns dazu zwingt. Mein Fingerabdruck und die Magnetkarte funktionieren. Den Raum mit der manuellen Exterminationssteuerung finden wir auf Anhieb, endlich mal Glück. Ich fasse es kaum.

Mein Fingerabdruck aktiviert das Terminal und wenige Klicks später blinken knapp zwanzig Balkensymbole auf. Wie bei der Installation einer Software füllt sich der erste. Als der Balken hundert Prozent erreicht, blinkt *Extermination komplett* darüber auf und der nächste Balken füllt sich. Nervös betrachte ich, wie sich das Spiel wiederholt. Die Substanzen können nur nacheinander vernichtet werden. *Susan, da hätte ich jetzt einen Vorschlag für das nächste Update des Sicherheitssystems*, denke ich nervös. *Das sollte schneller gehen.* Wie lange wird es dauern, bis sie merken, wo wir sind? Die Überwachungsbildschirme zeigen vermutlich noch die Endlosschleife der leeren Flure, aber Savant wird rasch darauf kommen, dass sie manipuliert sind.

Ich nutze die Wartezeit, um den Kokon um mein Licht zu verstärken, denn ich habe Sorge, dass er bald Risse bekommt. Weitere acht Balken sind durch, dann endlich füllt sich der vorletzte. Er erreicht hundert Prozent und plötzlich geht nichts mehr voran. Das System steht.

»Was ist los?« Ich klopfe gegen die Konsole.

»Entweder ist das normal«, sagt Nina »oder ein Fehler, oder *er* hat es gestoppt. Was machen wir jetzt?«

»Kannst du so was reparieren?«

»Genauso wenig wie du. Wir haben keine Wahl.«

Nina hat recht. »Wir müssen ins Labor«, sage ich. »Entweder finden wir dort einen Weg, das Ding zu zerstören oder …«

»… wir müssen ihn mitnehmen.«

Den tödlichsten Virus der Welt? Ich erinnere mich an Seans grünes Gesicht und wie ich später an dem Abend das Kapitel über Schutzmaßnahmen auswendig gelernt habe. Es gibt absolut sichere Virenschutzbehälter, die zum Transport außerhalb eines Labors verwendet werden. Es könnte also funktionieren, aber wir müssen schnellstens dorthin.

Wir verlassen den Raum und durchqueren erneut das Ganglabyrinth. Bei jedem Kraftfeld, das ich deaktiviere, steigt mein Puls. Dann sind wir da. Vor uns liegen die Übungslabors und der Raum, den Aloé uns nicht betreten ließ.

An der Luftschleuse trete ich vor den Netzhaut-Scanner. Ich spüre ein Kribbeln im Nacken, als der Laser mein Auge abtastet. Nah dran. Wir können es schaffen.

Zischend gleitet die Tür auf und wir sind wieder in dem matt erleuchteten, schmalen Vorraum mit den kanariengelben Schutzanzügen und den überdimensionierten Helmen an der Wand. Ich nehme einen vom Haken und reiche ihn Nina, doch die schüttelt nur den Kopf.

»Dauert zu lange«, sagt sie.

»Dadrin wird mit tödlichen Viren gearbeitet«, erwidere ich.

»Nach der letzten Benutzung wurde das Labor automatisch hermetisch versiegelt und dekontaminiert. Dort drin ist nichts mehr am Leben, außer in dem Hochsicherheitsbehälter selbst. Und da wir sowieso vorhaben, den zu klauen, sind Schutzanzüge nicht unser Problem. Falls der Virus freigesetzt wird, sterben wir früher oder später alle.«

Natürlich hat sie recht. Ich hänge den Helm zurück und drehe mich zur Luftschleuse. Dahinter befindet sich die gefährlichste Substanz der Welt und wir werden da reingehen und sie mitnehmen. Ich darf gar nicht drüber nachdenken.

»Letzte Chance, umzukehren«, sagt Nina, ein Zittern in der Stimme. Sie hat auch Angst. Irgendwie hilft mir das, mich zusammenzureißen.

Ich sehe sie mit so viel Zuversicht an, wie ich aufbringen kann. »Niemand wird sterben, hörst du? Wir schaffen das.«

Nina nickt. »Klar. Los geht's.« Dann weiten sich ihre Augen vor Schreck.

»Was?«, frage ich alarmiert.

Nina fasst sich an die Stirn, als hätte sie Schmerzen, und kneift die Augen zusammen. »Etwas stimmt nicht.« Ihre Stimme bebt. »Ich weiß nicht, was ... ah!« Sie stößt einen erstickten Schrei aus und taumelt. Ich stütze sie reflexartig und kann gerade noch verhindern, dass sie zu Boden stürzt.

»Was ist passiert?«, frage ich. Und dann habe ich auf einmal das unangenehme Gefühl, dass etwas in meinem Inneren Risse bekommt.

19

IN DER FALLE

Wir müssen uns beeilen«, beschwört mich Nina und rückt von mir ab. »Irgendetwas geschieht dort oben.«

Ich denke an Aloé. Ob sie sie wieder foltern? Oder Susan und Yorik? Wir öffnen die Luftschleuse und ein Luftzug zupft an unserer Kleidung. Wir betreten ein kreisrundes, blitzblankes Labor. Es ist taghell erleuchtet und in der Mitte befindet sich ein chromglänzender Tisch, der von hohen Wänden aus Plexiglas luftdicht abgeschlossen ist. Zwei Kunststoffhüllen in Form armlanger Handschuhe sind darin eingelassen.

Doch was wir suchen, ist an der Wand dahinter. Ein Tresorschrank mit dem Symbol für Biogefährdung: Drei schwarze Sicheln über einem schwarzen Kreis auf gelbem Grund, *UN 2814* steht in fetten Lettern darunter. *Für Menschen infektiöse Substanzen.* Hinter dieser Tür lauert ein Killer. Mein Magen bildet einen heißen, harten Knoten.

Es gibt keinen Griff, nur eine metallene Stange, die rechts neben dem Schrank aus dem Boden ragt. An deren Ende ist etwa in Kopfhöhe ein kreisrundes schwarzes Gerät mit einer daumengroßen Linse befestigt. Noch ein Netzhaut-Scanner.

Ich halte mein Auge davor. Rotes Licht blendet mich, als ein Bündel Laserstrahlen meine Retina abtastet. Einen Moment lang geschieht gar nichts, dann ertönt ein Zischen wie beim Öffnen eines Einweckglases.

Die Tür schwingt auf. Mein Herz klopf jetzt so stark, dass es fast wehtut.

Auf einer Glasplatte liegt ein zylindrischer Kanister aus Edelstahl. Das gelbe Gefahrensymbol prangt darauf, darunter sein Name: »Ebola-CoV-Omikron«.

»Ist er das?« Nina linst über meine Schulter.

Aloé hat uns ein Foto davon gezeigt. »Ja. Ganz sicher.«

Der Zylinder ist etwas kürzer als mein Unterarm und ein schmaler Kunststoffriemen ist an seinem oberen und unteren Ende befestigt. Rasch ergreife ich den Behälter, schiebe den Trageriemen über den Kopf und stecke den rechten Arm durch die Schlaufe. Bilde ich es mir ein oder strahlt das Gefäß Hitze aus? Das kann nicht sein, dennoch, es fühlt sich heiß an meiner Seite an.

»Schnell weg hier«, sage ich.

Nina hat sich bereits umgedreht und rennt. Ich folge ihr durch die Schleuse, in den Gang, nach rechts um eine Kurve, dann nach links. Wir sind in dem gebogenen Hauptkorridor, der zum Aufzug führt, und sehen schon die Doppeltür, als Nina plötzlich schlitternd vor mir zum Stehen kommt.

»Hey, was ...« Doch dann bemerke ich es auch. Auf dem rechteckigen Anzeigefeld blinkt in schrillem Rot ein nach unten gerichteter Pfeil. Jemand ist unterwegs zu uns. Wir müssen hier weg. Ich ergreife Ninas Hand und ziehe sie zurück, doch als sich die Fahrstuhltür mit einem schweren Seufzer öffnet, sind wir immer noch ein paar Schritte von der nächsten Abzweigung entfernt.

»So ist das also.« Eine kratzige Männerstimme ertönt hinter uns, bei deren Klang ich mich fühle, als würde mir Gift ins Gehirn geträufelt. In vollem Lauf sehe ich über die Schulter zurück.

Der Adrenalinstoß schärft mein Sehvermögen. Der Mann ist groß und hager, seine Körperhaltung unnatürlich gerade, beinahe steif. Der anthrazitfarbene Maßanzug sitzt perfekt, genauso wie das karierte Seidenhemd und die dunkelblaue Krawatte. Sein verblichenes, schütteres Haar ist ordentlich zurückgekämmt, jede Strähne liegt an ihrem Platz.

Savant steht still, den Kopf leicht schief gelegt, als würde er auf etwas lauschen, das nur er wahrnehmen kann. Intelligente, kalte Augen blitzen unter einer hohen Stirn und den feinen Linien seiner ausgebleichten Augenbrauen. Seine Mundwinkel deuten ein Lächeln an, doch es wirkt aufgesetzt, wie bei einem schlechten Schauspieler. Mit der rechten Hand greift er unter sein Jackett.

Er fixiert mich mit diesen kalten, *wissenden* Augen und lähmende

Angst kriecht in meine Knochen. Dann zieht er die Hand unter dem Jackett hervor und ich blicke in den Lauf einer schwarzen Handfeuerwaffe.

Wir erreichen die Abzweigung, ich stoße Nina nach links in den quer verlaufenden Gang und stolpere hinterher. »Savant«, zische ich ihr zu. Und dann, als sie erschrocken den Kopf dreht: »Nein, weiter, er hat eine Waffe.« Wir rappeln uns auf und stürmen durch den Flur, der einen Bogen beschreibt.

Unsere Tritte hallen auf dem glatten gläsernen Kunststoffharz. Die Gänge hier unten bilden zwar ein Labyrinth, doch bei diesem Lärm kann Savant uns leicht folgen. Meine Gedanken rasen. Er muss die Sicherheitssperre überwunden haben. Was ist mit Susan und Yorik? Hat er sie aufgespürt? Konnten sie fliehen? Oder sind sie jetzt auch seine Geiseln?

»Susan, Yorik«, flüstere ich, doch der Knopf in meinem Ohr bleibt stumm. Hoffentlich liegt es nur an der Abschottung hier unten. Wir müssen nach oben, dringend. Aber wie?

Wir rennen weiter, folgen der Kurve, die der Flur beschreibt. Ich dränge Nina nach links, als die nächste Abzweigung in Sicht kommt. Wir biegen ab und hetzen den Gang entlang, bis wir den äußeren Ring erreichen. Als wir wieder bei den Hochsicherheitslabors sind, halte ich Nina an der Schulter. Sie bleibt stehen und dreht sich zu mir um, das Gesicht ein einziges Fragezeichen.

»Was soll das?«, zischt sie. Schnell lege ich einen Finger an die Lippen, schließe die Augen und horche auf Schritte hinter uns. Nichts.

»Savant folgt uns nicht«, flüstere ich.

»Und jetzt?«

»Keine Kraftfelder. Er hat alle Sicherheitssperren ausgeschaltet.«

Ihr Blick verdüstert sich. »Fragt sich nur, wie. Wenn er das System abgeschaltet hat, dann haben wir zumindest noch eine Chance. Aber wenn er es genauso gemacht hat wie Susan und einen neuen Code programmiert hat, dann …«

Nina stockt. Ich suche nach einer weiteren Möglichkeit, etwas, das wir übersehen haben. Doch es gibt nur diese eine Schlussfolgerung, und es ist besser, es auszusprechen.

»Dann sitzen wir in der Falle«, beende ich ihren Gedanken. Wenn die Sicherheitssperren aktiv sind, braucht man den Code, um den Fahrstuhl zu benutzen, egal in welche Richtung. »Kannst du Savant spüren?«

Nina schüttelt frustriert den Kopf. »Er hat sich vollständig abgeschottet«, flüstert sie.

Natürlich. Ich fluche in Gedanken. Er weiß, dass sie Empathin ist.

»Er kann also überall sein.«

Nina sieht mich an. »Wir müssen zum Fahrstuhl«, drängt sie.

»Er weiß das auch.«

Nina nickt. Dann lächelt sie listig. »Aber wir sind zu zweit.« Sie nimmt den Virusbehälter von meiner Schulter, schlüpft mit dem Kopf durch den Riemen und nestelt den Zylinder unter ihrem Shirt auf den Rücken. »Siehst du ihn?«

»Von vorne nicht.« Ich gehe um sie herum. »Hinten schon.«

»Besser geht's nicht.«

Ich nicke. Es ist die einzige Chance.

Vorsichtig schleichen wir den Gang entlang, langsamer diesmal. Unsere Schritte sind unhörbar. Wir passieren vier weitere Abzweigungen, ohne eine Spur von Savant zu entdecken, und gelangen in einem großen Kreisbogen wieder zurück. So nähern wir uns dem breiten Mittelgang nun von der anderen Seite. Mit klopfendem Herzen gehe ich darauf zu, drücke mich an die Wand und spähe vorsichtig um die Ecke.

Da ist er. Drei Meter breit und einladend leer. Der Korridor, der zum Aufzug führt. Die Tür am Ende ist etwa fünfzig Meter entfernt, im Sprint können wir sie in sieben Sekunden erreichen. Verlockend. Sämtliche meiner Instinkte schreien warnend auf, als ich an Savants Gesichtsausdruck denke, so beherrscht, überlegen. *Überlegend.* Er würde uns niemals bis zum Fahrstuhl kommen lassen.

Das gleißende Licht der Leuchtpaneele überflutet den gesamten Korridor. An drei Stellen kreuzen Quergänge und in der Mitte befinden sich Zugangstüren zu zwei großräumigen Übungslabors. Eine Menge Möglichkeiten für Savant, uns aufzulauern.

Ich sehe Nina an. Sie formt lautlos das Wort »Falle«. Im nächsten

Moment geht die Beleuchtung aus und Dunkelheit umfängt uns. Nina zuckt neben mir zusammen. Eine Millisekunde später schalten sich die Notbeleuchtungsleisten an Boden und Decke ein und verbreiten ein geisterhaftes grünes Leuchten.

Eine Million Schatten liegen nun auf dem Weg vor und hinter uns. Langsam ziehe ich den Bo aus meinem Rückengurt und nehme Kampfhaltung ein. Jeder Muskel in meinem Körper ist angespannt.

Eine hohe, kratzige Stimme durchbricht die Stille. »Lass uns in Ruhe reden, Jan.« Ich zucke zusammen, packe meinen Langstock fester und beiße mir auf die Unterlippe. Die Stimme scheint von überall her zu kommen. »Ich will dir nichts tun.«

Ich erwidere nichts. Solange es noch eine kleine Hoffnung gibt, dass er unseren Standort nicht kennt, werde ich uns nicht verraten.

Nina hat den Kopf gesenkt und lauscht hoch konzentriert. Sobald er spricht, hat sie eine Chance. Wenn irgendjemand ihn lokalisieren kann, dann sie. Ich muss Savant irgendwie dazu bringen, mehr zu reden.

»Im Gegenteil, ich will dir ein Angebot machen.« Savant kichert. Das klingt, als würde ein scharfer Fingernagel über eine Schiefertafel gleiten. Ein Geräusch, das sich wie parasitische Maden in meine Ohren bohrt.

»Ach ja? Was können Sie mir denn anbieten?«, frage ich zurück.

Stille. Einen Atemzug lang, noch einen. Dann antwortet Savant. »Alle deine Träume, Jan. Wir können sie Wirklichkeit werden lassen. Gemeinsam. Du und ich.«

Nina sieht auf. Es scheint, als hätte sie ihn. Trotz seiner Abschirmung. Ihre Stärke ist unglaublich. Mit ein paar Gesten zeigt sie mir, wo sie ihn vermutet.

Ich antworte ebenfalls mit Handzeichen und gebe ihr meinen Plan zu verstehen. Sie nickt. Dann bringt sie blitzschnell ihren Mund an mein Ohr. Ihr Atem kitzelt meine Haut, als sie mir drohend zuraunt: »Aber wag es ja nicht, hier draufzugehen, sonst bring ich dich um.«

Ich muss grinsen. Trotz allem. Trotz der Lebensgefahr. Trotz des Virus. Dann huscht sie davon.

Ein Schatten am Ende des Ganges bewegt sich und ich kann vage eine Gestalt erahnen, die aus dem Seitengang tritt. Savant versperrt uns den Weg zum Aufzug, genau wie Nina angenommen hat.

Sein Gesicht liegt im Dunkeln, doch die Waffe ist noch in seiner rechten Hand, der Lauf zeigt zu Boden. Noch. Das schwarze Gehäuse glänzt bedrohlich.

»Ich arbeite nicht mit einem Mörder zusammen.«

»Ich bin kein Mörder, Jan.«

»Ich weiß von der Liste!«

»Was ich tue, ist Notwehr! Ich wehre mich gegen die Menschen, die unseren Planeten vergiften. Außerdem werden an den Folgen von Klimawandel und Umweltzerstörung viel mehr Menschen sterben, als wenn ich jetzt und hier eingreife. Damit rette ich Leben!«

»Das rechtfertigt einen Massenmord? Kommen Sie, das glauben Sie doch nicht wirklich, oder? Selbst wenn die schlimmsten Prognosen eintreffen, wird der Klimawandel nicht so viele Opfer fordern wie das, was Sie vorhaben.«

»Diese Prognosen sind falsch. Die Menschheit wird sich vollständig vernichten! Aber wenn ich diejenigen schütze, die im Einklang mit der Natur sind, und diejenigen, die das Ruder noch herumreißen können, dann können wir überleben.«

»Glauben Sie wirklich, dass nur die PSI-Talente das schaffen können?«

»Natürlich! Wir sind die überlegene Rasse! Wir können rückgängig machen, was die niederen Menschen angerichtet haben. Indem ich den Teil der Menschheit rette, der es *wert ist*, gerettet zu werden.«

Reden, einfach nur weiterreden. Er ist verrückt und ich werde ihn mit Worten nicht aufhalten können, aber ich kann Nina Zeit verschaffen.

Sein kränkliches Kichern erklingt erneut. »Der Klimawandel wird noch viel mehr Opfer fordern, als die niederen Menschen mit ihren unsinnigen Vorhersagemodellen denken. Nicht auf einmal, nein. Aber in den nächsten hundert, fünfhundert und tausend Jahren, wenn wir ihn nicht sofort stoppen.«

»Das kann man aber anders schaffen, ohne gleich acht Milliarden umzubringen.«

Savant schüttelt den Kopf. »Ich habe es berechnet, Jan.« Er spricht ruhig und kontrolliert. »Die Menschen sind nicht willens, die nötigen Anstrengungen zu unternehmen und der Vernunft zu folgen. Lieber denken sie sich haarsträubende Geschichten über Verschwörungen aus, greifen Wissenschaftler, Ärzte und andere an, die sich für das Wohl aller engagieren. Die Welt ist ohne sie besser dran. Also, Jan, sag mir. Warum willst du all diese Leute retten?«

Irgendwie muss ich es schaffen, dass er vom Aufzug weggeht. Oder ihn ausschalten wie die Soldaten. Aber mit meinem Licht stimmt etwas ganz und gar nicht. Ich könnte ihn töten, wenn ich es mit Licht versuche.

Zeit. Ich brauche mehr Zeit.

»Das sind nur wenige. Die meisten Menschen sind anders«, stoße ich wütend hervor. »Besser. Die Menschheit *ist* in der Lage, sich zu ändern. Man sieht es doch überall! Sie folgen *Fridays for Future,* wählen grüne Regierungen, investieren in erneuerbare Energien. Wir dürfen jetzt nur nicht aufgeben!«

»Ich habe es berechnet.« Savant steht vollkommen regungslos, die Waffe weiter auf den Boden gerichtet.

»Menschen kann man nicht berechnen!«

Ich kann es nicht. Ich kann nichts tun, womit ich einen Menschen töten könnte. Selbst Savant. Selbst wenn es die Rettung der Welt bedeutet. Was ist los mit mir? Es wäre doch richtig, oder?

»Sei vernünftig, Jan. Du willst etwas verändern. Genau wie ich bist auch du nicht bereit, mit anzusehen, wie dieser Planet vor die Hunde geht. Du musst nur deine irrationalen Wunschträume begraben, dann sind wir unbesiegbar.« Jetzt geht Savant einen Schritt auf mich zu. Und noch einen. Wenn ich ihn weiter am Reden halte, kommt Nina vielleicht unbemerkt durch.

»Wir haben ein gemeinsames Ziel, Jan. Wir beide träumen von einer besseren Welt. In ein paar Jahren wirst du es einsehen, doch dann ist es zu spät.«

Abscheu packt mich. »Ich werde gar nichts einsehen!«

»Du bist wie ich.« Es ist der ruhige, vernünftige Klang seiner Stimme, der meine Wut anfacht.

»Ich bin *nicht* wie Sie«, rufe ich aus. Und dann ist da wieder dieses Reißen in mir. Etwas bricht, ich spüre Hitze und Schmerz, will es zurückhalten, doch es ist, als versuche man, einen Sturm mit bloßen Händen einzufangen.

»Die Alternative bedeutet, wir lassen weiter zu, dass die Guten, die Unschuldigen getötet werden, darunter wertvolle Talente. Du kannst das nicht zulassen, Jan, das ist unmoralisch.«

»Unmoralisch? Milliarden von Menschen *nicht* umzubringen? Das ist doch krank!« Ich muss ihn ausschalten. Schweiß läuft mir über die Stirn und mir wird übel. Die Schmerzen in mir werden stärker, das wirbelnde Licht, ich kann es nicht kontrollieren.

Aber ich kann doch niemanden töten! Ich muss hier raus. Ich muss weg.

»Gehen Sie beiseite«, knurre ich. Das ist vielleicht seine letzte Chance, lebend hier rauszukommen. Und meine, kein Mörder zu werden.

»Komm mit mir.«

»Lassen Sie mich gehen. Sofort.«

Jetzt trete ich in den Gang. Irgendetwas stimmt mit meinen Augen nicht, an den Rändern wird alles schwarz.

»Lass uns zusammen gehen.«

Noch ein Schritt. Mir wird schwindelig und die Schmerzen werden immer stärker.

Nina, jetzt!, rufe ich in Gedanken.

»Dann lassen Sie Aloé gehen.«

Hinter Savant taucht Nina aus dem Seitengang auf und schleicht lautlos in Richtung des Aufzugs. Um sie nicht anzusehen und Savant damit einen Hinweis zu geben, starre ich stattdessen ihn an.

»Ist das deine Bedingung? Willigst du dann ein?«

Einen Dreck werde ich. »Danach können wir darüber reden.«

Plötzlich reißt Savant den Arm mit der Waffe herum. Der Lauf zielt jetzt auf Ninas Stirn. Sie erstarrt. »Keinen Schritt weiter!« Seiner Stimme ist keine Regung anzumerken, doch dann fängt er wieder an zu kichern. »Siehst du, Jan? Auch du bist berechenbar. Es war klar, dass du alles tun würdest, um deine Freundin rauszubringen.« Seine

Stimme ist plötzlich ganz weich. »Die Menschen, die wir lieben. Solange es auch nur einen einzigen bösen Menschen auf der Welt gibt, sind sie in Gefahr. Wenn wir *nicht* handeln, bringen *wir* sie in Gefahr. Ich möchte deine Freundin nicht verletzen, aber wenn es das ist, was passieren muss, um dich zur Vernunft zu bringen, dann werde ich es tun. Für das größere Wohl.«

Ich weiß, dass er es ernst meint, also gebe ich nach. Alles Denken hört auf, ich fühle nur noch. Angst, dass er Nina verletzt. Den Wunsch, ihn zu vernichten. Und dann reiße ich. Ich kann es nicht mehr kontrollieren, kann nichts dagegen tun. Plötzlich habe ich das Gefühl, zu explodieren, zu brennen und zu sterben. Entfernt höre ich Savant und Nina schreien, dann ein dumpfes Krachen. Irgendwo platzen Leitungen und das Licht wird zuerst blendend grell, dann fällt es ganz aus.

Endlich ist der Schmerz weg und ich taumle gegen die Wand.

20

STURM

Ich muss das Bewusstsein verloren haben, denn ich erwache auf dem Boden. Die grüne Notbeleuchtung ist wieder an, doch sie flackert. Aus einer zerstörten Seitenwand hängen Kabel, die Funken sprühen.

Mühsam kämpfe ich mich auf die Knie und sehe mich um. Savant liegt auf dem Fußboden inmitten scharfzackiger Splitter der Spiegelscheiben, die bei seinem Aufprall zerbrochen sind. Die Waffe kann ich nirgends entdecken. Ich habe etwas Furchtbares getan, und ich spüre einen Abgrund in mir, Schuldgefühle und nackte Panik, doch ich wende mich mit Gewalt ab. Ich muss Nina finden, mich vergewissern, dass sie okay ist.

Mühsam rapple ich mich hoch und wanke zum Aufzug, wobei ich mich an der Wand abstützen muss. Die Welt um mich herum ist noch nicht stabil. Vielleicht ist auch irgendetwas in meinem Kopf verletzt worden, jedenfalls spüre ich stechende Schmerzen in den Schläfen.

Ich finde Nina im Seitengang. Sie liegt auf dem Boden und rührt sich nicht mehr. Kopflos stürze ich zu ihr und sinke auf die Knie, ohne auf die Splitter zu achten, die unter mir knirschen. Ihr Gesicht ist weiß, wie frisch gefallener Schnee. Hektisch taste ich nach ihrem Handgelenk und spüre grenzenlose Erleichterung. Sie hat einen Puls, sie lebt. Doch ihre zarte Haut fühlt sich fiebrig an und ihr Herz rast. Vorsichtig streiche ich ihre Haare aus dem Gesicht.

Sie braucht einen Arzt oder besser noch Nakoma. Nina muss einen Teil der Funken abbekommen haben, als mein Licht ausgebrochen ist, und nur Nakoma weiß, wie man ihr jetzt helfen kann. Irgendwie muss ich es schaffen, Kontakt zu der Professorin aufnehmen.

Aber wie? Das Gebäude ist voller Söldner, die uns jagen. Sie haben Aloé als Geisel und ich habe den Kontakt zu Yorik und Susan verloren. Ich habe keine Ahnung, keinen Plan, doch eines ist klar: Nina muss sofort hier raus, und zwar schnell.

Hastig taste ich Nina nach Knochenbrüchen und anderen Verletzungen ab, doch bis auf die Bewusstlosigkeit scheint sie unverletzt. Vorsichtig drehe ich sie auf die Seite, um den Behälter mit dem Virus zu checken. Er ist unversehrt, zum Glück. Dann schiebe ich so behutsam wie möglich die Arme unter Ninas Schultern und Knie, hebe sie hoch und trage sie zum Fahrstuhl.

Als ich ein gequältes Stöhnen höre, drehe ich mich dem Geräusch zu. Es ist Savant. Er lebt! Irgendwie bin ich erleichtert. Sollte ich vielleicht nicht, denn das macht unsere Situation noch auswegloser, aber ich bin es dennoch. Erleichtert, dass ich niemanden getötet habe.

Dafür bleibt uns jetzt noch weniger Zeit. Mit dem Ellenbogen rufe ich den Aufzug und schicke ein Stoßgebet gen Himmel. Eine Sekunde später ertönt ein erlösendes *Pling* und die Tür gleitet auf. Ich trete ein und drücke den Knopf für den ersten Stock. Das Erdgeschoss ist zu riskant.

Doch zu meinem Entsetzen hält der Lift genau da. Wir sitzen in der Falle. Wieder spüre ich die kalten Klauen der Panik im Nacken und weiche zurück. Kämpfen ist die einzige Chance, also greife ich nach meinem Licht und bereite mich darauf vor, es allen, die sich uns in den Weg stellen, entgegenzuschleudern. Es ist jetzt wieder ruhig und klar, strahlend und ohne rote Funken. Ich fokussiere mich.

Dann öffnen sich die Türen und ich blicke in die gehetzten Gesichter von Susan und Yorik. Ich kann mich gerade noch zurückhalten, doch es tut weh.

»Verdammt!«, entfährt es mir. »Seid ihr wahnsinnig?«

Beide sehen mitgenommen aus. Susan hat eine blutende Wunde an der Stirn und Yoriks Lippe beginnt, anzuschwellen. Vier Wachen liegen bewusstlos am Boden.

Susans Augen weiten sich vor Schreck, als sie die ohnmächtige Nina sieht. Dann drängt sie in die Kabine, gefolgt von Yorik, der auf das Bedienfeld einhämmert. Die Türen schließen sich und wir fahren weiter nach oben.

»Was ist passiert?«, schreit Susan mich an.

»Später. Wir müssen sie an einen sicheren Ort bringen. Und Nakoma rufen.«

Susan sieht mich anklagend an, doch sie kann mir nicht mehr Vorwürfe machen als ich selbst. Also ignoriere ich sie und versuche, einen klaren Kopf zu bekommen. Sie kniet sich neben Nina und streicht ihr behutsam über das Haar, das Gesicht voller Sorge und so viel Liebe, dass es mir ans Herz geht. Ist das Susan? Verwirrt tausche ich einen Blick mit Yorik, doch der hat nur Augen für das blonde Mädchen, das sich so liebevoll um seine Freundin kümmert wie eine Schwester oder Mutter.

Ich weiß, dass Nina den Funken ausgesetzt war, wie meine Mutter damals. Nina war ohne Abschirmung. Sie muss Höllenqualen ausstehen, und je länger es dauert, bis die Funken sie verlassen, umso schlimmer wird die Verletzung sein. Irgendwie muss ich ihr helfen.

Der Lift hält und wir finden den ersten Stock verlassen vor. Doch entferntes Rufen und das Trommeln schwerer Stiefel, das rasch näher kommt, verrät, dass wir bald Gesellschaft bekommen.

»Hier lang!« Susan setzt sich an die Spitze und lotst uns durch die labyrinthartigen Gänge bis zu einer zweiflügligen Tür. Zischend gleitet sie auf und mit einem Mal stehen wir im Grünen. Feuchtwarme Luft und der schwere Geruch von Erde und exotischen Düften schlägt uns entgegen. Saftige Blätter und Blütenkelche in grellen Farben beherrschen den Raum. Von der Decke hängen Bromelien, Orchideen und Kannenpflanzen mit Fangblättern von der Größe meines Armes. Dazwischen wachsen Maniokstraucher empor, kräftige Pflanzen mit tellergroßen, handförmig geteilten Blättern. Susan hat uns in ein Gewächshaus geführt.

Wir hasten los, bis ich die Orientierung verliere, »Stopp!« rufe und auf die Knie sinke. Wir sind längst zwischen den Dschungelpflanzen verschwunden, was uns etwas Zeit verschafft.

Vorsichtig lege ich Nina an einer geschützten Stelle neben einem Maniokstrauch ab.

»Was ist passiert?«, frage ich Yorik.

»Wir sind euch nach, als Savant Zugang zu den Codes bekommen hat. Mussten ein paar Soldaten ausschalten, aber Savant ist uns entwischt. Was ist mit Nina?«

Ich hole tief Luft, dann schildere ich die Ereignisse knapp und schonungslos. Susan betrachtet mich währenddessen mit zunehmend feindseliger Miene.

»Es ist meine Schuld«, schließe ich meinen Bericht.

»Ja, das ist es«, sagt Susan wütend.

»Susan!«, fährt Yorik sie aufgebracht an. »So ein Quatsch. Das war keine Absicht.« Dann dreht er sich zu mir. »Hör nicht auf sie. Das alles ist ausschließlich Savants Schuld, okay?«

»Wie auch immer, sie braucht Hilfe«, gebe ich zurück. »Sie muss diese Energie irgendwie ableiten.«

Vorsichtig nehme ich Ninas Hand und halte sie an den Stamm eines Maniokstrauches.

Nichts. Ein eisernes Band legt sich um meine Brust und drückt langsam zu.

»Was ist?«, fragt Yorik. »Warum passiert nichts?«

»Sie ist bewusstlos«, meint Susan. Ihre Augen sind gerötet, und sie wischt sich verärgert Tränen von der Wange.

Ich muss das Rot aus Nina herausleiten. Irgendwie. Unsicher rücke ich dichter neben sie. Dann lege ich eine Hand an ihre Schläfen, umfasse mit der anderen den Maniokstrauch und schließe die Augen. Ich konzentriere mich auf mein Licht, dann auf Ninas. Behutsam strecke ich meinen Geist danach aus und stoße auf eine Art unsichtbare Wand, an der ich nicht vorbeikomme.

Die Barriere ist stark und trotzt meinem Versuch, sie zu durchdringen. Auch als ich meine Bemühungen verstärke, komme ich nicht weiter. Dann taste ich mich an dem Hindernis entlang und spüre schließlich leichte Risse. Sie führen mich zu einer Schwachstelle, die groß genug ist, dass ich hindurchkomme.

Augenblicklich durchfährt mich ein scharfer Schmerz, als würden Dolche in meinen Schädel gestoßen. Yorik ruft irgendetwas, er klingt besorgt, doch seine Stimme ist gedämpft, als wäre ich unter Wasser, am Grunde eines Sees. Dann bin ich durch und ein Chaos aus Licht blendet mich. Rote Funken flitzen durch Ninas Geist. Der erste, der mich streift, brennt wie flüssiges Eisen. Ich zucke zurück und schreie vor Schmerz.

Spürt Nina das auch? O Gott, nein, bitte nicht! Was habe ich ihr angetan?

Ich wappne mich, so gut es geht, dann ziehe ich die roten Funken zu mir. Als ich wieder getroffen werde, unterdrücke ich den Schrei. Mit zusammengebissenen Zähnen umklammere ich den Maniokstrauch fester. Immer mehr Funken fließen durch mich, es ist wie Lava, wie Höllenfeuer. Und es dauert ewig. Die Schmerzen steigern sich immer weiter, bis ich das Gefühl habe, als würde mir die Haut vom Körper gebrannt. Hitze frisst sich durch mich hindurch, durch meine Muskeln, meine Nerven, meine Organe.

Vage nehme ich einen Zug an meiner Schulter wahr. Es ist Yorik. Er ruft irgendetwas, doch ich verstehe es nicht. Zu weit weg. Es ist mir auch egal, nur Nina ist wichtig. Alles, was zählt, ist, sie von diesem Schmerz zu befreien.

Dann höre ich ihre helle, wundervolle Stimme in meinem Geist. *Genug.*

Es ist Nina, schwach, aber da. Leise, aber überwältigend. Die Erleichterung haut mich um.

Ich stoppe den Sog, ziehe mich zurück und breche erst einmal zusammen. Für einen Moment bin ich unfähig, auch nur einen Muskel zu bewegen. Dafür regt sich Nina neben mir.

»Warte, bleib liegen.« In Susans Stimme höre ich Tränen und eine Weichheit, die ich ihr nie zugetraut hätte.

Mein Schädel dröhnt. Susan hält mir ein kleines Gefäß an die Lippen und befiehlt mir, zu trinken. Ihr Tonfall duldet keinen Widerspruch, ich muss tun, was sie sagt. Ein scharfes Brennen frisst sich durch meine Kehle und ich spucke die Hälfte hustend und würgend wieder aus.

»Ist das Schnaps oder was?«, keuche ich zwischen zwei Hustenattacken.

»Eos-Bitterkraut. In hoher Dosis. Wird dir auf die Beine helfen.«

»Ich glaub eher, du willst mich umbringen«, murmle ich und huste erneut. Doch die Schmerzen in meinem Körper lassen nach, neue Energie flutet mich. Viel zu schnell.

»Ist das eine Droge?«

»Ein pflanzliches Mittel. Morgen wirst du dafür büßen, aber ...«

Mein Kopf fühlt sich allmählich wieder normal an. Ich denke daran, was Dr. Morgan mit meinem Bein gemacht hat. Das jetzt ist ähnlich. Und notwendig, denn wir sind hier noch lange nicht durch.

»Wenn wir morgen noch leben, wär das okay für mich. Wie lange hält das an?«, sage ich.

»Kommt darauf an.« Sie flößt auch Nina etwas ein und nach wenigen Minuten können wir aufstehen.

»Ich hab die Lagepläne studiert«, sagt Yorik. »Die beste Chance haben wir, wenn wir in den zweiten Stock gehen und die hintere Notfalltreppe benutzen.«

»Das ist unlogisch«, widerspricht Susan.

»Genau. Daher wird Savant uns dort nicht erwarten. Und es ist am gegenüberliegenden Ende, weit weg von der Eingangshalle.«

»Da ist noch ein Versorgungsschacht«, wendet Susan ein. »Er bringt uns direkt neben die Hörsäle. Das ist der bessere Weg.«

»Nur falls dort keine Soldaten sind«, erwidert Yorik scharf. »Falls doch, sind wir leichte Ziele. Der Schacht ist nur breit genug für eine Person.«

»Was ist mit Aloé?«, frage ich.

»Sie ist noch dort unten«, meldet sich Nina mit schwacher Stimme. »Ziemlich sicher im Hörsaal.«

»Dann müssen wir sie rausholen.« Ich sehe Yorik an. Der murmelt einen Fluch und nickt schließlich. »Gut«, sage ich. »Wir nehmen den Versorgungsschacht. Wie viele Soldaten sind bei ihr?«

»Zwei oder drei.« Nina reibt sich die Schläfen, als hätte sie Schmerzen.

Yorik verschränkt die Arme vor der Brust und hebt das Kinn. »Die können wir packen.«

»Du vielleicht.« Ich mustere Nina. Sie hat dunkle Schatten unter den Augen, deren Glanz verblasst ist. »Wie geht es dir?«

»Ich kann ziemlich sicher laufen«, sagt sie mit dünner Stimme. »Wenn es sein muss, kann ich auch kämpfen. Aber eine große Hilfe bin ich im Moment nicht.«

Ich weiß selbst nicht, wozu ich noch in der Lage bin. »Nur Susan und du seid voll einsatzbereit«, sage ich.

»Also übernehmen wir die ersten zwei allein, du und Nina haltet den Dritten in Schach, bis wir da sind. Ist doch ein super Plan, oder nicht?«

»Klingt eher nach Selbstmord«, sage ich. »Savant wird bald wieder dazustoßen, falls er es nicht schon ist. Und wir haben keine Ahnung, welche Fähigkeiten die anderen haben.«

»Ganz abgesehen davon, dass sie Waffen haben und wir nicht«, sagt Susan.

»Aber wir haben Jan«, sagt Nina. Ihre Stimme ist kaum mehr als ein Flüstern. »Du hast Savant einfach weggeschleudert. Du bist stark, Jan. Stärker als wir alle zusammen.«

Sie hat es wieder geschafft. Glück breitet sich wie wärmende Sonnenstrahlen in meiner Brust aus. Ich habe das nicht verdient. »Solange ich es nicht kontrollieren kann …«

»Du wirst es schaffen«, fällt Nina mir ins Wort. »Ich glaube an dich.« Sie sieht mich an und ich kann ihr unmöglich widersprechen.

»Savants Söldner haben keine Kräfte«, wirft Susan in diesem Moment ein. Ihre Augen blicken ausdruckslos in die Ferne. Sie ist vollkommen in sich gekehrt. *Sie rechnet.*

»Hätte Savant ausgebildete PSI-Talente in seinem Team, hätte er anders gehandelt«, spricht Susan weiter, zu niemandem direkt gewandt. »Sie können mit Waffen umgehen, aber sie haben weder Telekinetiker noch Empathen.«

»Ein Vorteil für uns.«

»Aber sie haben immer noch Waffen, Susan«, schnappt Yorik. »Ich würde sagen, das verschafft ihnen einen gewaltigen Vorteil.«

»Yorik hat recht«, stimmt auch Nina zu. Sie reibt sich mit einer Hand weiter die Schläfe.

»Genau.« Susans Stimme klingt emotionslos, doch in ihren Augen blitzt es. »Aber sie können uns nicht treffen, wenn sie uns nicht sehen.«

»Seit wann kannst du dich unsichtbar machen?«, fragt Yorik angespannt.

»Kann ich nicht«, gibt Susan gelassen zurück.

»Schieß los, was ist dein Plan?«, fragt Nina.

»Yorik wird uns unsichtbar machen.«

Yorik reckt den Kopf in einer Geste resignierter Frustration. »Und wie genau stellst du dir das vor, Miss Frost?«, knurrt er.

Susans Mundwinkel zucken leicht nach oben. Dann erklärt sie es uns.

Aus den Augenwinkeln sehe ich, wie Nina die Hand von der Schläfe nimmt. »Das ist entweder genial oder …«

»Kein Oder. Los jetzt. Bevor das Bitterkraut nachlässt.«

Wir finden eine Gerätekammer und darin alles, was wir brauchen: Schraubgläser und Wasser. Dann ziehen wir los, die Bos kampfbereit in den Händen. Der Gang liegt leer vor uns. Zwar hören wir schwere Stiefel poltern, doch die Schritte entfernen sich von uns. *Jetzt.* Hastig, aber lautlos durchqueren wir den Flur.

Wir erreichen den Eingang zum Versorgungsschacht, eine quadratische Luke, die dicht über dem Boden in die Wand eingelassen ist. Wieder hören wir Schritte, doch diesmal nähern sie sich. Die Wachen kommen direkt auf uns zu.

Ich knie vor der Luke. Meine Hände rutschen beim ersten Versuch, den Riegel zu drehen, ab und kostbare Sekunden verrinnen unter meinen Fingern wie Sand durch ein Sieb. Und dann habe ich es.

Susan schlüpft zuerst hinein, danach Nina, ich und zuletzt Yorik. Der Verschlussmechanismus ploppt, gleichzeitig verzehnfacht sich die Leuchtkraft der Lichtleisten. Meine Hände zittern. Ob wir es rechtzeitig geschafft haben? Womöglich. Immerhin haben wir keine Rufe gehört. Wie auch immer, wir dürfen keine Zeit verlieren.

Wir kriechen durch die schmale Röhre. Wie lange, weiß ich nicht. Es kommt mir vor wie zehn Minuten, doch es könnten auch zwanzig sein. Die Sorge um Aloé treibt mich an. Meine Knie schmerzen von der ungewohnten Belastung. Eine einzelne Schweißperle zittert auf meiner Nasenspitze und ich wische sie mit dem Unterarm ab. Schließlich erreichen wir das Ende der Röhre und landen in einem kleinen, achteckigen Raum, in dessen Boden und Decke ein Loch klafft. Eine metallene Sprossenleiter führt zu den anderen Ebenen.

Nina steht an der Leiter, schließt die Augen und eine kleine Falte erscheint auf ihrer Stirn. Sie legt die Hand an ihre Schläfe. Schließlich schüttelt sie den Kopf.

»Was ist dort?«, flüstere ich.

»Ich bin mir nicht sicher. Ich glaube, es ist nichts, aber pass besser auf.«

Das smaragdene Leuchten ihrer Augen ist vollkommen verblasst. Sie hat sich völlig verausgabt. Das ist nicht gut. Ohne Ninas Empathie haben wir keine Ahnung, wo Gefahren lauern, und mit der Waffe kann ich nicht klettern. Mit einem flauen Gefühl im Magen befestige ich den Bo auf dem Rücken. Kein Radar und keine Waffe, *super*.

Ich ziehe die Handschuhe aus dem Gürtel und streife sie über. Dann packe ich die Holme der Leiter, ziehe mich zu ihr hinüber, klemme mich mit den Füßen fest und sause an dem glatten Chrom zur nächstieferen Ebene.

Als meine Füße den Boden berühren, höre ich ein sanftes Wispern in der Luft und lasse mich reflexartig fallen. Etwas kracht mit einem metallischen *Plonk* gegen die Leiter. Ich rolle mich über die Schulter ab und ziehe im Aufstehen den Bo.

Mir gegenüber steht ein Berg von einem Mann, mit dicken Muskelpaketen und einem brutalen, kantigen Gesicht. Es ist von Narben übersät und starrt mich finster an. Einer von Savants Leuten mit einem Gewehr in der Hand.

Meine einzige Chance ist, dass ich schneller und wendiger bin, in dem beengtem Raum eindeutig ein Trumpf. Bevor er merkt, was ich vorhabe, bin ich hinter ihm und setze einen Angriffsschlag, wie Athena es uns beigebracht hat. Ich treffe seine Schulter und er taumelt zurück. Sofort setze ich nach und lande einen gezielten Kick in seinen Bauch. Doch der ist hart wie ein Brett. Hände wie Schraubstöcke schließen sich um meinen Knöchel, dann werde ich durch die Luft geschleudert und pralle schmerzhaft auf den Boden.

Ich sehe Sterne. Nur Netos Training rettet mich, denn wie tausendmal zuvor auf dem harten Hallenboden drehe ich mich zur Seite. Eine

Faust schlägt krachend neben mir ein, mit einer Wucht, die mir den Schädel hätte spalten können.

Aber jetzt sitze ich in der Falle. Ich habe die Wand im Rücken und der Riese kommt mit mahlendem Kiefer auf mich zu. Mein Mund wird staubtrocken und ich fühle mich wie ein Reh im Lichtkegel eines heranbrausenden Autos. Unfähig, mich zu bewegen, registriere ich alles an meinem Angreifer, die tiefblauen Augen, die vor Zorn blitzen, eine kleine Narbe unter dem rechten Auge, ein nervöses Zucken an der Schläfe und eine dicke, pulsierende Ader an seiner Stirn.

Dann erlischt das Leuchten in seinen Augen urplötzlich und er sackt zusammen. Hinter ihm steht Yorik, die kräftigen Arme zu einem weiteren Schlag erhoben. Doch das ist nicht nötig, denn der Söldner rührt sich nicht mehr.

Adrenalin rauscht durch meine Adern und macht mich schwindelig. Das war mein erster richtiger Kampf und beinahe wäre es auch mein letzter gewesen. »Danke, Mann«, sage ich und rapple mich auf.

Yorik nickt knapp, die Lippen zu einem dünnen Strich zusammengekniffen. »Wir müssen weiter.«

Wir warten auf Susan und Nina, dann kriechen wir durch die nächste Röhre, bis wir an einer Luke direkt hinter dem Hörsaal sind. Sie gibt kein Geräusch von sich, als ich sie anhebe. Vorsichtig linse ich durch die schmale Öffnung.

Wir befinden uns hinter der letzten Sitzreihe an der Rückwand des Saals. Vor beiden Zugängen, fünf Meter rechts und links von uns, ist jeweils ein Söldner postiert. Sie beobachten die Türen, die Maschinengewehre im Anschlag. Hätten wir den anderen Weg genommen, wären wir direkt in die Todesfalle gelaufen. Doch keine der Wachen sieht zu unserer Luke.

Ich berühre Yorik am Arm und konzentriere mich darauf, das Bild der Söldner an der Tür zu übermitteln. Yorik reckt einen Daumen nach oben, dann dreht er sich um und gibt die Info an Susan und Nina weiter. Angespannt hole ich das Wassergefäß aus der Seitentasche meiner Hose, schraube den Deckel ab und stelle es auf den Boden. Dann drücke ich mich an die gegenüberliegende Wand und öffne die Luke noch etwas weiter.

Ein kräftiger Luftstrom zieht an mir vorbei. Im Wasserglas bildet sich ein feiner Wirbel. Yorik kniet in völlige Konzentration versunken hinter mir und vollführt eine minimale rotierende Bewegung mit seinen Fingern. Aus dem Wirbel wird eine Wassersäule, aus der sich ein Nebel aus feinsten Tröpfchen löst. Die Schwaden verlassen den Schacht durch den schmalen Spalt der Luke.

Susan hat sich neben Yorik gezwängt und postiert die anderen Wasserbehälter neben mir. Yorik vollführt auch mit ihnen seinen Trick, und immer mehr Nebel zieht lautlos in den Hörsaal.

Nun holt Susan tief Luft. Dann spitzt sie die Lippen und haucht ihren Atem in einem kontinuierlichen Zug wieder aus. Sofort sackt die Temperatur ab. Eine eiskalte Brise streift mich und verpasst mir eine Gänsehaut. Daraufhin legt Yorik richtig los. Wind zerrt an der Luke. Es kostet meine gesamte Kraft, sie festzuhalten. Im Saal jault und faucht es, als Yorik einen Sturmwind entfacht. Die Söldner rufen verwirrt durcheinander.

Jetzt oder nie. Ich stoße die Luke ganz auf und winde mich aus dem engen Schacht, Susan, Yorik und Nina dicht hinter mir. Es ist klirrend kalt und um uns herum wirbeln dicke weiße Flocken. Wir stehen im Auge eines wütenden Blizzards, der durch den Hörsaal tobt. Kleine scharfe Eiskristalle reißen meine Haut auf und ich halte die Hände vor das Gesicht, um wenigstens das Schlimmste abzuhalten. Der Wind erzeugt ein schrilles Heulen, das alles andere übertönt. Und Susan und Yorik machen immer noch weiter.

Die Kälte dringt bis in meine Knochen. Ich muss mich beeilen, sonst erfriere ich. Genau wie Aloé irgendwo am anderen Ende des Raumes. In dem dichten Schneetreiben kann ich sie nicht sehen, doch die Kameras haben sie zuletzt auf dem Podium gezeigt. Zwanzig Tischreihen weiter vorne.

»Bleib dicht bei mir«, rufe ich Nina zu, dann klettere ich auf den ersten Tisch. Die Mittelgänge scheiden aus, dort sind die Söldner. Je länger wir unerkannt bleiben, umso höher stehen unsere Chancen, lebend hier herauszukommen. Also springen wir über die Tische, Reihe um Reihe. Irgendwo rutsche ich auf dem Schnee aus und falle. Nina ruft etwas Unverständliches, doch der Sturm reißt ihre Worte mit sich fort. Mit Händen, die trotz Handschuhen bereits taub werden, kralle ich mich an der Tischkante fest und kämpfe mich wieder hoch, dann springe ich weiter.

Wir erreichen das Podium schlitternd und halb erfroren, aber wir haben sie. Die Professorin ist mit Lederbändern auf dem Pult fixiert. Ihr Anblick ist furchtbar. Sie ist bewusstlos und blutet aus mehreren Wunden. Die linke Seite ihres Gesichts ist angeschwollen, ein Bluterguss bildet sich an Wange und Kinn. Ihre Lippe ist aufgeplatzt und blutverkrustet.

Ich stürze zu ihr, doch Nina ist schneller. Sie nimmt Aloés Handgelenk. »Sie lebt«, ruft sie über das Tosen des anhaltenden Sturms, zieht ihr Messer aus der Gürtelscheide und macht sich an Aloés Fesseln zu schaffen.

Und dann ist da wieder dieses Kribbeln in meinem Nacken. Es elektrisiert mich. Jemand kommt auf uns zu. Angespannt scanne ich den Sturm, das Gestöber, und schließlich sehe ich ihn. Ein dunkler Schemen taucht in dem dichten Weiß hinter Nina auf. Im gleichen Moment, in dem ich den Bo ziehe, bin ich an ihrer Seite, gerade noch rechtzeitig, um den Schlag abzufangen. Er dringt mir bis in die Knochen.

Mein Gegner ist stark, aber ich bin schneller. Ich drehe mich und lande einen wuchtigen Treffer in die Kniekehle des Söldners. Er sackt zu Boden und ich setze ihn mit einem präzisen Schlag auf den Halsansatz außer Gefecht.

Dann peitscht ein lauter Knall durch den Sturm und etwas Heißes streift meinen Oberarm. Im Ausweichen sehe ich, wie ein weiterer Söldner auf uns zukommt: groß, muskulös, das Maschinengewehr im Anschlag. Ich widerstehe dem instinktiven Drang, mich zu ducken, reiße stattdessen den Bo herum und treffe das Gewehr. Es verschwindet im Schneegestöber. Doch dafür zieht mein Gegner nun ein Messer und stürzt sich auf mich, vor Wut brüllend.

Nina taucht auf und schlägt mit ihrem Bo das Messer weg. Mit wutverzerrtem Gesicht greift er nun sie an, aber ich werfe mich gegen ihn und ramme ihm meine Schulter in die Seite. Er brüllt, taumelt und Nina nutzt ihre Chance. Ein dosierter Tritt an die Schläfe lässt ihn bewusstlos zusammenbrechen.

Dann lösen wir Aloés restliche Fesseln und ich lege sie vorsichtig über meine Schulter. Sie ist ein Leichtgewicht, doch ich bin ausgelaugt. Auch Ninas Gesicht ist gezeichnet von der Anstrengung. Es ist, als blicke ich in einen Spiegel. Dieselbe Erschöpfung, die ich in ihrem Gesicht lese, spüre ich tief in meinen Knochen. Der Weg nach oben zum Ausgang erscheint auf einmal viel zu weit, die Last auf meinen Schultern zerrt an mir wie bleierne Gewichte, und mein linker Arm brennt wie Feuer.

»Komm, wir müssen hier raus.« Meine Stimme ist dünn, ein weiteres Symptom meiner Schwäche.

Doch dann tritt Nina zu mir. Sie nimmt meine Hand und ich spüre wohlige Wärme dort, wo sich unsere Hände berühren. Sie breitet sich aus. Es ist wundervoll und da, wo die Kälte verschwindet, kehrt die Kraft zurück. Als ich jedoch begreife, was sie tut, versuche ich, es abzuwehren. Das kann ich unmöglich annehmen.

»Genug«, sage ich erschrocken und entziehe ihr meine Hand.

»Du brauchst Kraft«, widerspricht sie entschlossen.

»Du auch! Ich kann euch nicht beide hier heraustragen.«

Bevor sie widersprechen kann, drehe ich mich um und marschiere los.

Beim Weg zur Eingangstür lichtet sich das Schneegestöber und das Heulen lässt nach. Yorik steht mit dem Rücken zur Wand, die Arme erhoben und das Gesicht vor Anstrengung verzerrt. Links von ihm kämpft Susan mit einem von Savants Leuten. Ihr Bo wirbelt und dann sackt ihr Gegner bewusstlos in den Schnee.

»Raus hier!«, rufe ich ihnen zu. Yorik schickt eine Windböe zur Doppeltür. Das Holz birst mit einem gewaltigen Krachen und Yorik lenkt den Blizzard hinaus in das Foyer. Wir hören Schreie und splitterndes Glas.

Ob es reichen wird, sie aufzuhalten? Es muss. Es muss. Ich packe Aloé fester und dann renne ich wie nie zuvor in meinem Leben. Meine Füße rutschen auf glitschigem Boden, finden wieder Halt, rutschen erneut. Irgendwie schaffe ich es, auf den Beinen zu bleiben.

Von der Glasfassade der Eingangshalle ist nur noch das metallene Gerüst übrig. Wir stürmen durch, das chaotische Gebrüll der Söldner ignorierend. Ich sehe nicht nach, wie viele es sind, blicke nur nach vorn, zum schützenden Dschungel.

Noch fünfzig Meter. Splitter knirschen unter unseren Füßen, als wir über den Vorplatz des Biozentrums rennen. Der Baumwipfelpfad auf der anderen Seite der Lichtung ist unmöglich zu erreichen. Wir müssen das freie Gelände auf dem schnellsten Weg verlassen, denn Yoriks Kräfte lassen nach. Das Schneegestöber lichtet sich und ohne den Sturm sind wir Zielscheiben.

Ich verlange meinen Muskeln das Letzte ab. Erste Gewehrsalven knattern und lassen die Luft erzittern. Susan überholt mich und setzt sich an die Spitze. Jemand schreit hinter mir, treibt mich weiter an. Und wieder fallen Schüsse.

Ich erreiche die ersten Büsche kurz nach Susan und springe im vollen Lauf hindurch. Weitere Schüsse knallen. Kleine Stücke Baumrinde splittern von dem Stamm neben mir und schürfen Haut von meinem Hals.

Ich renne weiter und weiter, tiefer in den Wald, bis Susan hinter einem mächtigen Kapokstamm stehen bleibt und nach Atem ringt. Mit hämmerndem Herzen sinke ich neben ihr auf die Knie. Ströme von Schweiß laufen über meine Stirn und brennen in zahllosen Wunden. Dann erreicht uns Nina, humpelnd, aber am Leben. Einen bangen Atemzug später ist auch Yorik da. Er keucht heftig, sein Gesicht ist grau wie Asche, die Augen liegen tief in den Höhlen. Er hat sich mit dem Sturm völlig verausgabt.

»Wir müssen weiter, sie sind uns auf den Fersen«, presst er zwischen zwei Atemstößen hindurch. Wie zur Bestätigung schlagen Geschosse in die Stämme rings um uns herum ein. Wir gehen in Deckung.

»Was ist mit deinem Bein?«, frage ich.

»Umgeknickt, nix Schlimmes. Ich kann laufen«, sagt Nina.

Weitere Schüsse. Wir müssen hier weg.

»Los«, drängt Susan.

Wir hasten weiter durch den Dschungel. Susan setzt sich wieder an die Spitze und bahnt uns einen Weg durch das Dickicht. Der Wald greift mit allem, was er hat, nach uns. Klebefallen, Dornen und verschlungene Ranken ziehen an meinen Armen, meinen Haaren, meiner Kleidung. Insekten schwirren um unsere schweißüberströmten Körper, stechen uns, trinken unser Blut. Der Adrenalinrausch ebbt ab und Aloé wird schwerer auf meiner Schulter. Meine Muskeln schmerzen, Arme, Beine, Rücken, alles. Ich werde langsamer.

Noch immer hören wir Schüsse, doch sie feuern aufs Geratewohl irgendwo in den Wald, weit weg von uns. Das verschafft uns etwas Zeit.

»Stopp«, rufe ich, sinke vorsichtig auf die Knie und lege Aloé sachte auf den Boden. Susan kramt in ihrer Tasche und zieht das Fläschchen mit dem Bitterkraut heraus. Bitterkraut! »Hast du noch mehr? Für uns alle?«

Susan kniet sich neben Aloé und flößt ihr den Rest des Gebräus ein. »Nein. Außerdem will ich dich nicht umbringen. Mehr als eine Dosis ist gefährlich.«

Die Professorin kommt langsam zu sich, doch als sie die Augen aufschlägt, sind sie trüb, umwölkt, wie Ninas Augen und Yoriks fahle Gesichtshaut. Sie hat sich vollkommen verausgabt.

»Virus«, haucht sie mit dünner Stimme und versucht, sich aufzurichten.

»Alles okay, wir haben ihn.« Ich deute auf die Ausbeulung unter Ninas Shirt, wo sich der Zylinder mit dem tödlichen Inhalt verbirgt.

»Gut.« Aloé schließt seufzend die Augen.

»Aber wir müssen hier weg«, erkläre ich und berichte in knappen Sätzen, was im Biozentrum geschehen ist, während sie langsam immer mehr zu sich und schließlich auf die Beine kommt. Je länger ich erzähle, desto grimmiger wird ihr Blick.

»Ich hätte es vorhersehen müssen«, sagt sie. »Den Alarm vorzutäuschen, war clever.« Sie klingt bitter. »Es gab einen zweiten Heli im Biozentrum, den wollte ich nehmen. Ich habe die Crew rausgeschickt, danach ging ich zurück, um wichtige Forschungsunterlagen zu sichern und die Viren zu zerstören. Als die Wachposten ihre Plätze verlassen hatten, konnte Savant unbemerkt landen. Ich habe es erst erkannt, als es zu spät war.«

»Niemand hat es geahnt«, versuche ich, ihre Schuldgefühle zu dämpfen. Weiter komme ich nicht, denn die nächste Salve knattert. Näher jetzt.

»Los, weiter«, sage ich und helfe Aloé auf die Beine. Yorik und Susan bahnen uns einen Weg. Nina und ich stützen Aloé, die mehr wankt als läuft. Dann lichtet sich plötzlich der Dschungel vor uns. Einer bösen Vorahnung folgend, hebe ich eine Hand und bleibe stehen. Langsam schiebe ich einen Vorhang aus Schlingpflanzen beiseite, der bis auf den Boden herabhängt, und mein Herz setzt einen Schlag aus.

Vor uns tut sich ein gähnender Abgrund auf.

»Was zum …« Yorik verstummt neben mir.

Die anderen treten näher. Der Abhang ist steil, nichts als nackter, glatter Fels, der in eine mindestens hundert Meter tiefe Schlucht abfällt.

21

DIE BRÜCKE

Was machen wir jetzt?«, fragt Yorik.

»Da!« Nina deutet nach rechts. Dort, etwa hundert Meter weiter westlich, überspannt eine lange Hängeseilbrücke die Schlucht.

Wir bahnen uns einen Weg dorthin. Yorik und Susan übernehmen die Spitze und schlagen eine Schneise in das dichte Unterholz, sodass Nina und ich mit der immer noch kraftlosen Aloé zwischen uns folgen können.

Wenig später sind wir da. Die Hängebrücke ist eine schlichte Konstruktion, der ich nicht recht traue. Den Boden bilden eine Reihe dicht aneinander liegender Holzbretter, aber einige davon sind offensichtlich morsch, an manchen Stellen klaffen Lücken. Zwei armdicke Seilstricke in Hüfthöhe bilden das Geländer.

»Sieht nicht sehr stabil aus«, meint auch Yorik. Er setzt einen Fuß auf das erste Brett und sackt mit lautem Krachen ein.

»Yorik!« Mit einem Aufschrei greifen wir gleichzeitig nach ihm, doch er hat sich an den Seilen festgehalten und steht bereits wieder.

»Scheiße«, flucht er, aber dann zucken seine Mundwinkel in seinem immer noch grauen Gesicht. Eine Sekunde später bricht er in schallendes Gelächter aus. »Das kann doch nicht wahr sein.« Er schüttelt den Kopf, während weitere Lachsalven aus ihm herausbrechen. Schließlich bekommt er sich wieder unter Kontrolle. »Scheiße«, murmelt er erneut, diesmal leiser. Dann taumelt er und stützt sich auf den Oberschenkeln ab. Ich hab ihn noch nie so erledigt gesehen.

»Wir könnten außen herumgehen«, schlägt Nina vor, doch als Antwort knattern weitere Schusssalven durch den Dschungel.

»Keine Zeit«, sagt Susan kühl. »Die kommen näher. Wir müssen da rüber.«

»Das ist übel.« Ich blicke nach unten. Hundert Meter unter der Brücke ragen Felsnadeln wie Reißzähne aus dem Dschungel. Die Schlucht sieht aus wie ein geöffnetes Haifischmaul. »Einen Absturz überleben wir nicht. Keine Chance.«

»Wenn wir noch länger warten, kriegen sie uns. Wir müssen auf die andere Seite, und das schnell«, sagt Susan.

Dann sagt niemand mehr was, doch alle sehen mich abwartend an. Sie wollen, dass ich entscheide. Wie Susan gesagt hat. Das ist der Grund, weshalb meine Eltern beinahe gestorben sind. Der Grund, aus dem Savant mich will. Die Menschen folgen mir, warum auch immer. Ich halte mich nicht für einen Anführer und ich will es gar nicht sein. Wenn ich die falsche Wahl treffe, dann werden meine Freunde sterben. Wegen mir. Ich fühle mich, als müsste ich mich gleich übergeben.

Bis zur anderen Seite sind es etwa zwanzig Meter.

Zwanzig.

Durch den Dschungel werden sie uns früher oder später einholen, spätestens wenn die Wirkung des Bitterkrauts nachlässt. Wahrscheinlich haben sie uns dann sogar schon längst eingekesselt.

»Susan? Das Bitterkraut. Wie lange hält das noch an?«

Susan schüttelt den Kopf. »Keine ausreichende Datenlage für eine Berechnung«, sagt sie.

»Schätze.«

»Es wird nicht reichen.«

»Gut.« Ich würde lieber Säure trinken, als weiterzusprechen. »Wir brauchen Seile.«

Nina nickt.

Sie folgen mir, ohne zu zögern. Und ich hasse es.

Yorik und Nina schneiden ein paar Lianen von den Bäumen und knüpfen sie zusammen. Die nächste Salve knattert. Noch näher jetzt.

Eilig knoten wir uns mit den Lianen aneinander. Zuerst ich, dann Aloé, Nina und Susan. Yorik bildet das Schlusslicht.

Ich wische mir die schweißfeuchten Hände an der Hose ab, packe die dicken Seilstränge beidseits der Brücke, steige über die Lücke, die Yoriks Einbruch hinterlassen hat, und betaste mit den Füßen die nächsten Bretter. Vorsichtig verlagere ich mein Gewicht darauf. Sie halten. Aber mein Herz hämmert wie verrückt.

Das hier ist auch verrückt. Ich darf nicht darüber nachdenken, sonst lähmt mich die Angst. Also denke ich an den Kletterwald in der Schule, die Sicherungsnetze und alles, was gut und schön ist in dieser Welt. Schritt für Schritt taste ich mich voran, wobei ich die offensichtlich morschen Bretter auslasse, beide Hände auf den hüfthohen Geländerseilen, in jedem Moment auf ein Zerbrechen des Holzes gefasst.

Wir sind jetzt in der Mitte. Nur ein paar schmale Brettchen trennen uns von dem gähnenden Abgrund. Unter meinen Füßen gieren die Felsnadeln nach uns. Nicht daran denken, Augen aufs Ziel! Ich zwinge mich, tief und gleichmäßig zu atmen, mache den nächsten Schritt und noch einen. Auch dieses Brett hält.

Ich verlagere mein Gewicht, und dann splittert plötzlich Holz. Ich falle. Panische Schreie gellen durch die Schlucht und meine Hände klammern sich unwillkürlich um das Geländerseil. Nur die Handschuhe verhindern, dass die Fasern meine Handflächen aufreiben. Die Liane zieht an meiner Taille, doch ich stürze nicht. Unter mir trudeln lautlos Splitter aus Holz in den Abgrund, werden kleiner und kleiner und verschwinden aus meinem Blickfeld, lange bevor sie auf den Felsen aufschlagen.

Mit rasendem Puls ziehe ich mich hinauf, zwinge meinen Fuß auf das nächste Brett und hole tief Luft, als es mein Gewicht bereitwillig trägt. Frischer Schweiß läuft mir über die Stirn, und ich wische sie schnell an meinem Arm trocken.

Ich komme noch drei Meter voran, als hinter uns plötzlich ein Schwarm Vögel aufkreischt. Es sind silbrig-blau gefiederte Paradiesvögel, und sie fliegen aus den Bäumen auf. Etwas hat sie aufgeschreckt. Ich erstarre. Farne und Sträucher mit dicken Blättern bilden eine grüne Wand, die nun zu wackeln beginnt.

Drei von Savants Leuten brechen aus dem Dickicht, und der Vorderste legt augenblicklich das Gewehr auf uns an. Blut rauscht in meinen Ohren. Hier sitzen wir auf dem Präsentierteller! Er kann uns gar nicht verfehlen.

»Runter«, rufe ich entsetzt. Meine Freunde folgen der Aufforderung und dann handle ich rein instinktiv und werfe dem Söldner einen Teil meines Lichts entgegen. Sein Gewehr zersplittert, der Mann wird zu Boden geschleudert und Teile seiner explodierten Waffe fliegen durch die Luft.

Dann ist alles still, nur die Seile knarzen leise. Langsam richte ich mich auf, bis ein Ruck durch die Brücke fährt, der die Seile vibrieren lässt.

»Scheiße«, sagt Susan. Das erste Mal, dass ich sie fluchen höre.

»Festhalten«, rufe ich den anderen zu und kralle mich mit beiden Händen am linken Seil fest, als sich die Bretter zur Seite neigen. Aloé schreit auf.

»Weiter, los«, drängt sie und ich renne, ohne auf morsche Bretter unter meinen Füßen zu achten. Ich muss meine Freunde hier wegbringen, bevor die Brücke vollends einstürzt. Hinter mir knirscht und splittert es, doch ich wage nicht, mich umzudrehen. Stattdessen fixiere ich das jenseitige Ende. Es sind nur noch fünf Meter, dann zwei. Ich fliege, ich schreie, ich strauchle, fange mich wieder und renne weiter.

Dann bin ich drüben, spüre festen Boden unter den Füßen und will schon jubeln, doch ein lautes Krachen jagt erneutes Entsetzen durch meine Knochen.

Hinter mir schreit jemand panisch, nein, unter mir, dann reißt mich ein Zug an der Taille von den Füßen. Ich schlage hart auf den Boden auf und werde nach hinten gezogen, auf den Abgrund zu. Mit aller Kraft kralle ich die Hände in den lehmigen Boden und greife nach Wurzeln, die aus der Erde ragen. Ein immenses Gewicht zerrt an mir und ich rutsche ab, doch dann finde ich erneut Halt. Ich klammere mich an einen dicken Felsbrocken und stemme die Füße in den Boden.

Es kostet mich meine gesamte Kraft, aber schließlich endet die Rutschpartie. Hinter mir liegt Aloé kurz vor der Kante. Auch sie hat sich an einer dicken Wurzel festgekrallt. Sehnige Muskeln treten an ihren schmalen Armen hervor und ihr Gesicht ist eine Maske der Anstrengung.

Von Nina und den anderen ist nichts zu sehen. Die Brücke ist weg.

»Nina!«, rufe ich gellend. »Susan, Yorik!«

»Wir hängen«, kommt Yoriks Antwort von irgendwo unter mir.

»Der Virus?«, ruft Aloé.

»Ich hab ihn.« Es ist Nina. Gott sei Dank, sie lebt noch.

»Wir können euch nicht raufziehen, ihr müsst klettern!«, schreit Aloé. Ich sehe, wie sie kämpft. Sie kann kaum mehr als vierzig Kilo wiegen. Sie hat recht, selbst zusammen haben wir nicht genug Kraft, die anderen drei heraufzuziehen.

Ich blicke über die Schlucht. Was ich dort sehe, beunruhigt mich fast mehr. Zwei der Söldner liegen immer noch am Boden, doch der dritte rappelt sich bereits auf. Sein Gewehr ist nur zwei Schritte von ihm entfernt. So wie Yorik, Susan und Nina an der nackten Felswand hängen, sind sie leichte Ziele für einen geübten Schützen.

»Beeilt euch!«, rufe ich, stemme die Füße gegen den Felsen und ziehe mit aller Kraft an dem Seil.

Langsam, wie in Zeitlupe zerren wir die Liane über die Kante. Aloés ungeschützte Hände bluten, ihr Gesicht ist zu einem Ausdruck grimmiger Entschlossenheit verzerrt. Wir ziehen, Zentimeter für Zentimeter.

Ob ich es noch einmal könnte? Auch das andere Gewehr zerfetzen?

Ich weiß ja gar nicht, wie ich es vorher geschafft habe. Und selbst wenn, sollte ich es wirklich versuchen? Bringe ich die anderen nicht noch mehr in Gefahr? Mein Licht hat schon so viel zerstört. Der Gedanke hat etwas Lähmendes. Immer wieder verletze ich Menschen. Ich packe die Liane fester und ziehe weiter an dem Seil.

Dann tauchen Ninas Fingerspitzen auf. Sie krallt sich in die Erde und Stück für Stück zieht sie sich herauf. Jetzt geht es schneller, Susans blonder Schopf erscheint. Sie hievt sich über die Kante und im nächsten Moment klettert auch Yorik herauf. Gewehrschüsse knallen und Erdbrocken spritzen neben uns hoch. Wir rappeln uns auf und stürzen in den Wald.

Das schützende, dichte Blätterdach der Büsche umschließt uns nach wenigen Schritten. Der Boden ist hier felsiger. Bäume und

Sträucher bilden einen schützenden Baldachin, doch der rankende Unterbewuchs mit all seinen Giften und Fallen fehlt. Wir suchen den Bereich nach möglichen Gefahren ab, finden jedoch zum Glück keine. Das ist der ideale Ort für eine Verschnaufpause. An einer trockenen Stelle sinke ich völlig entkräftet auf die Knie und schnappe nach Luft. Dann lege ich mich rücklings auf den steinigen Waldboden, schließe die Augen und nehme nichts mehr wahr außer dem Rauschen meines eigenen Blutes in den Ohren und dem Keuchen, das aus meiner Brust kommt.

Lange Zeit sagt niemand etwas. Das Keuchen wird schließlich leiser und das Hämmern meines Herzens lässt nach. Dafür kehren die Schmerzen zurück. Ich drehe den Kopf und hebe den linken Arm leicht an. Der Stoff meines Kampfanzugs ist an einer Stelle aufgerissen und klebrig feucht. Als ich danach taste, sind meine Fingerspitzen hellrot. *Mist.* Erschöpft lasse ich den Kopf zurücksinken und meine Lider fallen zu.

Mit geschlossenen Augen nestle ich an der Liane herum. Doch deren Knoten wollen sich nicht öffnen lassen. Schließlich ziehe ich mein Messer und durchtrenne sie. Allein diese Bewegung strengt mich auf einmal unheimlich an. Am liebsten würde ich nie wieder aufstehen, doch wir sind noch nicht in Sicherheit. Solange Savant lebt, wird er uns jagen.

Ich drehe mich auf die Seite, dann richte ich mich in eine sitzende Position auf. Heiße Schmerzen lodern in den überlasteten Muskeln in Armen und Beinen. Meine Freunde sitzen und liegen ebenfalls am Boden und versuchen, zu Atem zu kommen.

Yorik blutet aus einer Wunde an der Stirn, doch sie scheint nicht tief zu sein. Aloé liegt am Boden und hat die Augen geschlossen, ich glaube, sie hat erneut das Bewusstsein verloren. Die anderen wirken benommen, aber immerhin sind sie wach. Sie bluten aus verschiedenen Kratzern und Schürfwunden und alle sind von Schock und Anstrengung gezeichnet. Ihre Kleidung ist an mehreren Stellen aufgerissen, ihre Gesichter sind bleich und schweißnass, die Augen dunkel umrandet und glanzlos.

Letzteres macht mir am meisten Sorgen, denn es bedeutet, dass sie ihre Kräfte verbraucht haben. Bis auf mich, ich habe immer noch ein wenig Licht. Trotz der Explosion im Biozentrum. Trotz allem.

Wir haben unsere Waffen, Kampfstöcke und Messer. Ich glaube nicht, dass wir damit viel gegen Savant und seine Männer ausrichten können, aber es ist besser als nichts. Trotzdem, wir müssen irgendwie die Professoren kontaktieren. Alleine stehen unsere Chancen einfach zu schlecht.

»Wir müssen, so schnell es geht, weiter.« Ich werfe einen Blick in die erschöpften Gesichter und rechne mit Widerspruch, doch alle nicken.

»Aber wohin?«, fragt Nina.

»Gute Frage.« Ich versuche, mich zu orientieren. Unsere kopflose Flucht hat uns in eine Gegend geführt, in der wir nie zuvor waren. Viele der Bäume kenne ich nur aus Büchern. Selbst das ewige Rufen und Schnacksen der Paradiesvögel klingt hier anders als in der Schule. Es ist durchsetzt von einer Reihe schneller Klacklaute. Sie wirken aufdringlich, als wollten sie mir etwas mitteilen.

»Wo sind wir?«, frage ich und ernte ratlose Blicke.

»Westlich des Biozentrums«, meint Susan schließlich.

»Wir müssen Hilfe holen«, sagt Yorik. Er knetet nachdenklich seine Unterlippe. »Wir brauchen etwas, womit wir ein Signal senden können.«

»Und wo finden wir das?«, fragt Nina.

»Im Biozentrum.«

»Vergiss es, wir können nicht zurück«, sage ich.

»Oder in der Schule.«

»Die Schule liegt im Süden, etwa zwei Kilometer Luftlinie«, meint Susan.

»Quer durch den Dschungel?« Ich fasse es nicht, dass Susan das vorschlägt.

Yorik ächzt. »Aloé ist am Ende«, meint er mit gesenkter Stimme. »Mit ihr schaffen wir es nicht.« Er schlägt mit der Faust gegen einen Baumstamm und flucht laut.

»Wir könnten sie hierlassen«, meint Susan nüchtern.

»Susan!«, ruft Nina empört.

»Spinnst du?«, fährt Yorik sie an.

»Es ist eine Option«, erwidert Susan. »Die beste, die wir haben.«

»Wir können sie nicht hierlassen, das ist *keine* Option!«, donnert Yorik, die Hände in die Hüften gestemmt.

Jetzt steht auch Susan auf. Ihre Stimme ist pures Eis. »Es geht hier um mehr als ein Menschenleben, acht Milliarden stehen auf dem Spiel. Ich habe unsere Chancen berechnet, sie stehen nicht gut. Aber wenn wir Aloé hierlassen, beträgt die Wahrscheinlichkeit, dass wir es zur Schule schaffen, 57 Prozent. Wenn wir sie mitnehmen, sind es höchstens 37.«

Ich bin sprachlos angesichts dieser Kälte und auch auf Yoriks Stirn bilden sich zwei tiefe Furchen. Sein Brustkorb hebt und senkt sich bei jedem Atemzug, als stünde er kurz vor der Explosion. »Du hast das tatsächlich berechnet, ja?«

»Die Grundannahme ist, dass wir zwei Kilometer durch einen Dschungel des Schwierigkeitsgrades II zurücklegen müssen. Wenn man unsere Fähigkeiten und den Zustand von uns allen als Variablen nimmt, kann man daraus das mögliche Verhaltensspektrum berechnen, und daraus wiederum die Wahrscheinlichkeit eines Erfolges. Ich komme zu dem Schluss, dass wir mit Aloé scheitern werden.«

Yorik sieht Susan starr an. »Mögliches Verhaltensspektrum berechnet, ja?«, sagt er mit sanft schnurrender Stimme und geht einen Schritt auf Susan zu.

O nein. Ich bin entsetzt und fasziniert zugleich. Yorik hat irgendetwas vor. Er tritt noch einen Schritt näher an die total perplexe Susan, legt seine Hände seitlich an ihr Gesicht und küsst sie. Zärtlich und ausdauernd. Ich glaube, Susan zerspringt gleich in eine Million Eissplitter. Oder sie schmilzt.

Aus den Augenwinkeln sehe ich, wie Nina den Kopf schüttelt. Doch sie lächelt. Ein Schauer jagt über meine Haut. Sie ist so wunderschön. Und dann sieht sie mich an. Unsere Blicke treffen sich, und wieder habe ich ein Gefühl wie bei unserer ersten Begegnung. Als würde etwas in mir klingen und mein Herz aufbrechen, weil es übergeht vor Glück. Der Moment dauert nur einen Wimpernschlag, dennoch fühlt er sich an wie eine kleine Ewigkeit.

Dann löst sich Yorik von Susan und tritt triumphierend zurück. »Und? Haben deine Berechnungen des möglichen Verhaltensspektrums das auch vorhergesehen?«

Noch nie habe ich jemanden so frech grinsen sehen. Susan holt aus und knallt ihm eine.

Ich pruste los. »Tschuldigung«, sage ich mit gespielter Demut und schlage mir eine Hand vor den Mund.

Yorik reibt sich die rote Wange. »Das heißt dann wohl, nein«, sagt er und duckt sich, um Susans nächster Ohrfeige zu entgehen.

»Susan, bitte lass ihn leben«, sage ich lachend. »Wir brauchen ihn vielleicht noch.«

Susan zieht eine Augenbraue hoch. »Da hast du leider recht«, knurrt sie. »Aber wenn er das noch mal macht, garantiere ich für nichts.«

»Es wird nicht wieder vorkommen, sag's ihr, Yorik.«

»Keinesfalls.« Die Heiterkeit in seiner Stimme wirkt irgendwie belebend.

»Ich bestehe auf einer Entschuldigung«, grummelt Susan.

»Aber ja doch, *Eure Frostigkeit.* Bitte vielmals um Entschuldigung.«

Schnell stelle ich mich zwischen die beiden und fange Susans Hand ab, bevor er noch einen Schlag kassiert. »Was Yorik eigentlich sagen möchte, ist, dass er einfach nicht genug Worte kennt, um auszudrücken, wie sehr es ihm leidtut.«

»Hey!«, fährt Yorik mich an.

»Er ist eben einfach besser mit technischem Kram und so, weißt du?«

Susan brummt etwas Unverständliches, doch sie sieht schon weniger wütend aus. Gut.

»Trotzdem hat er ja wohl eindrucksvoll bewiesen, dass der Faktor Mensch unberechenbar ist.« Ich sehe ihr fest in die Augen und werde wieder ernst. »Susan, wir können es schaffen, aber nur alle zusammen. Wir lassen niemanden zurück.«

Sie sieht mich skeptisch an, widerspricht aber nicht.

»Wir sollten noch einmal nachdenken, vielleicht gibt es eine andere Möglichkeit«, schlage ich vor.

Susans Blick wechselt von einem zum anderen, dann nickt sie und geht wortlos zum Rand der kleinen Lichtung. Dort bleibt sie stehen, hebt den rechten Fuß an das linke Knie und legt die Handflächen aneinander, ihre bevorzugte Meditationshaltung.

Ich selbst bin rastlos, laufe hin und her und scharre Löcher in den Waldboden. Wann immer ich zu ihr blicke, steht Susan unverändert still da. Minute um Minute vergeht. Schließlich setze ich mich an einen Baum und starre auf eine Lücke in dem sonst so dichten Blätterdach. Azurblauer Himmel, klar, wolkenlos. Ein majestätischer, blau und rot gefiederter Ara sitzt auf einem Ast, ganz nah an dieser Lücke. Dann stößt er einen krächzenden Schrei aus, breitet seine schillernden Schwingen aus und fliegt. Langsam stehe ich auf und verfolge den Flug des Aras, bis die Bäume mir die Sicht nehmen. Das ist es.

»Susan«, rufe ich aufgeregt.

»Was?«, faucht sie mich an, ohne ihre Haltung aufzugeben.

»Wie weit ist es bis zu den Donnervögeln?«

22

ACHTHUNDERT HÖLLENMETER

Susan stellt ihr Bein ab und legt den Kopf schief. »Etwa achthundert Meter. Luftlinie.« Sie sieht mich skeptisch an. »Du hast aber nicht vor, den Virus auf diesen Vögeln rauszufliegen, oder? Die drehen doch bei der kleinsten Aufregung durch.«

»Ich nicht, aber …«

»Ich kann das.« Nina tritt zu uns und verschränkt die Arme vor der Brust.

Susan öffnet den Mund zu einer Erwiderung, dann schließt sie ihn wieder. Ich juble innerlich.

»Sie sind groß. Man kann sie leicht aufspüren und abfangen«, sagt Yorik.

»Oder abschießen«, ergänzt Nina. »Aber wenn ich dicht über der Wasseroberfläche fliege, ist das Risiko, von einem Radar aufgespürt zu werden, minimal. Bis es so weit ist, habt ihr längst die Professoren erreicht.«

»Vielleicht«, sagt Susan, dann schüttelt sie den Kopf. »Es ist die beste Chance, die wir haben.« Im nächsten Moment dringen laute Rufe und das Splittern von Holz über die Schlucht. Irgendetwas passiert dort.

Susan sieht Nina an und deutet mit einem Nicken des Kopfes auf Aloé. »Weck sie auf.«

Dann folgt sie mir und Yorik. Wir schleichen im Schatten von Bäumen und Büschen so nahe an den Abgrund, wie es möglich ist, ohne gesehen zu werden. Durch kleine Lücken im Geäst sehen wir, was unsere Verfolger vorhaben. Das Kronendach im Wald jenseits der Schlucht erzittert, dann sinkt ein Teil davon ein, und das Brechen von

Ästen dröhnt zu uns herüber. Ein mächtiger Stamm fällt quer über die Schlucht. Äste schrammen an unserer Seite über Fels und Erde, doch der Winkel passt nicht. Der Stamm neigt sich, dann rutscht er und stürzt in die Tiefe.

Doch gegenüber zittert das Kronendach erneut. Ich erstarre. Noch ein Beleg dafür, wie verrückt Savant ist. Er hat keine Skrupel, seine Männer auf wackeligen Baumstämmen über diesen Abgrund zu schicken.

»Sie werden bald hier sein«, sagt Susan.

»Schnell«, dränge ich. Wir hasten zurück zu Nina und Aloé.

Nina zerreibt gerade ein Büschel bitter riechender Kräuter zwischen den Handflächen. Grünlicher Saft quillt aus den Blättern und Nina lässt ihn auf Aloés Lippen tröpfeln.

Sie verzieht das Gesicht und regt sich. Kurze Zeit später ist sie wach und versucht, auf die Beine zu kommen. Schließlich steht sie, zittrig zwar, doch immerhin kann sie gehen. Nina wickelt irgendein Moos um Aloés vom Seil aufgeriebene Handflächen und ich nötige ihr meine Handschuhe auf, damit der provisorische Verband hält. Dann erklären wir ihr unseren Plan und machen uns auf den Weg.

Schnell schwindet der felsige Untergrund und der Dschungel dringt von allen Seiten auf uns ein. Armdicke Lianen, Ranken und klebrige Luftwurzeln hängen aus den Baumkronen herab. Der Boden ist nun wieder übersät von Farnen und dickblättrigen Sträuchern und ich habe das beklemmende Gefühl, gegen einen Gegner anzutreten, dessen Waffen verborgen sind.

Alles um uns herum ist grün, dunkel und undurchdringlich. Mammutbäume recken sich gen Himmel und halten das Sonnenlicht zurück. Ihre säulenartigen Stämme sind überwuchert von rankenden Schmarotzerpflanzen. Äste biegen sich unter der grünen Last von Bromelien und Orchideen. Einige sind durch das Gewicht abgebrochen, liegen quer über dem Waldboden und versperren uns den Weg.

Wir kämpfen uns hindurch, Nina und ich an der Spitze, hinter uns Yorik und Susan, die die entkräftete Aloé stützen. Mit Bos und

Messern bahnen wir uns einen Weg durch das Dickicht. Die Luft ist feucht und schwer und nach wenigen Schritten bin ich schweißgebadet. Angezogen von unserem Geruch stürzen sich Mücken auf uns. Sie stechen, sirren um meine Ohren und treiben mich schier in den Wahnsinn.

Das Gelände fällt jetzt steil ab, wir müssen uns an Lianen festhalten, um sicher diesen Hang hinunterzukommen. Die Geräusche des Dschungels schwellen an, je weiter wir in ihn eindringen. Zirpen, Zwitschern und Keckern, Keifen und Klackern, Surren und Flirren. Nie zuvor war der Wald so laut und niemals so fremd, voller tödlicher Gefahren, die wir nicht kennen.

Als etwas Kleines, Pelziges dicht über meinen Kopf hinwegfliegt, zucke ich zusammen und hebe gleichzeitig den Bo. Es landet auf einer Liane neben mir und ich kann den Schlag gerade noch bremsen, denn im letzten Moment erkenne ich die großen, runden Augen. Mit einem Seufzer senke ich die Waffe.

»Hey, kleiner Freund«, flüstere ich. »Was machst du hier?«

Der Maki sieht mich an, den Kopf schräg gelegt. Dann fiept er einmal leise und aus den Schatten hinter ihm tauchen weitere Äffchen auf. Es sind mehr als ein Dutzend und sie sind ständig in Bewegung. Geschickt springen sie von Ast zu Ast, wobei sie ihre langen Schwänze wie Ruder einsetzen. Dann verharren sie urplötzlich, wippen aufgeregt auf und ab, öffnen dabei ihre Mäuler und stoßen hohe Fieptöne aus.

»Was ist los?«, will Susan wissen.

Ich deute auf die Makis. »Hört sich an wie eine Warnung.«

Die anderen bleiben nun ebenfalls stehen. Wir suchen den Wald vor uns mit den Augen ab. Auf einem abgestorbenen Ast, der in etwa drei Metern Höhe wie eine kleine Brücke quer über unserem Weg liegt, wuchern gelb- und rotblühende Bromelien. Schreiende Warnfarben, doch in diesem Fall absolut ungefährlich. Aber da sind auch andere Pflanzen, die ich nicht kenne. Wurzeln und lange, schmale Blätter hängen beidseits des Astes etwa einen halben Meter herab. Auf den ersten Blick kann ich nichts Gefährliches daran entdecken. Schlangen vielleicht?

»Nina?«, frage ich.

Doch sie ist bereits einen Schritt vorgetreten. Jetzt schüttelt sie den Kopf. »Keine Tiere«, sagt sie. »Aber die Pflanzen erkenne ich nicht.«

»Wir müssen weiter«, drängt Yorik und schiebt sich an mir vorbei. Doch Aloé packt seine Schulter und reißt ihn zurück.

»Vorsicht«, raunt sie und hebt einen abgebrochenen Ast vom Waldboden auf, der so dick ist wie Yoriks Oberarme. Sie wirft ihn vor uns auf den Weg und die Falle schnappt zu. Wie ein Peitschenhieb schießt eine schwarz-grüne, an einen Tentakel erinnernde Ranke aus dem Farndickicht rechts des Weges, umschlingt den schweren Scheit und verschwindet damit im Unterholz. Es raschelt, die Farnwedel bewegen sich, dann knackt es einmal laut, als das Holz bricht.

Nina stößt einen hohen Schrei aus. »Was war das?«, fragt sie geschockt.

»Oktopus-Greifer«, sagt Aloé leise. »Fleischfressende Pflanzen. Bisher sind sie nur auf einer Insel weiter südlich gefunden worden. Das Schwarze an den Ranken sind kleine Saugnäpfe. In ihren Tentakeln haben sie muskelartiges Gewebe, mit dem sie sich bewegen können. Sie sind unglaublich stark, ein ausgewachsenes Exemplar könnte einem Stier das Genick brechen. Das ist einzigartig in der Pflanzenwelt.«

Ich höre die Aufregung und Faszination in ihrer Stimme und tausche einen besorgten Blick mit Yorik. Sie scheint nicht zu begreifen, in welcher Gefahr wir alle schweben. Vielleicht ist es der Schock, posttraumatischer Stress oder es ist ein Anzeichen für eine Hirnblutung. Ihre Augen glänzen und ihre Wangen bekommen wieder etwas Farbe. »Das ist eine erstaunliche Entdeckung«, sagt sie zu uns gewandt, als sie unsere Gesichter sieht.

Ich bin mir nicht sicher, vielleicht ist das auch ganz normal für eine hochkarätige Wissenschaftlerin. Yorik verdreht die Augen und zuckt mit den Schultern.

»Diese Pflanze, ähm, das ist eine Todesfalle?« Ich betrachte erneut den Boden. Jetzt, da ich weiß, worauf ich achten muss, sehe ich sie. Es sind hunderte kleiner und großer Tentakel. Sie bewegen sich schlängelnd über den Boden. Kälte kriecht meine Beine hinauf. Unwillkürlich trete ich einen Schritt zurück.

»Ja, sicher«, Aloé nickt freudestrahlend. Sie sieht aus, als würde sie diese Dinger am liebsten mitnehmen.

Ich glaube, sie ist völlig verrückt. »Wir gehen drum rum«, sage ich.

»Nein!«, stöhnt Yorik. »Dafür haben wir keine Zeit.«

In diesem Moment geht ein Schauer aus kleinen Ästen und Zweigen auf den Boden nieder. Sie prasseln auf die Tentakel, woraufhin die sich zusammenrollen, eine nach der anderen. Es sind die Makis. Sie werfen mit Holz und räumen so unseren Weg frei. Nach kurzer Zeit öffnet sich eine schmale Gasse vor uns.

Mein Magen zieht sich schmerzhaft zusammen. *Unglaublich blöde Idee,* denke ich. Dann hole ich tief Luft und renne durch, so schnell ich kann. Die anderen folgen dicht hinter mir. Ich höre einen Schrei, vermutlich meinen. Doch die Makis bleiben und der Regen aus Stöcken hält an.

Nach etwa zwanzig Metern bin ich durch, aber ich renne noch weitere zwanzig Meter, bis mein Verstand sich wieder einschaltet und die Todesangst nachlässt.

Erst jetzt drossle ich das Tempo und sehe mich um. Der Dschungel vor und links von uns wirkt freundlicher, heller als der Abschnitt, durch den wir gekommen sind. Die Bäume stehen hier weniger dicht, sodass mehr Licht durch die Kronen dringt. Der Waldboden leuchtet in hellem Grün, gesprenkelt mit funkelndem Gold, wo Tautropfen das Sonnenlicht reflektieren. Es ist wunderschön.

Blüten in allen Größen und Farben wetteifern um die Aufmerksamkeit ihrer Bestäuber. Kolibris, manche so klein wie ein Fingernagel, andere so groß wie meine Hand, umflirren die Pflanzen und tauchen ihre filigranen Schnäbel in die langen Kelche. Sie übertreffen sich gegenseitig in ihrer Pracht: strahlendes Weiß, leuchtendes Gelb, zartes Violett und kräftiges Ozeanblau malen ein Bild wie von einem begabten Künstler.

Eine Pflanzenart sticht besonders hervor. Ihre Blüten sind etwa dreißig Zentimeter hoch und tütenförmig nach oben geöffnet. Sie stehen in kleinen Büscheln zusammen und lodern in warmen

Orange- und Rottönen wie Feuer. In der Mitte ragen zahlreiche winzige Kelche heraus, die in reinstem Weiß strahlen. Kleine Kolibris schweben davor und trinken den süßen Nektar.

Rechter Hand ist das Bild ganz anders. Der Dschungel verdichtet sich, wird düster und von Schatten durchzogen. Ein widerlich fauliger Gestank kriecht daraus hervor.

Instinktiv gehe ich geradeaus, vom Licht und der Farbenpracht angezogen, doch ein ungutes Gefühl regt sich in mir. Die Härchen in meinem Nacken stellen sich auf und ich halte inne. Die Pflanze habe ich schon einmal gesehen, ich komme nur nicht darauf, wo.

»Ich höre Savants Männer nicht mehr«, raunt Yorik, der neben mich getreten ist. »Vielleicht haben wir sie abgehängt.«

»Das glaube ich nicht«, widerspricht Susan. »Sie kommen näher, verlass dich darauf. Savant treibt sie an. Er wird nicht aufgeben.«

Plötzlich zerreißt ein Schrei hinter uns die Luft. Ein qualvolles, lang gezogenes Kreischen, dann hören wir ein lautes Knacken, noch einmal und noch einmal. Schließlich sterben alle Geräusche im Dschungel. Ich denke an die schwarz-grünen Tentakel und Grauen überkommt mich.

»Oh mein Gott.« Nina ist totenbleich. »Denkt ihr … War das …«

»Ein Söldner.« Selbst in Susans Gesicht spiegelt sich das Entsetzen, das wir alle empfinden. Yorik legt ihr tröstend die Hand auf die Schulter und sie schüttelt sie nicht einmal ab. Auch Aloé wirkt bedrückt. Sie senkt den Kopf und schlägt eine zittrige Hand vor den Mund.

»Weiter«, drängt Yorik, doch ich halte ihn am Arm zurück.

»Warte«, sage ich.

»Was? Was ist?«

Wir sollten da nicht hineingehen, das *weiß* ich, aber ich habe keine Begründung. »Ich … ich kann es nicht erklären«, sage ich frustriert. »Schaut es euch doch an!« Ich bin wütend auf mich selbst, weil ich einfach nicht drauf komme. »Ich sehe irgendwas, aber ich weiß nicht, was!«

Ich ernte skeptische Blicke.

»Das ist, ähm, also«, Yorik legt den Kopf schief, »das ist der angenehmste Dschungel, den man sich wünschen kann, was ist dein Problem?«

Frustriert seufze ich und lasse den Kopf hängen.

»Morgenröte«, krächzt Aloé.

Etwas klingelt bei diesem Namen. »Was?«

»Ihr Duft lockt Tiere an, Nager, Echsen, alles Mögliche«, erklärt Aloé. »Vipern ernähren sich davon. Der Duft der Morgenröte regt sie an, sich zu paaren und Eier zu legen. Bei der Masse an Blüten könnten dort Hunderte lauern.«

»Na wundervoll«, seufzt Yorik. »Das ist also ein Schlangennest, super.«

Jetzt erinnere ich mich. Professor Green hat sie mal im Unterricht erwähnt. Ich sehe nach rechts in das übel riechende Dunkel und möchte am liebsten schreien. »Sieht aus, als müssten wir da rein. Oder hat jemand einen besseren Vorschlag?«

Ratloses Kopfschütteln. Hinter uns schallen dumpfe Schläge durch den Dschungel.

»Sie räumen die Oktopus-Greifer«, sagt Susan.

Also bleibt uns keine Zeit zum Zaudern. Mit einem unguten Gefühl führe ich uns in die Dunkelheit. Der modrige Geruch wird mit jedem Schritt stärker. Als wir etwa fünfzig Meter gegangen sind, wird mir klar, weshalb: Der Boden wird zunehmend feuchter. Sumpfige Flecken tauchen auf und zwingen uns, auf diesem Pfad zu bleiben. Klebriger Morast zieht an meinen Schuhen und der Waldboden gibt unter meinem Gewicht nach. Schlammgrüne Teiche wachsen links von uns. Ich sehe Blasen mit Faulgasen an der Oberfläche zerplatzen, und der Übelkeit erregende Geruch wird intensiver.

Der Sumpf gibt unseren Weg vor. Rechts erheben sich die vertrauten Baumriesen, deren Stämme von verholzten Strängen umschlungen werden. Es sind Würgfeigen, und es werden immer mehr, je weiter wir vordringen. Ihre Samen gelangen durch Vögel und Affen in die Baumkronen, wo sie keimen und sich vom reichen Lichtangebot ernähren, während ihre Wurzeln langsam zu Boden wachsen und dabei den Stamm ihres Wirts immer weiter abschnüren, bis er schließlich abstirbt. Ich habe von diesen Pflanzen gelesen, doch sie zu sehen, ist etwas vollkommen anderes. Die Stränge sind aus massivem Holz, jeder einzelne so dick wie Yoriks Oberschenkel. Sie strangulieren die Baumriesen, als wären es dürre Sträuchlein. Ihre Kraft ist ebenso gewaltig wie grauenvoll.

Immer dichter stehen die Bäume, mehr und mehr weicht das Tageslicht. Auch die Tiere, die uns bis hierher begleitet haben, verstummen. Es ist so still, dass ich das angestrengte Atmen der anderen hinter mir höre.

Beinahe jeder Baum ist inzwischen von dicken Wurzeln überzogen. Sie greifen ineinander, verschränken und verknoten sich, bis wir schließlich zwischen gigantischen Wänden aus knotigem Wurzelgeflecht eingeschlossen sind. *Schon wieder sitzen wir in der Falle.*

Hinter uns die Söldner, der Sumpf und die Vipern. Erneut erscheint mir der Dschungel wie eine große grüne Bestie, die versucht, uns zu verschlingen. Aber Alator hat uns beigebracht, in der Wildnis zu überleben.

Ich erinnere mich daran, wie sie uns zum ersten Mal in den Parcours geführt hat. »Begegnet dem Dschungel wie allen Lebewesen mit Respekt«, hat sie uns eingeschärft, »lernt ihn kennen und achtet seine Fähigkeiten, sonst wird er euch vernichten.«

Was würde sie jetzt tun?

Vor uns ragt eine massive Mauer auf, ineinander verschlungene Würgewurzeln, mindestens sechzig Meter hoch. Ich bleibe stehen und warte, bis die anderen neben mich treten. »Irgendwelche Vorschläge?«

»Es gibt zwei Möglichkeiten«, sagt Susan. Wie immer wirkt sie total gefasst, als wäre das alles Teil ihres Trainings. »Drüberklettern oder durchzwängen.«

»Drüber dauert zu lange«, meint Nina.

»Drüber schaffen wir nicht«, stimmt auch Aloé zu.

»Wir gehen durch«, sagt Yorik grimmig. »Notfalls bahnen wir uns einen Weg.« Entschlossen tritt er vor und reißt mit Gewalt einige der kleineren Wurzeln auseinander. Erde und Moos prasseln zu Boden und zum Vorschein kommen nackter Fels und ein niedriger Spalt, der wie der Eingang zu einer Höhle aussieht.

»Ha!« Yorik strahlt. »Was habe ich gesagt?«

»Dadrin kann alles Mögliche … Hey!« Ehe Susan zu Ende sprechen kann, ist Yorik bereits in der Höhle verschwunden.

»So ein blöder Idiot!«, flucht sie. Dann verdreht sie die Augen und folgt ihm.

»Was erwartet uns dadrin?«, frage ich Aloé.

Sie schüttelt den Kopf. »Keine Ahnung. Aber wir sollten zusammenbleiben.« Ich muss ihr recht geben und auch Nina nickt. Also folgen wir den beiden.

Der Geruch wirft uns beinahe rückwärts wieder hinaus. Eine Mischung aus Kot, wildem Tier, Verwesung und Blut schwärt in der Höhle und die Luft ist noch feuchter und drückender als draußen. Sie hüllt uns ein wie ein Mantel aus verrottenden Tierkadavern.

»Igitt«, murmelt Nina hinter mir, doch sie folgt mir weiter in die Dunkelheit.

Das wenige Licht, das sich durch den Höhleneingang zwängt, offenbart einen schmalen Spalt im Fels, der sich wie ein Riss durch das Gestein zieht. Nach einigen Metern wird er etwas breiter.

Wir gehen schweigend hintereinander und von Zeit zu Zeit ist mir, als ob es über uns leise raschelt. Es ist jedoch zu dunkel, um dort oben etwas zu erkennen. Dann weichen die Wände auseinander und wir betreten einen breiten Raum. Kleine Risse im Gestein lassen ein paar Lichtstrahlen ein, sodass ich den Boden vor mir erkennen kann und auch die Umrisse der anderen. Die Höhle scheint ziemlich hoch zu sein, zumindest ist die Decke nicht zu sehen. Über uns ist alles schwarz.

Wieder bewegt sich etwas in der Dunkelheit. Ich zucke zusammen und hinter mir gerät Nina aus dem Tritt. Irgendetwas ist da oben. Plötzlich wünsche ich mir, weit, weit weg zu sein.

Ein Rumpeln hinter mir und ein schwacher Fluch lassen mich erstarren. »Leise«, raune ich, doch es ist zu spät. Ein Rascheln wie von Fell und Flügeln kommt von irgendwo über uns und die gesamte Decke fängt an, sich zu bewegen. Fast unhörbares Fiepen schwillt an und mit einem Mal ist mir klar, wo wir gelandet sind.

»Fledermäuse«, flüstert Aloé.

»Was?«, Yorik ist stehen geblieben und hat sich zu uns umgedreht. Ich wage nicht, zu sprechen. Stattdessen lege ich einen Finger an die Lippen. Dann deute ich nach oben.

Unsere Augen haben sich inzwischen an die Dunkelheit gewöhnt und jetzt sehen wir sie. Hunderte, vielleicht Tausende schwarzer, pelziger Körper. Sie hängen kopfüber, einige regen sich und klettern über die anderen, spannen die ledrigen Flügel auf und flattern probehalber damit.

Ich hasse diese Dinger. Ihre knochigen Körper, ihre scharfen Krallen und ihre abstoßenden Bewegungen. Gefährlich sollten sie eigentlich nicht sein, aber bei allem, was ich bisher auf Eos erlebt habe, bin ich da nicht so sicher. Ich versuche, gleichmäßig ein- und auszuatmen, und setze vorsichtig einen Fuß vor den anderen.

Irgendjemand stolpert. Ich weiß nicht, wer es ist, aber der erschrockene Schrei weckt die Tiere auf. Lautes, hohes Kreischen hallt von den Wänden wider und das Flattern Hunderter Flügel erfüllt die Luft.

»Raus hier!«, schreie ich und schiebe Aloé und Nina nach vorne. Dann renne ich ihnen nach. Als das erste Tier meinen Arm streift, drehe ich vor Ekel beinahe durch. Ich zucke zurück, doch das Ding hat sich verhakt und reißt mir die Haut auf. Flügel streifen meinen Kopf, meine Arme, meinen Nacken. Ich versuche, mein Gesicht zu schützen, aber zwei oder drei Fledermäuse haben sich in meinen Haaren verfangen. Sie gehen mit scharfen Krallen und nadelspitzen Zähnen auf mich los. Zähne? Also doch keine normalen Fledermäuse!

Ich höre Schreie. Von Nina, Yorik, mir selbst. Sogar Susan kreischt. Es ist entsetzlich. Im Rennen schlage ich auf die pelzigen Monster ein, zerquetsche fellbedeckte Körper und spüre dürre Knochen brechen, doch immer neue Tiere nehmen ihren Platz ein.

Irgendwo vor uns wird es heller. Licht. Wir stürmen ins Freie und werden von unglaublich frischer Luft in Empfang genommen. Dennoch rennen wir weiter, wild um uns und auf uns schlagend, bis auch das letzte Tier tot oder auf der Flucht ist. Außer Atem und mit kaltem Entsetzen in den Gliedern bleibe ich schließlich stehen und inhaliere die süße Luft.

Um uns herum wächst saftig grüner Dschungel, gesunde Bäume auf festem Boden mit wildem Unterwuchs. Offenbar haben wir den Sumpf hinter uns. Doch an meinen Handflächen kleben Blut und Pelzreste und auch alle anderen haben zahlreiche neue Wunden. Über Susans Stirn zieht sich ein dicker roter Striemen und Nina hält sich mit der rechten Hand den Kopf.

Ich habe dem Dschungel den Rücken zugewandt. »Seid ihr schwer verletzt?«, frage ich. Alle sehen mich entgeistert an, entsetzt, von tiefstem Grauen ergriffen – was habe ich gesagt?

Ich ... Nein, sie sehen an mir *vorbei*.

Das Grauen ist hinter mir.

Langsam, ganz langsam, drehe ich mich um.

Etwa zehn Meter weiter kriecht sie einen Baumstamm herunter. Ein plumper Leib auf acht Beinen. Die kreisrunden Punktaugen auf ihrem Kopf reflektieren das Sonnenlicht. Sie öffnet und schließt ihre gewaltigen Kieferklauen wie ein Metzger, der seine Tranchiermesser schärft.

Eine Eos-Riesenspinne. Und wo eine ist, sind immer auch mehr. Neues Entsetzen fährt durch meine Glieder.

»Waffen«, ist das einzige Wort, das ich herausbringe. Ich greife nach dem Bo auf meinem Rücken. Langsam, das Tier keinen Moment aus den Augen lassend, ziehe ich ihn heraus. Yorik, Susan, Nina und Professor Aloé, die einen Ast vom Boden aufhebt, treten neben mich.

»Fluchtweg suchen«, flüstere ich. »Augen ...«

Doch weiter komme ich nicht. Wie ein Pfeil schießt ein weiteres Tier aus dem Unterholz, größer als ein Pferd und von einem mintgrünen Panzer bedeckt. Es ist mehr als zwei Meter hoch, hat vielgliedrige Beine wie ein Insekt, einen lang gestreckten, schlanken Brustkorb und auf einem dünnen, stielartigen Hals einen kantigen Kopf, der nur aus Augen und scherenartigen Kiefern zu bestehen scheint. Seine Vorderbeine sind zu kräftigen Fangscheren umgebildet, die mit spitzen Dornen besetzt sind. Es sieht aus wie eine Gottesanbeterin, doch ich habe noch nie von einer so großen Spezies gehört.

Das Insekt stürzt sich auf die Riesenspinne. Ihre Fangscheren zucken, und plötzlich windet sich die Spinne hilflos in ihrem Maul. Ich bin unfähig, einen klaren Gedanken zu fassen. Die Szene vor uns ist ein einziger Albtraum.

»Was ist *das?*«, fragt Yorik.

»Das gibt es nicht«, sagt Aloé kopfschüttelnd. »Das ist, ... niemand hat so etwas ... das gibt es nicht«, sagt sie nochmals.

»Wir haben es gerade gesehen, also ...«

Ich lasse Susan nicht aussprechen. »Das Ding hat eine Riesenspinne gekillt, wir sollten hier schnellstens verschwinden.«

Nina schüttelt den Kopf. »Seht euch das an!« Sie ist kreidebleich, ihre Augen weit aufgerissen. Sie deutet auf den Dschungel.

Erst sehe ich gar nichts, nur Grün innerhalb von noch mehr Grün, umgeben von weiterem Grün. Und dann trifft es mich wie ein Vorschlaghammer. Im Dschungel vor uns sind mehr von ihnen. Perfekt getarnt lauern sie zwischen Farnwedeln, auf Bäumen, in Büschen, einfach überall. Es sind fünf, nein acht, dreizehn. Vielleicht noch mehr. Eine Armee aus Monstern.

»Und was machen wir jetzt?«, fragt Yorik.

»Hat noch jemand Licht?«, flüstert Aloé.

Ich sehe nach innen. Da sind strahlend helle Bänder, eine wirbelnde Galaxie und überall flirren rote Funken wie Lavatropfen. »Ich. Aber ich kann es nicht kontrollieren.«

»Du musst. Es gibt keine andere Möglichkeit«, drängt Nina.

»Selbst wenn, ich sehe sie ja kaum! Was, wenn ich nicht alle finde?«

Nina sieht mich an, grüne Augen mit funkelndem Gold. Ihr Blick ist intensiver als die Sonne, heilsamer als Azunnah und fordernder als Neto. »Nakomas Sand«, sagt sie leise.

Irgendwie liegt in diesem Blick mehr Kraft, als dieser gesamte gottverdammte Dschungel mit seinen Monstern, Fallen und Giften aufbringen kann. Und dann erinnere ich mich. Sandkörnchen, die in der Luft rotieren. Das habe ich schon einmal geschafft. Dazu muss ich gar nicht alle Gottesanbeterinnen *sehen*. Ich brauche nur einen Kontakt, um das Muster ihrer Molekülstrukturen zu erfassen. Die artspezifische DNA ist bei allen gleich. Das ist es. Es ist verrückt, aber ich glaube, so kann ich uns rausbringen. Ich sehe zu den beiden Monstern hinüber. Nie zuvor habe ich etwas derart Großes bewegt.

Die Beine der Spinne bewegen sich noch. Die Gottesanbeterin hält sie mit den Dornen ihrer Fangbeine und verzehrt sie bei lebendigem Leib. Ihre Kieferklauen haben sich inzwischen zum Hinterleib ihrer Beute vorgearbeitet. Sie sind mindestens so lang wie mein Arm und offensichtlich absolut tödlich.

»Und wenn er uns umbringt mit seinem Licht?«, wirft Susan ein.

»Schau dich doch um! Wir sind sowieso tot! Es gibt keinen anderen Weg!«, gibt Yorik zurück.

»Dort sehe ich keine von ihnen.« Nina deutet auf einen Streifen links von uns, in dem einige Bäume abgestorben sind und mehr Licht durch das Blätterdach fällt als rechts von uns. Vielleicht scheuen die Mantiden die Sonne?

»Aber nur weil wir dort keine *sehen*, heißt es nicht, dass dort keine sind.«

»Yorik hat recht.« Ich sehe Nina an, vielleicht zum letzten Mal, und präge mir jedes Detail ein. Die glimmenden, goldenen Flecken in dem leuchtenden Grün ihrer Augen, ihre zarte Haut unter den Kratzern und Striemen, die kleine Falte auf ihrer Stirn, die immer dann auftaucht, wenn sie sich Sorgen macht, ihre sanft geschwungenen Lippen, die jetzt fast unmerklich zittern.

Alator hat uns eingeschärft, immer einen Fluchtweg parat zu haben, also versuche ich es. Unser einziger Vorteil ist, dass wir viel kleiner sind als diese Killer. Links vor uns, in diesem hellen Bereich, gibt es ein paar Möglichkeiten, wo wir diesen Vorteil ausspielen können: Riesenbäume mit ausgehöhltem Wurzelwerk, abgebrochene und verkantete Äste, unter denen wir uns zur Not verstecken könnten. Ich teile meinen Plan B den anderen mit und wir identifizieren eine Route mit Versteckmöglichkeiten, die wir nehmen müssen, falls ich versage.

»Ihr geht dort rüber, sobald ich mich auf den Weg mache. Wenn ich es sage, lauft ihr, so schnell ihr könnt.« Ich spreche so ruhig wie möglich, obwohl ich mir fast in die Hose mache beim Gedanken an das, was ich gleich tun werde. »Lauft einfach, egal was passiert, ich komme dann nach.«

Ohne eine Antwort abzuwarten, drehe ich mich um und schleiche geduckt auf die Riesenmantis zu. Zum Glück ist sie immer noch mit der Spinne beschäftigt. Solange die Gottesanbeterin abgelenkt ist, habe ich eine kleine Chance.

Ich packe meinen Bo fester und schiebe mich näher an das Monster heran, Meter für Meter, nutze jeden Farnwedel und jedes Blatt als Deckung. Ich kann die Atemlöcher in ihrem Panzer erkennen, die dicken Borsten an den Beinen, die hakenartigen Fortsätze an den Enden ihrer Fußglieder, die locker um meinen Hals passen. Ihr Kopf steckt tief im Leib der Spinne. Sie schmatzt widerlich und grünlich-schwarzes Sekret tropft auf den Waldboden, wo es eine klebrige Lache aus Blut und Gift bildet.

Mein Ziel ist das Bein, das mir am nächsten ist. Es ist länger, als ich groß bin, und so dünn wie mein Unterarm. Wenn ich die gepanzerte Außenplatte berühre, sollte mir nichts passieren. Die schwarzen Sinnesborsten an den Fußgliedern erwische ich besser nicht, sonst bin ich ziemlich wahrscheinlich tot.

Jetzt bin ich fast da. Noch ein Schritt. Ich strecke die Hand aus und konzentriere mich auf mein Licht. Alles in mir schreit, ruft, warnt. Ich unterdrücke den Drang zu fliehen, lege die flache Hand auf den Unterschenkel der Gottesanbeterin und sende meine Sinne aus.

Ihr Panzer ist kühl und glatt, hart, doch nicht spröde. Bilder von Molekülstrukturen wirbeln in meinem Geist, Millionen von Mustern. Ich versuche sie alle abzuspeichern, konzentriere mich wie bei Nakomas Sand.

Die Mantis zieht den Kopf aus der Spinne und dreht sich zu mir um. Kreisrunde Facettenaugen fixieren mich, Zehntausende Linsen gleichzeitig. Nadelkopfgroße schwarze Punkte in ihrer Mitte wirken wie kleine Pupillen. Von ihren Mundwerkzeugen tropft immer noch zähflüssiger grüner Schleim.

Ich erstarre. Es ist, als würden meine Muskeln in Blei eingeschlossen, und ich bekomme keine Luft mehr. Der Moment dehnt sich zu einer Ewigkeit, dann hämmert mein Herz wie verrückt und meine Lunge füllt sich wieder. Etwas wie Feuer und Eis schießt durch meine Adern und löst meine Erstarrung.

Zu meinem Schrecken entweicht völlig unkontrolliert ein Strahl meines Lichts. Hinter der Mantis explodiert der Stamm eines Maniokbaumes, sie wirft wütend den Kopf hoch und ich fliehe in Richtung des ersten Totholzverstecks, als stünde der Wald in Flammen.

»Lauft!«, schreie ich, dann höre ich hinter mir ein dumpfes Platschen, als ob ein großer Körper zu Boden fällt, gefolgt von einem Rascheln und Knacken, das schnell näher kommt. Instinktiv weiche ich zur Seite aus und im gleichen Moment bohrt sich ein Fangbein neben mir in den Boden.

Ich renne weiter, mache einen Haken nach links, dann nach rechts und erneut schlagen die kräftigen Greifer direkt neben mir ein. Plötzlich trifft mich etwas Hartes am Bein und ich werde durch die Luft geschleudert. Schreiend pralle ich gegen einen Baumstamm und Schmerz explodiert in meinem Kopf.

Wie durch Watte höre ich entsetzte Schreie, während ich versuche, die Ohnmacht zurückzudrängen, die mich überwältigen will. Ich muss aufstehen, aber meine Beine reagieren komisch. Irgendwie schaffe ich es doch, strauchelnd, ich muss mich am Stamm abstützen, dann sehe ich die Mantis auf mich zuspringen.

Einen kurzen Moment lang weiß ich, dass das das Schlimmste ist, was jetzt passieren kann. Sie wird mich töten oder gleich lebend fressen. Ich habe keine Chance. Aber dann passiert etwas noch Schlimmeres. Eine kleine Gestalt taucht vor dem Rieseninsekt auf. Es ist Nina. Mit nichts als ihrem Bo, den sie in Abwehrposition vor sich hält. Nina hat den Mut einer Löwin, doch sie ist winzig neben der Mantis. Sie wird sie mit einem Schnitt ihrer Kieferzangen töten.

Verzweiflung packt mich. Die ganze Welt, mein ganzes Leben scheint mit einem Mal zusammenzuschrumpfen und zu verblassen. Das Einzige, was bleibt, ist Nina und der übermächtige Drang, sie zu beschützen. Ich würde alles geben, mein Leben und meine Seele, um sie zu retten. Alles in mir löst sich auf, nur dieser Wunsch bleibt und ein Gefühl, als würde mein Herz aus meiner Brust geschossen. Und dann sehe ich Licht, das aus mir herausströmt.

Im gleichen Moment wird die Mantis nach hinten gerissen. Überall um uns herum brechen knackend und ächzend weitere Monster aus Bäumen und Büschen hervor und wirbeln mit hilflos zuckenden Beinen durch die Luft. Grüne Körper prallen gegen Stämme und Sträucher. Ihre Außenpanzer zerbrechen unter der Wucht des Aufpralls und sie bleiben reglos am Boden liegen.

Zwei Atemzüge lang regt sich nichts und niemand, selbst der Dschungel stellt sein ewiges Summen ein und ich höre mein hämmerndes Herz. Ich versuche, zu begreifen, was gerade geschehen ist.

Nina ist nirgendwo zu sehen.

»Nina?« Ich taumle durch das hohe Gras, stürze, rapple mich wieder hoch. Etwas regt sich zwischen den Bäumen. Sie ist es! Erleichterung macht mich erneut schwindelig und ich taumle mehr, als dass ich gehe, dann bin ich bei ihr.

»Bist du verletzt?«

Große grüne Augen, goldene Funken. Sie schüttelt den Kopf und ich bin einfach nur dankbar. Für ihr Leben, für meines, für mein Licht. Zum ersten Mal, seit es ausgebrochen ist, bin ich froh, es zu haben.

Nina betrachtet die zerstörten Insektenkörper. »Du hast es geschafft«, flüstert sie und das Lächeln, das in ihrem zerkratzten, blutenden, von den Schrecken der vergangenen Stunden gezeichneten Gesicht erblüht, dringt bis in die dunkelsten Tiefen meiner Seele und verdrängt alles andere. Es ist das Schönste, was ich je gesehen habe.

Ich bin unfähig, mich zu bewegen, und ich will es auch nicht, denn das Glücksgefühl, das mich durchströmt, ist so wundervoll, dass ich alles andere vergesse.

»Hab gar nicht gewusst, dass du so einen Hammer draufhast.« Yorik ist neben uns getreten und reißt mich aus meiner Trance. »Das hättest du ruhig schon früher mal rauslassen können.« Er grinst und die Geräusche des Dschungels dringen plötzlich wieder zu mir durch. Dann treten Aloé und Susan zu uns und bilden einen Kreis.

»Ach, halt die Klappe«, gebe ich zurück. Meine Stimme zittert und ich fühle mich total ausgelaugt. Ich glaube nicht, dass ich heute noch weit komme. »Weiß jemand, wo wir sind?«

»Wir sollten eigentlich kurz vor dem Strand sein«, sagt Susan. »Da geht's lang.«

Ich bin unendlich froh, dass sie die Führung übernimmt, denn ich brauche ein paar Minuten, um einen klaren Kopf zu bekommen. Susan führt uns zielstrebig auf eine Reihe von Palmen zu, die etwas kleiner sind als die übrigen Baumriesen. Am Boden wuchern Schlingpflanzen und dichtes Buschwerk, daher ist der Weg kräftezehrend, doch die körperliche Anstrengung ist jetzt genau richtig. Ich finde langsam wieder zu mir, der Schwindel lässt nach und mein Herz pumpt in einem normalen Rhythmus. Schließlich erreichen wir die Palmen und nach zehn weiteren Metern sehen wir türkisfarbenes Wasser zwischen den Bäumen aufblitzen.

Vorsichtig nähern wir uns der Baumgrenze und gehen hinter einigen Kokosnusspalmen in Deckung. Der Sand reflektiert das Sonnenlicht wie Diamantsplitter, und ich muss die Augen mit den Händen abschirmen.

Der Strand liegt scheinbar vollkommen leer vor uns. Keine Söldner. Nur die Ruderboote liegen ein Stück links von uns im Sand. Verkehrt herum, der Rumpf zum Himmel weisend.

Der Inselfels mit der Kolonie der Donnervögel ragt aus dem Wasser wie eine Fata Morgana, zu schön, um wahr zu sein, doch sie ist da. Sie ist erreichbar. Ich bekomme wieder Hoffnung.

»Ich habe ein ungutes Gefühl«, sagt Nina.

»Was ist?«, frage ich flüsternd.

»Nina?«, flüstert Susan.

Nina schließt die Augen. Auf ihrer immer noch blassen Stirn taucht wieder diese kleine Falte auf, doch dann schüttelt sie frustriert den Kopf. »Ich weiß es nicht, ich kann kaum etwas fühlen.« Sie massiert sich fahrig die Schläfen. »Aber wir sollten auf der Hut sein, etwas braut sich zusammen.«

Ich sehe meine Freunde der Reihe nach an und lese Erschöpfung in ihren Gesichtern. »Wie steht es? Hat noch irgendjemand Licht?«

Professor Aloé schüttelt den Kopf, die anderen ebenfalls.

»Ich kann vielleicht ein, zwei Tropfen Wasser gefrieren lassen, mehr nicht«, meint Susan.

Yorik hat nicht einmal mehr genug Kraft, um ihr daraufhin einen bissigen Kommentar an den Kopf zu knallen. Ich taste nach meinem

Licht und erschrecke. Ein kleiner Funke glimmt schwach in mir, aber das war es auch schon.

»Vielleicht haben wir sie ja abgehängt«, sagt Yorik.

Das wäre zu schön. »Verlassen wir uns lieber nicht darauf. Ich habe ein ganz schlechtes Gefühl.«

Yorik atmet tief durch. »Also gut«, sagt er. »Ich gehe zuerst. Wenn alles klar ist, kommt ihr nach.«

»Jetzt spar dir deinen Neandertalerscheiß«, fährt Susan dazwischen. »Wir gehen gemeinsam.«

»Nina trägt den Virus, sie muss geschützt werden. Du musst bei ihr bleiben«, gibt Yorik zurück.

»Du auch.« Susan baut sich vor ihm auf. An ein Vorbeikommen ist nicht zu denken.

»Jan«, Yorik sieht mich hilfesuchend an. »Jetzt sag schon was.«

»Sie hat recht. Einer allein ist ein leichtes Ziel.«

»Jeder, der sich auf den Strand wagt, ist ein leichtes Ziel«, sagt Nina.

Yorik lässt den Kopf hängen. »Und was sollen wir jetzt machen?«

»Wir müssen den Virus von der Insel schaffen. Er darf unter keinen Umständen Savant in die Hände fallen. Wo sind die Professoren, Susan?«

»Der Evakuierungsplan sieht vor, dass sich alle auf *Isla del Sol* sammeln. Das ist etwa fünfhundert Kilometer westlich von hier.«

Ich wäge in Gedanken die Möglichkeiten ab. Viele sind es nicht. »Yorik hat recht – wir müssen irgendwie über den Strand. Anders wird es nicht gehen. Wir schnappen uns die Vögel. Nina und ich verlassen die Insel und fliegen nach Westen, auf direktem Weg zu den Professoren.« Nina nickt. Ich wende mich an Aloé, Susan und Yorik. »Ihr fliegt zur Schule und stellt die Kommunikation wieder her. Dann kontaktiert ihr die Professoren. Hat jemand eine bessere Idee?«

Kopfschütteln bei allen ist Antwort genug.

Ich hasse, was ich jetzt sagen muss. »Was auch immer passiert, einer von uns muss mit dem Virus durchkommen.« Die Worte schmecken wie Asche. Womöglich habe ich uns gerade in den Tod geschickt. Alle sehen mich an. Ich sehe die Hoffnung auf ein Wunder aus ihren Blicken weichen und spüre einen Knoten im Hals, der mich ersticken will. Dann nicken sie, einer nach dem anderen.

»Alles klar. Ist doch ganz einfach.« Yorik grinst und steckt seinen Bo in die Halterung. »Auf drei – drei!« Er stürmt los. Wir folgen ihm einen Herzschlag später.

23

LÜGE, KAMPF UND TOD

Der aufspritzende Sand brennt in meinen Wunden.

In meinen schlimmsten Albträumen sterben meine Eltern bei Savants erstem Angriff, weil ich nicht schnell genug bin. Weil die Luft um mich herum die Konsistenz von zähem Schleim hat, durch den ich mich hindurchkämpfen muss. Durch den Sand zu laufen, erinnert mich an dieses Gefühl quälender Langsamkeit, als wäre die Luft ein unsichtbarer Gegner. Nur sind es hier Milliarden Quarzkörnchen, die an meinen Füßen saugen. Bei jedem Schritt sinke ich ein und nur widerstrebend gibt der Sand mich wieder frei. Viel zu langsam kommen die Boote näher.

Wir haben etwa die Hälfte des Weges zurückgelegt, als der erste Schuss fällt.

»Runter«, brülle ich, werfe mich bäuchlings in den Sand und robbe voran.

»Bleibt, wo ihr seid!« Savants Stimme donnert über den Strand, begleitet von einem weiteren Schuss. Meine Hoffnung zerfällt zu Staub. Ich verharre, dann hebe ich langsam den Kopf.

Savant steht am Rand des Dschungels, etwa 25 Meter entfernt, umgeben von einer Phalanx seiner Soldaten. Sie halten die Gewehre im Anschlag, bereit, auf sein Kommando hin zu schießen. Ich schätze ihre Zahl auf mindestens zwanzig, und noch immer kommen weitere Männer in schwarzer Kampfkleidung aus dem Dschungel.

Es ist merkwürdig, wie ruhig ich bin. Ich bin tot, ziemlich sicher. Unsere Lage ist aussichtslos, jeder Fluchtversuch purer Selbstmord. Savants Männer haben irgendwie diesen Dschungel überlebt. Das sind Elitekämpfer, größer, stärker und tödlicher als wir. Noch dazu sind sie bewaffnet und uns mindestens fünf zu eins überlegen. Es gibt keine Möglichkeit, lebend aus dieser Situation herauszukommen.

Dennoch sind meine Gedanken ganz klar. Vielleicht bin ich heute einfach schon zu oft beinahe gestorben.

Es sind ihre verdammten Gewehre. Ohne diesen Nachteil hätten wir vielleicht noch eine Chance, Nina durchzubringen. Aber wie sollen wir die ausschalten?

Inzwischen haben sich die Reihen um Savant geschlossen. Ich zähle 32 Söldner und ebenso viele Waffen.

»Ich möchte, dass du mir jetzt gut zuhörst.« Savant spricht langsam und mit Nachdruck. Der Schrei eines Donnervogels erreicht die Bucht. »Steht auf.«

Widerwillig folgen wir seinem Befehl.

»Ich mache dir ein Angebot, Jan. Deinen Freunden wird nichts passieren, sie dürfen gehen, wohin sie wollen. Wie klingt das?«

Es klingt so vertrauenswürdig wie eine Phishing-Mail.

»Hör nicht auf ihn«, zischt Yorik.

Zeit, ich brauche mehr Zeit. »Interessant. Aber warum sollte ich das glauben?«

Die Gewehre der Soldaten glänzen in der Sonne. Ich muss sie alle gleichzeitig aus dem Weg räumen. Wenn nur einer seine Waffe behält, war's das. Ich rufe mir ins Gedächtnis, was Athena uns über Waffen beigebracht hat. Mit einem Gefühl, als würde ich auf einem dünnen Seil über einem Abgrund balancieren, greife ich nach meinem Licht. Es ist klein, eine winzige Kugel, doch es strahlt wieder hell und kräftig. *Das muss reichen.*

»Was würde ich durch eine Lüge erreichen? Ich will dich an meiner Seite und das ist mein Angebot. Außerdem wärt ihr längst tot, wenn du mir nicht so wichtig wärst.«

Ich sende mein Licht aus und taste damit nach den Gewehren. Erst spüre ich die Struktur einer Waffe, dann bekomme ich Zugriff zu einer zweiten, dann zu fünf. Nur noch ein bisschen mehr Zeit!

»Warum ausgerechnet ich? Was habe ich getan?«

»Mein Programm hat dich identifiziert. Kein Mensch hätte das geschafft, denn du bist wirklich … unscheinbar, auf den ersten Blick. Aber die Summe all deiner Aktivitäten hat Spuren hinterlassen, die mein Computer entdeckt hat. Du hast einen ökologischen

Fußabdruck von 2,2 Hektar. Das ist in einer Industrienation wie Deutschland kaum möglich und brachte dich auf die Liste der rettenswerten Menschen. Zusammen mit deinem Alter macht es dich zu einem Kandidaten für die wichtigste Position in meinem Team.«

Susan hatte also recht. »Aber es gibt doch viele junge Menschen, die sind wie ich.« Jetzt habe ich acht Gewehre. Egal, was er sagt, er muss weiterreden.

»Die Kombination aller Faktoren war es. Du hast auch Leute mobilisiert. Mein Programm hat den Zeitungsartikel gefunden. Nur jemand mit viel Führungsstärke kann so etwas schaffen. Das brachte dich in die engere Wahl von 73 Kandidaten. Ich musste nur noch herausfinden, wer von euch ein PSI-Talent in sich trägt.«

»Herausfinden? Wie wollten Sie ...« Dann erstirbt meine Stimme. Ich erinnere mich an Robinsons Worte. Starker Stress beschleunigt den Ausbruch des Lichts. Der Angriff auf meine Eltern, der Schuss. Er wollte sie töten, um zu testen, ob ich ein PSI-Talent bin? Ich spüre, wie ich weitere Gewehre verliere, und zwinge mich zur Ruhe. Nakomas Raum, Musik, Duft, Atmung, ich beschwöre das Bild herauf. Savant ist ein Monster, aber ich darf mich nicht von meinem Ziel ablenken lassen.

»Dass dein Licht so stark war, hat mich endgültig von der Qualität meines Programms überzeugt. Es hat dich gefunden, unter Milliarden.« Er macht eine kurze Pause, dann senkt er die Stimme. »Ich werde siegen, Jan, das weißt du, und es liegt allein in deiner Hand, ob deine Freunde zu den Überlebenden gehören oder nicht.«

Jetzt sind es zwölf, aber eines entgleitet mir wieder.

»Hör ihm nicht zu«, zischt Susan. Ich sehe eine Mischung aus Trauer und offener Wut in ihrem Gesicht. Eine Träne läuft ihr über die Wange. Noch ein Mensch, den Savant verletzt hat. Eine zweite Waffe entgleitet mir. Verdammt!

Ich zwinge die aufwallende Wut in mir zurück und bekomme Kontakt zu neun weiteren Gewehren.

Ich muss es so machen wie mit den Mantiden. Kein Wutausbruch, nur ... Mit einer fast unmerklichen Bewegung der Hand gebe ich Susan ein Zeichen, sich bereitzuhalten.

Ich habe jetzt 23. »Und was muss ich dafür tun?« Zeit schinden, noch ein bisschen.

Savant setzt zu einer Erklärung an, doch dann kneift er argwöhnisch die Lippen zusammen. Seine rechte Hand fasst an die linke, er dreht seinen Ring, dreimal nach links, dreimal nach rechts. Er hat es bemerkt.

»Zuerst gibst du mir den Virus.« Ich höre die Unsicherheit in seiner Stimme. Er weiß, *dass* ich etwas vorhabe, aber nicht *was*.

Auf ein Nicken von ihm nähern sich zwei seiner Söldner mit den Gewehren im Anschlag.

Ich stelle mich vor Nina. »Halt! Keinen Schritt weiter, sonst …«

Savant lacht spöttisch. »Sonst was?«

Ich brauche nur noch ein bisschen, Himmel, ein paar Sekunden mehr Zeit. »Sonst öffne ich den Behälter.«

Savant zuckt. »Wartet!« Die Soldaten bleiben stehen.

»Was?«, faucht Yorik.

»Vertrau mir«, flüstere ich zurück. Mir fehlen jetzt nur noch zwei.

»Damit würdest du die gesamte Menschheit in den Tod schicken.«

Ich muss ihn irgendwie hinhalten. Verunsichern, nur ganz kurz. Aber mir fällt nichts ein. Meine Konzentration gilt einzig den Gewehren.

»Würde er nicht. Der Virus wurde nochmals verändert«, sagt Nina. Sie ist genial! »Er ist nicht länger durch die Luft übertragbar. Das Festland würde er niemals erreichen, wenn ich den Behälter jetzt öffne.«

Savants Lachen gefriert. Ha! Ich suche mit meinem Licht nach den letzten beiden Gewehren, während Savant abwechselnd Nina und mich taxiert.

»Weißt du eigentlich, was mein Talent ist?«, fragt er schließlich und lässt den Ring los.

»Zahlen«, sage ich.

Als Savant erneut grinst – überlegen, triumphierend und siegessicher wie ein Jaguar vor dem Todesbiss – weiß ich, dass ich einen Riesenfehler gemacht habe. Er schüttelt den Kopf. »Nicht mein intellektuelles Talent. Das kennt jeder. Mein PSI-Talent dagegen ist so belanglos, dass die Leute es immer vergessen. Ich bin ein Sentinel. Mein Sehvermögen ist selbst dem eines Adlers überlegen. Ich kann jede Schweißpore in deiner Haut arbeiten sehen, jedes Blutgefäß, das sich erweitert, sogar die daraus resultierende Temperaturerhöhung deiner Haut, und sei sie noch so minimal.«

Was soll das? Egal, ich brauche nur noch ein Gewehr. Eines.

»Ein kleiner Bereich um die Nase und Augenhöhlen deiner Freundin wird gerade viel besser durchblutet als vor einigen Sekunden.«

Ich habe es immer noch nicht. Verdammt!

»Weiß du, Jan, es hat mich immer gestört, dass ich das Mienenspiel der Menschen nicht deuten kann, wie andere es tun. Mimik ist eine sehr komplexe Angelegenheit. Aber eines ist bei allen Lügnern gleich.«

Ich zwinge mich, ruhig zu atmen, doch meine Hände beginnen unwillkürlich zu zittern. Ich bin nicht schnell genug, aber er ist es.

»Ein kleiner Muskel an der Nase wird stärker durchblutet.«

Ein Augenblick des Schweigens dehnt sich aus wie eine Seifenblase, die immer größer und größer wird, bevor sie schließlich zerplatzt.

»So wie bei ihr. Der Virus wurde nicht verändert. Du wirst ihn nicht freisetzen.« Völlig gelassen macht Savant einige Schritte auf uns zu und seine Männer folgen ihm.

»Jan?«, haucht Nina.

»Warte.« Mein Herz rast. Ich habe nur diese eine Chance. Gewehre sind in Bewegung und entgleiten meinem Griff. Ich verliere sie. So ein Mist! Savant hat die Distanz zwischen uns bereits halbiert. Jetzt zwinge ich meinen Geist, sich an die Waffen zu klammern. Ich brauche sie alle, darf keine einzige loslassen.

Die Kopfschmerzen setzen wieder ein, heiß und stechend, wie Insektenbisse. Ich denke an meine Eltern, den roten Punkt auf der Stirn meiner Mutter, der fast ihren Tod bedeutet hätte, an Nakoma und Robinson, die mich gefunden und vor dem Chaos in mir beschützt haben, an Nina, Yorik und Susan, an Maren und all die anderen zu Hause, die ich liebe und die sterben werden, wenn ich jetzt versage. Und dann denke ich an das Gefühl, das ich bei den Gottesanbeterinnen verspürt habe. *Beschützen und bewahren.*

Ich habe sie. Alle. Mit meinem Licht bewege ich ein paar Teile im Inneren der Gewehre. Ahhh! Mein Kopf explodiert gleich! Die Sonne ist viel zu grell und meine Sicht verschwimmt an den Rändern. Aber sie lösen sich, einzelne Teile. Überall.

Dann höre ich überraschte Schreie, Frust und Ärger. Es sind die Söldner. Ich lasse das Licht los und kann im selben Moment wieder alles sehen. Ihre Gewehre fallen in Teilen vor ihnen in den Sand. Die Kopfschmerzen ebben ab und lassen mich ausgelaugt und von Übelkeit erfüllt zurück. Jetzt!

»Nina, lauf!« Doch sie rennt bereits Richtung Meer, also ziehe ich meinen Bo und stürme auf die kräftigen Männer in den schwarzen Kampfanzügen zu, Susan und Yorik neben mir.

Savants Leute greifen an, während er selbst zurückbleibt. Er hält das linke Handgelenk vor den Mund. Ich habe noch Zeit, mich zu fragen, was er da tut, dann erreiche ich den ersten Söldner und nehme die Angriffsposition ein. Die Füße leicht versetzt, die Fußsohlen fest in den Sand gedrückt, den Bo halb erhoben. Mein Schlag trifft ihn an der Seite, doch der nächste Kämpfer pariert geschickt und hält nun meine Waffe fest. Er ist wahnsinnig stark. Ich drehe mich über den Stock und nutze den Schwung, um meinen Gegner herumzureißen. Er strauchelt und lässt los, und dann kracht Yoriks Bo zwischen seine Schulterblätter. Der Mann stürzt bewusstlos zu Boden.

Mein Herz hämmert wie verrückt. Blut peitscht durch meine Adern und erfüllt mich mit neuer Energie. Der Bo wird zu einem Teil meines Körpers und ich wirble herum, verschaffe mir im Drehen einen Überblick. Links neben mir ist Yorik, der sich zwei Söldner gleichzeitig vom Leib halten muss. Susans honigblonder Zopf tanzt rechts von mir. Aloé kann ich nirgends entdecken und Nina ist hoffentlich schon im Wasser. Der nächste Mann greift mich an und ich gehe tief in die Knie, ramme ihm die Spitze meines Bos zwischen die Unterschenkel, drehe ihn und mein Gegner wird von den Füßen gerissen.

Wieder suche ich nach Nina. In dem Getümmel aus wirbelnden und kämpfenden Menschen kann ich sie nicht entdecken. Hat sie es bis zum Meer geschafft? Ich hoffe es.

Aber dann sehe ich sie. Am Strand, etwa zehn Meter vor dem

Wasser. Sie hält einen Söldner in Schach, der drei Köpfe größer und mindestens vierzig Kilo schwerer ist als sie. Sie kämpft wie eine Löwin, aber ein weiterer von Savants Männern schleicht sich in ihrem Rücken an.

»Pass auf!« Ich haste hin und werfe mich von hinten auf ihn. Wir landen im Sand und ich schaffe es nicht, seine Hände zu greifen. Er bäumt sich mit unglaublicher Kraft auf und ist auf den Beinen, bevor ich blinzeln kann. Ich kann nicht mehr, aber mein Körper rappelt sich von alleine auf. Dann pariere ich einen Faustschlag, doch der Söldner greift erneut an. Meine Muskeln reagieren, führen die Bewegungen automatisch aus, abgespeicherte Abläufe, das Ergebnis von Netos Training. Irgendwie lande ich drei Treffer und der Söldner sackt bewusstlos in den Sand.

Ich sehe mich um. Unsere Gegner sind immer noch in der Überzahl, aber wir haben die Bos. Ihre größere Reichweite ist unser Vorteil. Ich schöpfe neue Hoffnung. Vielleicht können wir sie besiegen, vielleicht kommt Nina durch, kommen wir alle durch …

Bevor ich den Gedanken zu Ende denke, hören wir das lauter werdende *Wuppwupp* von Rotorblättern. Ein Truppenhelikopter taucht über den Klippen auf und nähert sich. Er ist dreißig Meter lang, natogrün und wird von zwei großen Rotoren am Vorder- und Hinterende angetrieben. Als er landet, ist der Lärm ohrenbetäubend und feinkörniger Sand stiebt auf, der in den Augen brennt. Als die Söldner herausspringen – bullige Typen mit kahlrasierten Schädeln in schwarzen Kampfanzügen – weiß ich, dass es vorbei ist. Ich erinnere mich, wie Savant in sein Handgelenk gesprochen hat. Er hat per Funk Verstärkung herbeordert und ihnen gesagt, dass Gewehre nutzlos sind.

Schlecht. Ein weiterer Gegner greift an. Ich wehre mich, doch ich werde Schritt für Schritt zurückgedrängt.

»Jan!«, schreit Yorik rechts von mir. Dann flucht er laut. »Was machen wir jetzt?«

Meine Gedanken rasen. Unsere Chancen stehen schlecht, wirklich schlecht, extrem schlecht. »Rücken an Rücken«, brülle ich über das Krachen von Holz auf Holz. Wir schließen uns zu einem Kreis zusammen und geben uns so gegenseitig Deckung.

Dann sind sie da. Savants Kämpfer bedrängen uns von allen Seiten. Wie lange können wir das durchhalten?

Keinen Gedanken an die Niederlage verschwenden. Netos Worte, so klar in meiner Erinnerung, als stünde er neben mir. *Konzentrier dich auf den Sieg.*

»Kämpft!«, rufe ich und setze zu einer neuen Angriffssequenz an.

Irgendwie schaffe ich es, den nächsten Gegner mit einem Drehkick zu Fall zu bringen. Doch plötzlich schreit Nina hinter mir laut auf. Ich drehe reflexartig den Kopf und sehe, wie sie zu Boden sinkt, die Hand in die Seite gepresst. Einer von Savants Kämpfern steht über ihr, ein Messer in der Hand, von dessen Schneide Blut tropft.

Nein!

Irgendjemand nutzt den Moment und Schmerz explodiert an meiner Schläfe. Benommen sinke ich auf die Knie, greife in den Sand und versuche, die sich drehende Welt zum Stillstand zu bringen. Ich muss unbedingt zu Nina!

Sand brennt heiß auf meiner Haut und etwas Feuchtes rinnt meine Wange hinab. Ich schmecke Blut und kämpfe verbissen gegen den Schwindel an. Dann krieche ich.

Das Geräusch aufeinanderkrachenden Holzes verstummt und hässliche Ruhe macht sich breit. Neben mir stürzen Yorik und Susan zu Boden, doch ich krieche weiter. Zu ihr. Aus irgendeinem Grund hält mich niemand auf. Ich greife Ninas Hand, taste nach ihrem Puls. Er ist da, aber flatternd und schwach.

Und dann höre ich ein noch hässlicheres Geräusch als die Stille der Niederlage. Savants Stimme. »Mein Angebot steht. Gib mir den Virus und deine Freundin überlebt.«

Nina liegt am Boden, verletzt, die Augen geschlossen, ihr Brustkorb hebt und senkt sich stockend. Ein grellroter Kratzer zieht sich quer über ihre Stirn. Ihre goldene Haut ist von Schweiß, Erde und Blut verdreckt, ihre Kleidung an unzähligen Stellen aufgerissen. Ein scharlachroter Fleck breitet sich an ihrer Seite im Sand aus.

»Du hast ihr Leben in der Hand.« Der Triumph in Savants Stimme widert mich an. Alles an ihm. Seine gesamte Existenz.

Totenstille legt sich über den Strand, man hört nur das schwache

Wuppwupp der Rotorblätter, die sich träge in Wartestellung drehen. Mit jeder Umdrehung werden sie langsamer, wie der Herzschlag eines Sterbenden.

»Der Virus. Gib ihn mir.«

Es ist vorbei. Ich kann Nina nicht sterben lassen. Ich sinke auf die Knie und taste nach dem Zylinder unter ihrem Shirt.

»Warte!«, ruft Yorik.

»Was …?« Ich drehe mich um, sehe Söldner die Gesichter gen Himmel recken. Genau wie Savant. Dann sehe ich es auch. Ein schwarzes, stromlinienförmiges Objekt.

»Robinson«, flüstert Susan. Es ist der Jet der Akademie.

»Nein!« Eine dicke Ader pocht auf Savants Stirn. Und dann bricht Chaos aus.

Seine Männer verteilen sich und brüllen hektische Befehle. Binnen Sekunden ist der Jet da. Er fliegt so tief über uns hinweg, dass wir uns ducken müssen, und spuckt die ersten bewaffneten Krieger noch im Flug aus der offenstehenden Laderampe aus. Stahl blitzt auf und ich sehe schlohweißes Haar flattern.

Yorik schaltet am schnellsten. Mit einem gezielten Tritt gegen die Kehle setzt er den Söldner neben Nina außer Gefecht. Im Nu haben wir einen schützenden Wall um sie gebildet.

»Du musst die Blutung stillen«, ruft Susan und gibt mir Deckung. Jetzt schirmen sie und Yorik uns beide ab. Ich reiße mein Shirt vom Körper und drücke es mit aller Kraft auf die stark blutende Wunde an Ninas Seite. Augenblicklich ist der Stoff durchtränkt. Verzweifelt sehe ich mich um. Sie braucht einen Arzt. Sofort!

Der Kampf tobt an drei Fronten. Yorik, Susan und Aloé in der Mitte, die Professoren an den Seiten. Sie versuchen, die Söldner von uns wegzutreiben. An der rechten Flanke führen Neto und Athena den Angriff. Netos Bewegungen sind fließend und geschmeidig wie ein Wasserstrahl. Sein Bo bricht Knochen, wo immer er trifft. Athenas Samuraischwert ist rot vom Blut. An ihrer Seite kämpfen weitere Lehrer, darunter Hadding. Seine gewaltige Doppelaxt blitzt im Sonnenlicht und hinterlässt Zerstörung, wo immer sie landet.

Links ist Alator mit Alvis, Nakoma, Ulcus und Cooks. Alator

greift mit zwei Schwertern an, deren lange, gebogene Klingen durch ihre Gegner fahren wie ein Messer durch in der Sonne weich gewordene Butter. Sie wütet unter den Soldaten wie eine Naturkatastrophe. Ihr Gesicht ist Sturm, ihre Augen Feuer.

Robinson kämpft an ihrer Seite. Sein Langstock wirbelt irre schnell und tödlich präzise. Jeder Schlag findet sein Ziel. Er fixiert Savant, der sich in der Mitte des Kampfgetümmels befindet, abgeschirmt von fünf Söldnern, die ihn aus der Gefahrenzone herausbringen. Robinson versucht, zu ihm vorzudringen.

Der Strand hallt wider von den Schreien sterbender und verwundeter Menschen. Vielstimmiges Kampfgebrüll und das Krachen von Holz auf Holz, Schädeln und Muskeln lässt die Luft erzittern. Der Sand färbt sich rot und ein ekelerregender Geruch breitet sich aus. Es ist entsetzlich.

Savant versucht zu fliehen. Im Schutz seiner Leibwächter hat er es aus dem Kampfgetümmel herausgeschafft und rennt zu seinem Helikopter, verfolgt von Robinson. Dann sehe ich sie nicht mehr, nur wild kämpfende Menschen und Ninas bleiches Gesicht. Irgendwann verebbt der Schlachtlärm, neben mir fallen Susan und Yorik entkräftet zu Boden. Wir haben gewonnen, glaube ich. Doch ich fühle den Sieg nicht. Nur Angst.

Ninas Haut ist blass, fast durchscheinend und ich kann nichts tun als beten, dass sie überlebt, und weiter die Hand auf ihre Wunde pressen. Ich presse und hoffe und flehe. Irgendetwas macht mein Licht, es legt sich über sie, an der Stelle, an der ich auf die Wunde drücke. Was genau dabei passiert, weiß ich nicht, aber es ist vielleicht ihre einzige Chance.

Ich überlasse mich völlig dem Licht, merke kaum, dass Robinson da ist. Er erteilt Kommandos, dann sagt er irgendetwas zu mir, aber ich verstehe es nicht. Es ist auch nicht wichtig, das Einzige, was zählt, ist Nina.

Dann vergeht Zeit, ich weiß nicht, wie viel, doch irgendwann ist Dr. Morgan da. Cooks löst meine Hände von Nina und führt mich weg, während Dr. Morgan und ihr Team sich an ihr zu schaffen machen. Ich registriere nur unwichtige Details. Mitfühlende Augen,

Sorgenfalten. Große Tropfen dunkelroten Blutes verunzieren Cooks' braune Haut.

Meine Muskeln sind bleischwer. Der Jet ist nur zwanzig Meter entfernt, aber selbst die schaffe ich nicht mehr. Schmerzen lodern in meinem geschundenen Körper und salzige Gischt brennt wie Feuer in zahlreichen Wunden. Mein Kopf fühlt sich aufgebläht und wund an, entzündet und verletzt. Irgendjemand fängt mich auf, als ich zusammenbreche. Das Letzte, woran ich denke, ist Nina.

24

GEWONNEN UND VERLOREN

Ich erwache auf der Krankenstation. Mein Schädel fühlt sich gespalten an und ich kann noch einen Tag lang nicht sprechen. Dafür höre ich umso besser. Yorik ist da und erzählt mir, was passiert ist. Von dem Gewinn und dem Verlust.

Drei Tage sind vergangen. Der Virus ist wieder sicher eingeschlossen und die Technikteams sind dabei, die Schäden im Biozentrum zu beheben. Die Schüler sind zurück und der Unterricht läuft wieder. Wie durch ein Wunder haben alle unsere Leute überlebt, auch Nina. Ich bin so erleichtert, dass mir stumme Tränen über die Wangen laufen.

Aber Savant ist entkommen. Er ist untergetaucht und das bedeutet, dass es noch nicht vorbei ist. Die Bedrohung bleibt.

Dann schlafe ich weitere 24 Stunden. Wieder vollbringt Dr. Morgan ein kleines Wunder, mein Kopf erholt sich und einen Tag später darf ich endlich gehen.

Zu Nina lassen sie mich noch nicht, also folge ich meinem Hunger zum Pavillon, wo Cooks und sein Küchenteam gerade Frühstück servieren. Die Tische sind spärlich besetzt, doch diejenigen, die da sind, betrachten mich verstohlen oder mit ganz offener Neugier und flüstern aufgeregt. Ich fühle mich wie ein Affe im Zoo. Schnell lade ich mir einen Stapel frisch gebackener Pfannkuchen auf einen großen Teller, schnappe mir eine Flasche Sirup und nehme beides mit ins Baumhaus, wo ich ungestört bin.

Ich esse die Hälfte meiner Beute und lasse die andere Hälfte für Yorik stehen, von dem nur ein Arm und ein Fuß unter der Decke hervorlugen, dann falle ich ins Bett. Als ich das nächste Mal erwache, liegt der Dschungel im nächtlichen Dunkel und Yorik ist weg. Die Pfannkuchen ebenfalls.

Obwohl es mich zur Krankenstation drängt, zwingt mich unerträglicher Heißhunger zu einem Umweg über den Pavillon. Das Abendessen ist vorbei, also muss ich in der Küche nach Resten fragen. Cooks zaubert eine große Platte mit geröstetem Kräuterbrot und Gemüseauflauf mit extra viel Käse hervor und stellt alles vor mich auf den Tresen. Ich schaufle das würzige Gericht in mich hinein, als hätte ich tagelang nichts gegessen.

Lautes, sonores Lachen, eine Wohltat für meine Seele, dröhnt durch den Pavillon. »Bisschen Hunger, was?«

Eine Gruppe Schülerinnen geht am Bambusgebäude vorbei. Sie schauen neugierig zu uns, lächeln mich an, dann stecken sie die Köpfe zusammen und huschen aufgeregt tuschelnd weiter.

»Was war das?«, frage ich zwischen zwei Bissen. Ich habe das Gefühl, etwas verpasst zu haben.

Cooks' Augen sprühen Funken. »Fans, würde ich mal vermuten.« Sein Grinsen reicht von einem Ohr zum anderen und lässt makellos weiße Zähne aufblitzen. »Bist jetzt 'ne große Nummer, Jan.« Er klopft mir auf die Schulter, dann scheppert es hinter ihm in der Küche und er verschwindet laut schimpfend und lässt mich verwirrt zurück.

Ich vertilge den Rest, dann mache ich mich auf den Weg zum zentralen Gebäude. Die Eingangshalle ist riesig. Wie überall auf dem Campus besteht auch hier alles aus Bambus und Glas. Gewaltige Säulen bilden das tragende Gerüst, schmalere Stangen ziehen sich als Querverstrebungen von den Seitenwänden aus in einer spiraligen Anordnung schräg zur Decke in gut fünfzehn Metern Höhe. Sie lassen die Halle stabil und filigran zugleich wirken. Tagsüber lässt Sonnenlicht den Bambus golden leuchten, jetzt sind es zahlreiche kleine und große Lampen sowie Hunderte in die Bambusstreben eingelassene LEDs.

Eine gigantische Treppe im Zentrum dominiert den Raum. Sie ist etwa sechs Meter breit, teilt sich auf halber Höhe und führt in zwei kunstvoll geschwungenen Bögen zu beiden Seiten des ersten Stocks.

Von hier aus geht es im Uhrzeigersinn weiter zur jeweils nächsten Etage. Die Architektur lässt einen schwindeln. Man kann alle sieben Ebenen von hier aus sehen und die Treppen ziehen sich wie zwei sich verjüngende Spiralen bis ganz nach oben.

Ich gehe an der Treppe vorbei. Linker Hand ist Robinsons Büro. Nur er kann mir die Antworten geben, die ich brauche. Aber es gibt es noch etwas Wichtigeres.

Im hinteren Bereich liegt die Krankenstation. Ein kleiner Wartebereich mit viel zu niedrigen, unbequemen Sitzbänken aus Metall grenzt an einen schmalen Gang, der rechts zu den Behandlungsräumen führt und links zu den Zimmern für die stationären Patienten. Diane, eine kleine, stämmige Frau mit grauem Haarschopf und Pfleger-Kluft – eine lange weiße Hose und eine weite dunkelblaue Tunika – tritt mir in den Weg.

»Sie kann keinen Besuch empfangen«, sagt sie streng.

Aber so leicht lasse ich mich nicht verscheuchen, nicht schon wieder. »Ich wollte nur kurz nach ihr sehen. Vielleicht braucht sie etwas?«

»Keinen Besuch bis morgen früh, Anweisung von Doktor Morgan.«

»Ich möchte nur wissen, wie es ihr geht«, sage ich leise, aber ich bleibe, wo ich bin. »Bitte, Schwester Diane.«

Langsam weicht die Strenge aus ihrem Blick. »Sie ist über den Berg«, sagt sie. »Komm morgen früh wieder.«

Mir bleibt nichts anderes übrig. »Danke.«

Dann gehe ich zu Robinsons Büro. Ich war noch nie dort drin. Mit großem Unbehagen und einem Funken Neugierde stehe ich an der Tür aus fein gemasertem Bambus und hebe die Hand, um anzuklopfen. Doch der vergoldete Türknauf dreht sich, bevor meine Knöchel das Holz berühren. Leise schwingt die Tür auf.

»Komm herein, Jan«, sagt Robinson.

Sein Büro ist ein großer, offener Raum, die Einrichtung gleichzeitig freundlich und elegant. Linker Hand dominiert ein mächtiger, leicht gewölbter Schreibtisch aus Zedernholz. Er ist so gestellt, dass der Blick von dem ledernen Schreibtischsessel aus in den Raum fällt.

Auf dem Möbelstück herrscht ein chaotisches Durcheinander aus Papieren, Stiften und einem Sammelsurium von Gegenständen, deren Zweck ich nicht erfassen kann. In die Wand dahinter ist ein sieben Meter breites Bücherregal eingelassen, das bis zur Decke reicht und mit Hunderten von Büchern gefüllt ist. In der rechten Hälfte stehen mittig zwei gemütliche Loungesofas mit cremefarbenen Polstern, dazwischen ein kleiner, gläserner Tisch. Eine große Hanfpalme daneben strahlt Frische und Lebendigkeit aus.

Das Beeindruckendste an Robinsons Büro ist jedoch das große Panoramafenster mit Blick auf den nächtlichen Dschungel, der durch die Beleuchtung des Schulhauses in weiches Dämmerlicht getaucht ist. Lange Vorhänge aus leichtem weißen Leinen umrahmen das Fenster.

»Setz dich doch, Jan«, sagt Robinson, steht vom Schreibtischstuhl auf und weist auf die Loungemöbel. Dann geht er in einen Nebenraum, wo ich ihn nicht sehen kann.

Ich nehme auf der Couch Platz und blicke aus dem Fenster. Zwischen den breiten Blättern der tropischen Pflanzen hüllt der Dschungel seine Geheimnisse in schwarze Schatten. Ich muss an Savant denken und bekomme eine Gänsehaut.

Robinson kommt mit zwei dampfenden Tassen zurück, stellt sie auf dem gläsernen Tischchen ab, setzt sich auf die andere Seite der Couch und schlägt das linke Bein über das rechte.

»Earl Grey«, sagt er. Seine Stimme ist beruhigend sanft.

»Danke.« Ich trinke einen Schluck. Der Tee schmeckt bitter, doch er verbreitet eine angenehme Wärme in meinem Bauch.

»Wie geht es dir?«, will Robinson wissen.

»Gut«, sage ich automatisch. Ich bin am Leben, außer Gefahr, meine Freunde haben überlebt. Ja, es geht mir gut, dennoch, es klingt wie eine Lüge und ich berichtige mich. »Nicht gut.« Ich mache eine kurze Pause. Robinson lehnt sich zurück, zeigt keinerlei Anzeichen von Ungeduld. Ich seufze. »Wo ist Savant?«

Auf Robinsons Stirn erscheinen kleine Falten. »Das wissen wir nicht.«

»Und der Virus?«

»Ist sicher an seinem Platz. Die Sicherheitsvorkehrungen wurden angepasst. Wir haben entdeckt, dass Savant einen maskierten Zugriffspunkt eingerichtet hat, bevor er die Insel verließ. So konnte er in das System des Reaktorgebäudes eindringen und den falschen Alarm auslösen. Wir haben den Zugriff entfernt und nur für den Fall, dass Savant noch weitere Tricks im Ärmel hat, bauen wir das gesamte Sicherheitssystem neu auf. Er wird es nicht noch einmal überwinden.«

Ich höre die Zuversicht in Robinsons Stimme und glaube ihm. »Aber er wird es wieder versuchen«, gebe ich zu bedenken.

»Wir werden wachsam bleiben. Wir wissen jetzt, wie skrupellos er ist. *Ich* weiß jetzt, wozu er fähig ist.« Tiefe Resignation legt sich über Robinsons Gesicht und lässt ihn altern. Ich kann nur ahnen, wie hart es für ihn sein muss, seinen Freund, die Hoffnung auf das Gute in ihm, aufzugeben.

»Was geschieht jetzt? Werden Sie ihn suchen?«

Robinson nickt entschlossen. »Die Suche läuft bereits. Leider konnten wir von den gefangenen Soldaten keine Informationen bekommen. Sie wissen gerade genug, um ihren Auftrag zu erfüllen, aber das bringt uns nicht weiter. Wir haben mehrere Teams auf Savant angesetzt, denn wir glauben, dass er für eine Reihe von Entführungen verantwortlich ist, die sich im letzten Jahr ereigneten. Hier setzen wir an.«

»Jugendliche? Wie wir?«

»Wir wissen von drei Fällen, in denen wir zu spät kamen, als Nakoma den PSI-Ausbruch gespürt hat. Aber auch andere Geschehnisse bereiten uns Sorgen. Wissenschaftler sind spurlos verschwunden, Virologen, aber auch Geologen, Physiker, Ökologen und Bioingenieure.«

»Vielleicht will er ein zweites Eos erschaffen.«

»Gut möglich.« Robinsons Blick umwölkt sich. Sorgenfalten erscheinen auf seiner Stirn. »Ich weiß, wie er arbeitet. Seine Leistungsfähigkeit und seine Hingabe für eine Sache sind absolut einzigartig. Er wird nicht eher aufgeben, als bis er sein Ziel erreicht hat.«

»Dann lassen Sie uns helfen.«

»Jan …«

»Susan kennt ihn besser als jeder andere, sie kennt seine Arbeit. Sie und Yorik finden vielleicht etwas, das andere übersehen. Und mein Licht ist stärker als all Ihre Custoren zusammen!«

Er sieht mich lange an, ehe er antwortet. »Wir gehen davon aus, dass er weiter versuchen wird, dich auf seine Seite zu ziehen. Hier bist du sicher …«

»Offensichtlich ja nicht!«, widerspreche ich.

Robinson holt tief Luft. »Du hast recht«, gibt er zu. »Savant kann denselben Trick aber nicht zweimal anwenden. Solange wir hier sind und mit den neuen Sicherheitsmechanismen ist es auf der Akademie so sicher, wie es nur sein kann. Außerhalb der Insel ist es noch riskanter! Insbesondere bei den Custoren! Wenn er dich in die Finger bekommt, dann kann niemand ihn stoppen.«

»Aber ich würde mich nie von ihm benutzen lassen.«

»Was, wenn er dir keine Wahl lässt?« Robinson schüttelt den Kopf. »Du kennst ihn nicht. Du weißt nicht, welche Möglichkeiten er hat. Du musst noch viel lernen, bevor du dich mit ihm messen kannst.«

»Aber mein Licht ist stärker als seines!«

»Und du denkst, das reicht? Nach allem, was geschehen ist?«

»Ich konnte es kontrollieren!«

»Und wirst du es wieder können?«

Das wollte ich ihn eigentlich fragen. »Wie kann ich das wissen?«

Robinson sieht mich lange an. »Erzähl mir, was passiert ist.«

Das tue ich. Zunächst stockend, doch mit den Worten fällt auch eine unsichtbare Last von mir ab. Ich berichte alles, beschönige nichts. Von den roten Funken und wie ich sie in einer Barriere eingeschlossen habe. An dieser Stelle weiten sich Robinsons Augen leicht.

»Ich nehme nicht an, dass Nakoma dir das beigebracht hat«, unterbricht er mich.

»Nein«, sage ich. »Es war mehr so, als ob … hm …«, mir fehlen die passenden Worte. »Ich wollte die Funken abschirmen und da kam es mir einfach in den Sinn.«

»Intuition?« Robinson wirkt verblüfft und besorgt gleichzeitig. Nachdenklich streicht er sich über das Kinn. »Ich möchte, dass du mit Nakoma darüber sprichst. Erzähl ihr genau, was du mir erzählt hast.«

»Ist das wichtig?«

»Ein derartiges Talent für die Nutzung der PSI-Kräfte ist ungewöhnlich. Das kann von großem Nutzen sein, aber auch gefährlich werden.«

Ich denke an den Ausbruch, als ich Savant gegenübergestanden habe, und muss ihm recht geben. Als ich ihm davon erzähle, ziehen sich Robinsons Brauen einen Millimeter zusammen, doch davon abgesehen bleibt er vollkommen gelassen. Er hört aufmerksam bis zum Ende zu.

»Die Riesenmantiden hast du nur anhand der einen Berührung aufgespürt?«

Ich nicke. »Es war wie mit Nakomas Sand.«

»Nun, diese Mantiden sind wesentlich schwerer als Sand.« Um Robinsons Mundwinkel spielt ein Lächeln. »Außerdem sind sie lebendig. Lebende Wesen sind sehr viel schwieriger mit dem Geist zu greifen. Dein Licht ist in der Tat sehr stark. Und dein Geist war es in dieser Situation auch.«

»Was passiert jetzt mit mir?«

»Es wird noch stärker werden.«

Noch stärker. Das klingt nicht nur gut, denn ich kann nicht vergessen, wie ich Nina verletzt habe. »Die roten Funken auch?«

»Das ist möglich.«

»Werde ich immer eine Gefahr sein?«

»Solange du sie unter Kontrolle hast, wirst du viel Gutes bewirken können. Du hast großes Potenzial. Aber die Zukunft vorherzusagen ist keine Licht-Fähigkeit.«

»Sie wissen es nicht.«

»Viel hängt von dir ab, von deiner Entwicklung, von den Menschen, mit denen du dich umgibst.«

Robinson steht auf und strafft die Schultern. »Ich betrachte es als meine persönliche Verantwortung, dir beizustehen. Du wirst weiter bei Nakoma trainieren, aber einmal pro Woche wirst du zu mir kommen.«

»Ja, Sir.«

»Was macht eigentlich deine Rede?«

Die habe ich völlig vergessen. Hitze steigt mir in die Wangen. »Ist noch nicht ganz fertig.«

»Nun dann.« Robinson durchquert den Raum. Ich folge ihm zur Tür. »Die Abschlussfeier ist in zwei Wochen. Du hast also noch etwas Zeit.«

Nur zwei Wochen! »Ich mache mich gleich an die Arbeit.«

»Gut.« Robinsons Lächeln kehrt zurück. Es folgt mir hinaus, wo mich warme Nachtluft umfängt.

Ich schlage nicht den Weg zum Baumhaus ein. Stattdessen erbettle ich im Pavillon eine Packung Schokokekse und verschwinde in den Schatten hinter dem Schulgebäude. Im Schutz niedrig wachsender Buschpflanzen schleiche ich zur Rückseite der Krankenstation. Irgendwie fühle ich mich schäbig, aber ich muss sie einfach mit eigenen Augen sehen, mich überzeugen, dass es ihr gut geht.

Nur ein Zimmer ist erleuchtet. Die Vorhänge sind nicht geschlossen und ich kann Nina sehen. In einen Morgenmantel eingewickelt sitzt sie auf einem kleinen Sessel neben ihrem Bett, die Nase in ein Buch gesteckt. Mir fällt ein ganzer Felsbrocken vom Herzen. Sie ist schrecklich blass, doch wenn sie das Bett verlassen kann, ist das ein gutes Zeichen.

Sie sieht überrascht auf, noch bevor ich an die Scheibe klopfe. Dann lächelt sie und in meiner Brust explodiert Sonnenschein. Mein Herz hämmert wie verrückt. Nina tritt ans Fenster und öffnet es.

»Was machst du hier?«, flüstert sie.

»Ich dachte, du könntest das hier vielleicht brauchen.« Ich halte ihr die Kekse hin.

»Wow, ja, ganz dringend. Ich bekomme hier nur Suppe.« Nina öffnet die Packung und beißt genüsslich in einen Keks. Mit einem wohligen Seufzer schließt sie die Augen und kaut. Die Hennatattoos tanzen auf ihren Fingern. Ich sehe ihr zu, wie sie einen Keks nach dem anderen isst, und möchte nie wieder etwas anderes tun.

Ich könnte ihr für den Rest meines Lebens zusehen, wie sie so etwas Simples tut, wie einen Keks zu essen, und es wäre genug. Ich wäre der glücklichste Mensch auf der Welt. Es ist total irre, aber es kommt mir vor, als sei genau das das einzig Wichtige und Richtige im Leben. Dann hält sie mir die Packung hin und eine Weile essen wir gemeinsam.

Sie fragt nach Susan und Yorik und ich versichere ihr, dass beide wohlauf sind.

»Was war eigentlich zwischen Susan und Savant?«, frage ich.

»Sie waren sich sehr ähnlich. Susan hat eine Menge für Computer übrig. Sie ist quasi zwischen Rechnern groß geworden.«

»Ach wirklich? Das erklärt einiges.« Schnell weiche ich aus und entgehe so einer Kopfnuss.

»Sie strahlt es nicht aus, aber sie ist ein guter Mensch, und die beste Freundin, die man sich wünschen kann. Ihre Eltern sind Wissenschaftler und in den abgelegensten Gebieten der Erde unterwegs. Aufgewachsen ist sie auf Forschungsstationen in Wüsten, Regenwäldern, der Arktis. Andere Kinder gab es da nicht, nur die Forschungsausrüstung und Rechner. Mit sieben Jahren hat sie ihr erstes Computerspiel programmiert und mit zwölf hat sie sich in das System der Insel gehackt.«

»Also stimmt es? Susan hat wirklich das Computersystem von Eos gehackt?«

»Yup.« Nina grinst. »Sie ist die Einzige bisher, die den Professor gefunden hat, bevor er sie finden konnte. Nach diesem Vorfall wurde das Computersystem von Eos isoliert, von der Außenwelt abgeschnitten. Savant war ganz außer sich, aber dann hat er Susan zu seiner Assistentin ausgebildet.« Nina kaut nachdenklich. »Sie kam her, als sie gerade zwölf Jahre alt war, und damals hatte sie schon mehr drauf als alle anderen. Nur war sie nie zuvor mit so vielen Gleichaltrigen zusammen gewesen. Das verwirrte sie und es fiel ihr schwer, sich anzupassen. Savant war ein Einzelgänger wie sie, und wie sie liebte er die Natur von Zahlen und Codes. Sie bewunderte ihn. Ich denke, er wurde für sie eine Art Vaterersatz. Es hat ihr das Herz gebrochen, als er gegangen ist.«

»Er hätte sie mitnehmen können«, sage ich.

»Der Gedanke ist mir auch schon gekommen.«

»Hast du es denn nicht gespürt? Also, ich meine mit deiner Empathie? Oder sie gefragt?«

Nina schüttelt den Kopf. »Susan kann alles vor mir verbergen. Ich weiß nicht, wie, aber sie hat eine starke geistige Barriere entwickelt, als sie plötzlich von so vielen fremden Menschen umgeben war. Deshalb finde ich es so angenehm, in ihrer Nähe zu sein. Sie ist vollkommen kontrolliert, auch wenn ich nicht aufpasse. Das ist entspannend.«

Ihre Augen sind stahlgrau. In meiner Gegenwart schirmt sie sich ab. Was nur zu verständlich ist, auch wenn es mich irgendwie enttäuscht, denn in diesem Moment wünschte ich, dass sie fühlt, was ich fühle.

»Es tut mir so leid. Ich wollte dir nie wehtun.« Ich sehe ihr in die Augen. Vielleicht, so hoffe ich, kann sie darin genug lesen, um mir eines Tages ohne Schutzschirm zu begegnen.

Nina erwidert meinen Blick mit leichter Scheu, doch sie sieht nicht weg und sie lächelt. »Du kannst nichts dafür.« Der Moment wird länger und ein Gefühl breitet sich in mir aus, das warm ist und wohlig, hell und schön und gut.

»Sofort ins Bett, junge Dame!«, keift eine hohe, dünne Stimme hinter Nina und sie erschrickt.

»Geh!«, flüstert sie kichernd und schließt schnell das Fenster.

»Ich wollte nur frische Luft schnappen«, sagt Nina, doch die Pflegerin lässt sich nicht täuschen. Mit wehender Tunika rauscht sie zum Fenster und wettert hinter mir her, während ich schleunigst das Weite suche.

»Das verstößt gegen die Vorschriften! Die junge Dame ist verletzt und ruhebedürftig! Sie sollten sich was schämen, junger Mann.«

Das Gekeife folgt mir noch eine ganze Weile. Doch Nina ist wohlauf und wir haben zusammen Kekse gegessen. Als ich zurück im Baumhaus versuche, an meiner Rede zu arbeiten, kann ich an nichts anderes denken.

25

DIE RICHTIGEN WORTE

Die folgenden zwei Wochen sind geprägt von Prüfungsvorbereitungen. Der reguläre Unterricht ist beendet und die Professoren hängen Sprechzeiten aus, während derer man mit Fragen zum Unterrichtsstoff erscheinen kann, so man denn will. Überall laufen Schüler mit Büchern und Lernkarten über den Campus. Es herrscht eine Atmosphäre angespannter Konzentration.

Der Studiersaal ist gestopft voll, obwohl viele von uns abgeschiedenere Orte zum Lernen aufsuchen. Nina durfte die Krankenstation inzwischen verlassen und hat sich in ihr Baumhaus zurückgezogen. Yorik lernt unter den Palmen am Strand, das Surfbrett für Pausen in Griffweite. Susan sehe ich gar nicht und ich selbst wechsle zwischen Baumhaus, Studiersaal und Nakomas Raum.

Die Essenszeiten werden gelockert, damit alle in ihrem individuellen Rhythmus arbeiten können. Cooks und seine Crew übertreffen sich dieser Tage selbst. Ab fünf Uhr gibt es ein grandioses Frühstücksbüfett, ab elf wird es durch warme Speisen ergänzt. Am Nachmittag werden Kaffee und Tee, Gebäck und Kuchen aus aller Welt sowie ein bunter Mix tropischer Früchte aufgetragen. Man kann rund um die Uhr etwas ergattern, doch dadurch trifft man sich nicht mehr automatisch beim Essen. Nina sehe ich so gut wie gar nicht in diesen zwei Wochen.

Cooks' Team macht uns dann noch ein ganz besonderes Geschenk: Jede Nacht um zwölf Uhr fahren sie gewaltige Bleche dampfender Pizzen auf, mit dünnem, knusprigem Boden oder nach amerikanischer Art: dicker, luftiger Teig und haufenweise Käse. Es ist meine Rettung in langen Nächten, in denen ich mit dieser blöden Rede einfach nicht vorankomme.

Inzwischen habe ich zehn Entwürfe verfasst, wieder zerknüllt und weggeworfen. Es ist frustrierend. Ich mache das so, wie wir es im Rhetorikkurs lernen, aber die Worte klingen leer in meinen Ohren, unbedeutende Phrasen, abgedroschene Sätze ohne Seele. Als hätte ich den Text von ChatGPT schreiben lassen.

Das Training bei Neto und Alator ist zum Glück auch ausgesetzt und zum ersten Mal seit Langem fühle ich mich nicht körperlich zerschunden. Zu Nakoma muss ich jedoch täglich. Meistens führt sie mich durch eine Reihe von Übungen, die der Kontrolle meiner Emotionen dienen, aber oft reden wir auch nur. Sie lässt mich in allen Details beschreiben, was ich am Strand mit Ninas Verletzung gemacht habe, doch ich kann ihr fast nichts dazu sagen. Nakoma meint, es sei eine Form der Biokinese, die zur Heilung eingesetzt werden kann, aber bisher kaum erforscht ist. Abgesehen von Dr. Morgan gibt es nur zwei weitere Talente, die Heilfähigkeiten besitzen.

Ich erzähle Nakoma auch davon, wie ich die roten Funken in die Barriere eingeschlossen habe und wie sie später herausgebrochen sind und Nina verletzt haben. Es tut gut, ihr das zu sagen, denn ich hasse mich immer noch dafür.

Nakoma erklärt mir, dass ich, ohne es zu wissen, eine Technik angewendet habe, die der absoluten Selbstkontrolle für kurze Zeit dient. »Dieser Zustand ist nützlich, doch auch sehr gefährlich. In einem Kurs für Fortgeschrittene lehre ich diese Technik, man darf sie allerdings nur in Notfällen einsetzen, nur wenn man sie beherrscht, und selbst dann nur für kurze Zeit. Denn Gefühle zu unterdrücken, ist mit einem Risiko verbunden. Man muss anschließend eine spezielle Meditation durchführen, um den aufgestauten emotionalen Druck kontrolliert abzubauen.«

»Indem ich diese Barriere gewoben habe, konnten die roten Funken also einen zu hohen Druck aufbauen?«

»Sie haben sich unkontrolliert und unbemerkt vermehrt, ja. Als eine kritische Masse erreicht war und du deine Kräfte angezapft hast, ist die Barriere gebrochen. Der emotionale Ausbruch hat dein Licht unbeherrschbar gemacht.«

Bei der Erinnerung daran zucke ich zusammen. Ich hätte Nina

töten können. Das darf nie wieder passieren. »Ich muss das lernen«, sage ich.

Nakoma zögert. »Diese Technik erfordert ein hohes Maß an Selbstachtsamkeit und Disziplin. Du bist noch zu jung.«

»Aber ich kann es ja bereits. Was, wenn ich es aus Versehen wieder mache? Im Schlaf? Außerdem hat Robinson gesagt, dass es noch stärker wird. Es wäre doch viel besser, wenn ich weiß, wie ich damit umgehen muss.«

Nakoma seufzt. »Das ist leider wahr.«

»Leider?«

»Wenn man in so jungen Jahren mit so immensen Kräften konfrontiert ist, ist das eine große Verantwortung. Du musst noch viel lernen.« Nakoma schließt die Augen, scheint zu überlegen. In allen vier Ecken des Zimmers steigen Bälle, Wasser, Federn und Sand auf, sie drehen sich, bilden komplexe Muster, dann schweben sie auf immer engeren Bahnen ins Zentrum des Raumes. Nakoma lässt sie tanzen, wirbeln und kein Element ihrer Kunst berührt ein anderes. Es ist wundervoll. Als sie wieder spricht, nimmt ihre dunkle, rauchige Stimme einen sanfteren Ton an. »Was ist danach passiert?«

Ich erzähle ihr von dem Versuch, das Rot wieder aus Nina herauszuholen und an den Maniokstrauch abzuleiten.

»Hat irgendjemand dir das beigebracht?«, will Nakoma wissen. Ihre Augen sind nach wie vor geschlossen, das Wasser, die Bälle und der Sand wirbeln immer noch.

»Nein, ich wusste nur, dass Nina Schmerz an Pflanzen ableitet.«

»Du entwickelst ein intuitives Verständnis für deine Fähigkeiten«, sagt sie nach einer kurzen Pause. »Bei starken Parabegabten kommt das durchaus vor, ist jedoch selten. Und wie gesagt nicht ungefährlich.«

»Dasselbe meinte Robinson auch. Aber warum?«

»Du könntest unbeabsichtigt etwas auslösen, das sich deiner Kontrolle entzieht, so wie die Barriere. Falls du noch einmal etwas mit deinem Licht vollbringst, das dir nicht beigebracht wurde, musst du mir unbedingt davon erzählen. Das ist sehr wichtig. Du musst erst verstehen, wozu du in der Lage bist, bevor du neue Kräfte einsetzt.« Die drängende Intensität verstärkt das Rauchige in ihrer Stimme.

Nakoma öffnet die Augen und mustert mich eindringlich. Ich fühle mich unter ihrem Blick, als würde mein Innerstes offengelegt. Schließlich nickt sie. »Deine Wut belastet dich nicht mehr.« Es ist eine Feststellung, keine Frage.

Ich nicke. Dann lässt mich Nakoma in Gedanken zu den Riesenmantiden zurückkehren, zu dem Moment, in dem Nina vor das Monster getreten ist. In allen Details soll ich beschreiben, was ich gefühlt und gedacht habe.

»Das ist der Schlüssel, Jan«, sagt sie. Ich höre sie lächeln. »Halte diesen Moment fest und erinnere dich immer daran, wenn negative Gedanken die Kontrolle übernehmen wollen.«

»Wie mache ich das?«

»Übung.«

Und dann führt sie mich durch eine Meditation, die das Gefühl tief in meinem Geist verankert. Es dauert zwei ganze Stunden und erschöpft mich genau wie das Training bei Neto.

»Kann ich so die Barriere sicher auflösen?«, frage ich.

Nakoma lacht und schickt die schwebenden Elemente wieder auf ihre Plätze. »Nein, damit beginnen wir morgen.«

Ich verlasse das Schulgebäude durch die zweiflügelige Glastür im dritten Stock und überquere die Hängebrücke Richtung Klettergarten. Eigentlich will ich nur noch schlafen, aber dann habe ich endlich eine Idee für diese Rede, hell und klar wie ein Sonnenstrahl, der durch eine Lücke im Blätterdach des Dschungels fällt, und genauso flüchtig.

Im Baumhaus packe ich eilig meine Schreibsachen in einen Rucksack. Zehn Minuten später sitze ich am höchsten Punkt der Klippen am Nordende unseres Strandes, im hellen Licht der Nachmittagssonne, die von einem wolkenlosen Himmel scheint.

Hier oben geht immer frischer Wind. Er zerzaust mein Haar und türmt das Meer zu hohen Wellen auf, die kurz vor Erreichen des Strandes brechen und rhythmisch gegen die Felsen krachen. Salzige Gischt kühlt meine Haut und ich genieße den Duft nach Weite und Zukunft.

Am Strand und im Wasser trainieren die auserkorenen Teilnehmer des Abschlussturniers unter Alators Kommando. Der weiße Zopf der Kriegerin weht um ihr Gesicht. Im Wasser kann ich Yorik und Susan ausmachen. Sie liefern sich ein hartes Kopf-an-Kopf-Rennen.

Auch Domenik ist da. Er absolviert zusammen mit drei anderen Schülern und einer Schülerin aus einem höheren Jahrgang ein Lauftraining. Sie sind Susan und Yorik unterlegen und die Gerüchteküche munkelt, dass Domenik sie dazu überredet hat, eine Allianz gegen die unerwartet starke Konkurrenz der jüngeren Schüler zu bilden. Das ist verboten, doch ich traue es ihm zu.

Ich blicke über die endlose türkisblaue Weite und fühle mich klein. Die Aufgabe, die vor mir liegt, erscheint mir dagegen so groß wie der Ozean selbst.

Vor zehn Monaten habe ich alle möglichen Leute gefragt, wie sie »Licht« beschreiben würden.

Yorik sagt, es ist, wie wenn man den Ozean mit einem Löffel ausschöpfen soll und dann feststellt, dass man es kann.

Professor Alator sagt, den Weg des Lichts zu gehen, heißt lernen, zu überleben.

Cooks sagt nur, Licht ist crazy.

Nakoma sagt, die Antwort liegt in mir.

Neto sagt, Licht heißt kämpfen. Kämpfen heißt Schmerz. Schmerz heißt lernen. Und lernen heißt leben.

Robinson sagt, Licht ist Macht. Es ist das, was diese Welt heilen wird oder zerstören. Er sagt, wenn ich das Licht kontrollieren will, dann muss ich die Welt sehen, wie sie ist, und sehen, wie sie sein sollte. Der Weg des Lichts ist der Weg zu dieser Welt.

Kämpfe.

Die wichtigsten Kämpfe werden mit Worten geführt, sagt Alvis.

Ich setze den Stift auf das Papier. Die ersten Worte strömen und ich lasse ihnen ihren Lauf, verliere mich darin und bemerke nicht, wie die Zeit vergeht. Seite um Seite füllt sich, ich streiche falsche Sätze durch und ersetze sie. Die Sonne wandert über den Himmel und als ich schließlich den Stift beiseitelege, steht sie tief. Der Horizont hat die Farbe reifer Pfirsiche angenommen. Während ich dieses Wunder der Natur betrachte, fühle ich tiefen Frieden in mir.

Ich spüre ihre Anwesenheit, bevor sie sich neben mich setzt. Der frische Geruch sich öffnender Blüten am Morgen umhüllt sie. Die Hände locker im Schoß verschränkt, betrachtet sie die verschlungenen Muster ihrer Hennatattoos, dann richtet sie den Blick auf das Meer. In ihren Augen spiegelt sich der Ozean. Sie sind wunderschön.

»Meine Mutter ist Ärztin«, fängt Nina nach einer Weile an. Ihre Stimme ist klar und lieblich. »Genauso wie meine Großmutter. Sie war Psychotherapeutin. Wir lebten zusammen in einer kleinen Wohnung in London, bevor ich hierherkam. Ich liebte sie sehr.« Sie lächelt, den Blick in die Ferne gerichtet auf etwas, das nur sie sehen kann.

»Meine Mutter arbeitete auf der Kinderstation. Sie hat mich oft mitgenommen. Ich habe den Kleinen dann vorgelesen und mit ihnen gespielt.« Trauer und Schmerz schleichen sich in ihr Gesicht. »Manche der Kinder waren unheilbar krank. Ich sah sie sterben, und auch wenn ich traurig war, wusste ich doch, dass sie jetzt bei Gott sind und es ihnen dort besser geht. Es war hart, aber ich kam klar. Und ich wusste«, sie wendet sich mir zu, »dass ich nur eines wollte, Ärztin werden und diese Kinder heilen.« Sie blickt wieder aufs Meer hinaus, Tränen glitzern in ihren Augen. »Doch als dann meine Großmutter starb, veränderte sich alles. Ich war vierzehn, als es begann. Plötzlich nahm ich die Gefühle der Menschen um mich herum wahr. Gedanken, Bilder, Trauer, Wut, Schmerz, alles stürzte unkontrolliert auf mich ein. Ich konnte nicht mehr in die Klinik gehen, denn die Emotionen der Eltern haben mich überfordert. Angst, Qual überall. Es war so schlimm, dass ich nicht mehr zur Schule konnte und irgendwann gar nicht mehr das Haus verlassen habe. Dass Robinson mich aufgespürt hat, war meine Rettung.«

Ich weiß, wie furchtbar es für mich ist, meinen eigenen Schmerz zu spüren. Wie viel schlimmer muss es sein, wenn auch noch all die Empfindungen der anderen dazukommen? Unerträglich. Ich glaube, ich beginne, zu verstehen.

»Nakoma hat mir beigebracht, mich abzuschirmen, so komme ich zurecht. Aber ich muss mich immer konzentrieren. Immer.«

»Es tut mir leid«, sage ich.

»Du kannst nichts dafür.«

»Ich meine, na ja, in Greens Kurs. Als wir uns zum ersten Mal begegnet sind.«

Nina schüttelt den Kopf. »Du hast es nicht gewusst und ich habe mich nicht konzentriert. Ich habe mich treiben lassen.«

»Aber jetzt bist du konzentriert, immer. In meiner Gegenwart entspannst du dich nie.« Unsere Blicke treffen sich. »Du hast Angst vor mir«, sage ich.

»Nicht vor dir.«

»Ich weiß, aber … Es ist jetzt anders. Ich …« Ich sehe aufs Meer. Wie kann ich Nina beweisen, dass ich mich geändert habe?

Dann sehe ich sie an und weiß, was ich tun muss. »Auf meine Eltern wurde geschossen«, beginne ich und dann erzähle ich ihr alles. Von dem Tag des Anschlags bis zu dem Moment, als ich den Hass und die Wut besiegt habe. Ich breite meine Seele vor ihr aus, in der Hoffnung, ihr Vertrauen zu gewinnen. »Es überwältigt mich nicht mehr«, ende ich schließlich.

»Das ist gut«, antwortet Nina nach einer Weile. Einzelne grüne Punkte leuchten im Ozeanblau ihrer Augen auf und bringen mich zum Lächeln.

Es ist ein Anfang.

Die Prüfungen ziehen sich über eine Woche hin. Je ein Tag ist für jede der Disziplinen Kampf, Geisteswissenschaften, Naturwissenschaften, Sprachen und Parafähigkeiten angesetzt.

Die schriftlichen Tests finden im großen Hörsaal im Biozentrum statt, der in der Zwischenzeit renoviert wurde. An den Schneesturm erinnern lediglich die provisorischen Kunststoffscheiben in der Eingangshalle, wo die Überreste der Glasfront entfernt und noch nicht ersetzt worden sind.

Die Kampfprüfungen finden in Netos Halle und im Dschungelparcours statt, den Alator eigens zu diesem Zweck mit einigen Überraschungen präpariert hat. Die Stockkampf-Prüfung der Abschlussklasse wird jedoch als großer Event am Strand abgehalten. Alle Schüler sind dazu eingeladen, ebenso wie zu den Demonstrationen der Parafähigkeiten, dem traditionellen Abschluss der Prüfungswoche.

Es ist ein Spektakel. Eine Reihe künstlicher Inseln ist in kurzer Distanz zum Strand verankert. Jeweils zu fünft werden die Mitglieder der Abschlussklasse daraufbeordert und von Robinson und Nakoma unter Beschuss genommen. Um zu bestehen, müssen sie eine Minute durchhalten. Je länger sie auf der Plattform bleiben, umso höher ist ihre Punktzahl.

Robinson eröffnet die Prüfung mit einem Reigen aus Wasserfontänen. Die Telekinetiker lenken sie ab, die Empathen weichen schnell genug aus und ein Mädchen, offensichtlich eine Biokinetikerin, setzt ihre Fähigkeit zur Teleportation ein, um den Hindernissen zu entkommen. Doch nach zwei gelungenen Sprüngen geht auch sie dazu über, die Wasserfontänen einfach abzulenken.

»Teleportation ist wahnsinnig kräftezehrend, das hält man nicht lange durch«, erklärt Yorik, der neben mir auf den Klippen sitzt und Chips futtert.

Nakoma erhöht den Schwierigkeitsgrad, indem sie Luftwirbel erzeugt. Doch alle halten die geforderten sechzig Sekunden stand. Dann geht Robinson dazu über, große und kleine Projektile aus gefärbtem Gel zu schleudern. Jeder Treffer ist sichtbar und die ersten Schüler fallen ins Wasser.

Als nur noch fünf Teilnehmer stehen, setzen Robinson und Nakoma Feuer ein. Wo vorher noch getuschelt und getratscht wurde, wird es nun still. Das Publikum hält kollektiv die Luft an. Das ist wirklich gefährlich und erinnert alle daran, worauf uns diese Schule vorbereitet. Die Professoren werfen Flammenwirbel, Ringe aus Feuer und lodernde Flammenkugeln von der Größe von Wassermelonen, die einen langen Schweif hinter sich herziehen.

Einer nach dem anderen stürzen die Schüler ins Wasser, das Teleporter-Mädchen steht als Letzte auf ihrer Plattform. Sie hat sich einen großen Teil ihrer Kräfte aufgespart und sie am Ende genutzt, um den Flammenbällen zu entgehen.

Der Jubel ist grandios. Jeder steht und applaudiert.

»In zwei Jahren gewinne ich!«, prahlt Yorik neben mir.

»Geht nicht, weil ich gewinne«, gebe ich zurück.

»Pah, du doch nicht«, sagt Yorik und grinst.

Ich muss auch grinsen. Weil Yoriks Laune einfach ansteckend ist und weil es guttut, wenn nicht jeder so einen Wirbel um mein Licht macht. Ich fühle mich fast wieder normal.

Die Prüfungsergebnisse sollen im Verlauf des Samstages bekannt gegeben werden und überall spürt man die nervöse Anspannung. Denn es geht nicht nur um die Versetzung in den nächsthöheren Jahrgang, sondern um die Qualifikation für die Praktika, die wir in den Sommerferien absolvieren werden. Einige Plätze sind sehr begehrt, wie zum Beispiel die Mitarbeit bei einem geheimen Projekt der NASA, die in der Wüste von Nevada angeblich an der Konstruktion des ersten warpfähigen Raumschiffs arbeitet. Natürlich will Yorik unbedingt dorthin.

Ich hoffe immer noch auf die Praktikantenstelle im Weißen Haus, aber ich bin überhaupt schon zufrieden, wenn ich für den Sommer irgendeinen auswärtigen Platz ergattere, anstatt in den Ferienkursen an der Akademie weiterbüffeln zu müssen.

Die Noten sind die erste Hürde, die wir nehmen müssen. Nervös warten wir den Aushang der Ergebnisse ab. Yorik und ich vertreiben uns die Zeit mit Sean und Juan beim Beachvolleyball. Doch als Jubel aus Richtung des Schulgeländes laut wird, sprinten wir los.

Die Listen am Pavillon sind numerisch sortiert und an acht Bambussäulen des Gebäudes ausgehängt. Jeder Schüler hat eine vierstellige Zahl, anhand derer wir die Noten einsehen können. Yoriks und meine Nummer beginnen mit einer Fünf, also müssen wir uns bis ganz nach hinten durchkämpfen. Eine Traube aus Schülern versperrt uns den Weg. Einige lachen und reißen ihre Fäuste hoch, während andere mit hängenden Gesichtern abziehen. Ich folge in Yoriks Windschatten, der sich mit seiner breiten Statur mühelos einen Weg durch die Menge bahnt.

Überall drängen sich Schüler an mir vorbei. Ich stecke diverse Knuffe ein, und ein ziemlich harter Ellenbogen landet in meinen Rippen, doch ich spüre es kaum. Dann bin ich an der Säule, an der meine Noten hängen.

Ich lese sie einmal, traue meinen Augen nicht, lese sie ein zweites Mal und schließlich noch einmal. Dann wallt ein euphorisches Glücksgefühl in mir auf. Bestnoten in den Geisteswissenschaften! Ebenso in Sprachen und Kampfdisziplinen! Das *muss* reichen für das Praktikum! Der einzige Makel sind zwei »B« in den Naturwissenschaften und Parafähigkeiten, doch das fällt nicht weiter ins Gewicht. Ich werde den Sommer außerhalb der Insel verbringen. Vom Freudentaumel erfasst, quetsche ich mich auf der Suche nach Yorik durch die feiernde Menge. Ich finde ihn ein kleines Stück abseits. Anscheinend hält er Ausschau nach irgendjemandem.

»Oh, hey, was hast du?«, fragt er, über das gesamte Gesicht strahlend. Wir tauschen unsere Noten aus. Yorik hat Geschichte nur mit knapper Not bestanden, doch mit »A+« in Mathe und Physik kann er auf das NASA-Praktikum hoffen.

»Hast du Susan irgendwo gesehen?«, fragt er so betont beiläufig, dass es sofort auffällt.

»Nein.« Ich sehe ihn von der Seite an. Yoriks sonnengebräunter Teint hat an den Wangen eine verräterische dunkle Färbung angenommen. »Was willst du von ihr?«

»Ich? Gar nichts!«, sagt Yorik entrüstet. Dann senkt er den Blick. Anscheinend hat er gerade eine wahnsinnig interessante Entdeckung auf den staubigen Holzdielen gemacht. Ein Miniraumschiff mit Warp-Antrieb womöglich. »Ich will sie nur fragen, für welches Praktikum sie sich beworben hat. Nur, äh, damit ich mich noch rechtzeitig umentscheiden kann, falls sie dasselbe gewählt hat wie ich. Ich meine, es ist schlimm genug, dass sie mir hier auf die Nerven geht, ich will nicht auch noch den ganzen Sommer mit ihr verbringen.«

»Klar.« Ich unterdrücke ein Grinsen. Seit dem Kampf gegen Savant hat sich Yorik mit keinem Mädchen mehr verabredet. Doch ich verkneife mir jeglichen Kommentar und wir gehen schweigend zum Schulgebäude.

Drinnen trennen sich unsere Wege. Yorik macht sich auf in den fünften Stock zu Professor Adrasthea, einer würdevollen älteren Physik-Professorin, die für die Vergabe des NASA-Praktikums zuständig ist.

Ich gehe in den dritten Stock. Professor Alvis sitzt dort über einen Stapel Prüfungsunterlagen gebeugt. Als ich laut an den Türrahmen klopfe, sieht er auf. »Ah, Jan, ich hatte Sie schon erwartet, kommen Sie rein.«

Er durchwühlt die Schubladen an seinem Schreibtisch, während ich eintrete und mich auf einen Stuhl ihm gegenüber setze. Schließlich zieht er zwei dicke Umschläge heraus und legt sie vor mir auf den Tisch. Dann lehnt er sich zurück, nimmt seine Brille mit den kleinen, halbmondförmigen Gläsern ab und zwirbelt sie zwischen Daumen und Zeigefinger.

In diesen Umschlägen steht meine Zukunft. Aber welcher ist der richtige? »Reichen meine Noten für das Praktikum?«

Alvis lässt sich Zeit. »Hm, hm, allem Anschein nach haben Sie sich gut eingewöhnt, Ihre Leistungen sind hervorragend«, setzt der Professor an. Ich glaube, er hat noch irgendetwas mit mir vor, einen Test oder etwas in der Art. »Also ja, die Noten reichen.«

»Danke«, sage ich und rutsche unruhig auf dem Stuhl herum. Mich beschleicht das Gefühl, etwas falsch gemacht zu haben. Aber was?

»Ich bin sehr gespannt auf Ihre Rede heute Abend. Wie Sie wissen, wird sie den Ausschlag geben.«

»Ja, Sir.«

»Ich habe nur eine Frage.«

Ähm?

»Warum haben Sie nicht um Hilfe gebeten?«

Hä? »Ich verstehe nicht … «, sage ich langsam. Das war nicht ausgemacht. Woher hätte ich das wissen sollen?

»Um Rat fragen. Die Rohfassung vorzeigen und besprechen.« Alvis blickt mich weiter freundlich an.

Mir wird heiß. »Das war nicht verlangt, Sir.«

Alvis' Lächeln wird breiter. Meine Antwort erheitert ihn offensichtlich. »War es nicht, nein. Aber bisher hat mich noch jeder Schüler, der mit dieser Aufgabe betraut war, um Rat gefragt. Einige haben mich regelrecht genervt, verschiedene Fassungen Korrektur zu lesen und deren jeweilige Stärken und Schwächen zu erörtern. Sie sind der

Einzige, der nicht zu mir kam. Verstehen Sie mich nicht falsch, ich bin beeindruckt. Nur möchte ich gerne wissen, warum? Ich hoffe doch sehr, Sie halten die Rede heute Abend.«

»Natürlich«, versichere ich rasch. »Ich dachte nur, nun ja, ich dachte, da es meine Aufgabe ist, muss ich das allein schaffen.« Ist doch logisch, oder nicht?

»So ist das also.« Alvis lehnt sich zufrieden in seinem Stuhl zurück. »Ihr Selbstbewusstsein ist bewundernswert, Jan. Das schätze ich hoch, und es wird Sie weit bringen. Gerade in der Politik ist das eine unerlässliche Eigenschaft. Doch ebenso wichtig ist es, sich bei bedeutenden Angelegenheiten Rat von erfahrenen Personen einzuholen.«

Oh Mist. Natürlich hat Alvis recht. »Ich verstehe, Sir.«

»Welchen Umschlag Sie bekommen«, Alvis nimmt die Kuverts auf und klopft mit deren Kante auf die Tischplatte, »entscheide ich nach den Reden heute Abend.«

Ich nicke nur.

»Alles Gute.«

Mit einem Knoten im Magen mache ich mich auf den Weg zum Baumhaus, wo ich Yorik treffe, der bis über beide Ohren strahlt. Er hat das NASA-Praktikum bekommen. Ich freue mich mit ihm.

Das Abendprogramm beginnt mit dem Turnier der besten zehn. Wie erwartet habe ich nicht die nötige Punktzahl erreicht, obwohl jedem von uns vieren für die Rettungsaktion hundert Sonderpunkte zugesprochen wurden. Domenik jedoch ist dabei, ebenso Yorik und Susan. Nina ist als Zehnte auch auf die Liste gerutscht, Dr. Morgan hat ihr die Teilnahme allerdings verboten, weil sie sich von der Messerattacke noch nicht vollständig erholt hat. Dadurch rutscht Juan auf und bekommt die Starterlaubnis.

Das Turnier ist eine Art Wettrennen zu Land und zu Wasser. Von den Klippen aus hat man die gesamte Strecke im Blick, und sie sind dicht besetzt. Die Stimmung ist ausgelassen, wie bei einem Fußballturnier. Die Schüler und Schülerinnen tragen T-Shirts und Hüte in den Farben ihrer Häuser: Eisblau für den Winter, orange und rot das Haus Herbst, grün der Frühling und gelb der Sommer. Fahnen werden geschwenkt und Banner mit Namen hochgehalten. Wie es aussieht, hat Yorik viele Fans, vor allem beim weiblichen Teil der Schülerschaft.

Als das Startsignal ertönt und sich die Teilnehmer in die Fluten stürzen, brandet lauter Jubel auf. Die Begeisterung der Menge reißt mich mit, aber schon bald ist klar, dass an den Gerüchten etwas dran ist. Einige der Kontrahenten haben sich gegen Susan und Yorik verschworen. Doch sie machen es clever, denn sie wechseln sich dabei ab, die beiden zu behindern. Ihre Aktionen sind zwar grenzwertig, aber nie offensichtliche Fouls, sodass die Kampfrichter nichts tun können. Dafür wird die Menge unruhig, Buh-Rufe und Pfiffe schallen von den Klippen.

Am Ende gewinnt Domenik, doch es ist ein unsauberer Sieg und selbst der Applaus seines eigenen Hauses verebbt rasch. Er wirkt dennoch zufrieden. Klar, er hat sich mit diesem Sieg einen Platz bei den Custoren gesichert.

Nach dem Turnier beginnen die Vorbereitungen für das große Lagerfeuer. Holzscheite werden herbeigetragen und zu einem Haufen aufgeschichtet.

Derweil wandert die Sonne zum Horizont und färbt den Himmel. Es ist ein Spektakel für sich. Erste pfirsichfarbene Schleier erscheinen am Abendhimmel und verwandeln ihn nach und nach in ein orangerotes Flammenmeer. Als die Sonne schließlich versinkt, taucht sie in einen Ozean aus warmer Glut.

Das Lagerfeuer wird entzündet und ein leiser Rhythmus aus Trommelschlägen setzt ein. Ich erkenne eine Gruppe von Schülern mit Bongos und Congas am unteren Ende der Klippen, dazu kraftvolle Basstrommeln, dunkel und volltönend wie der Herzschlag der Erde. Energische Stocktrommeln weben den Klang von Lebensfreude und Freundschaft ein.

Dann fangen die ersten Schüler an zu tanzen. Sie tragen eng anliegende schwarze Kleidung, die sie mit der Nacht verschmelzen lässt, dazu bunte Stoffstreifen an Hand- und Fußgelenken. Wild stampfend folgen sie dem Rhythmus der Trommeln um das lodernde Feuer und lassen ihre Farbbänder fliegen. Jubelschreie und ausgelassenes Klatschen begleiten sie. Irgendwann erkenne ich in den Mustern ihrer Choreografie Sequenzen aus Netos Training.

Die Trommler schlagen nun immer kräftiger auf die Felle und die Vibrationen dringen bis in die Knochen. Dann werden sie schneller. Die Tänzer wirbeln und das Muster ihrer Bänder wird ein eigenes Kunstwerk, bunt, vielfältig, von komplexer Harmonie und atemberaubender Schönheit. Wie die Natur und das Leben. Es fesselt mich und alle um mich herum. Es ist das passende Bild für das, wofür diese Schule steht, für Robinsons Kampf, *unseren Kampf*, die Vielfalt unserer wunderbaren Welt zu achten, zu respektieren und zu schützen.

Gebannt folge ich dem Tanz. Die Trommeln steigern sich zu einem irren Crescendo und brechen auf dem Höhepunkt ihrer Darbietung abrupt ab. Die Tänzer lassen sich fallen und einen Moment lang, in dem die einsetzende Stille in den Nervenfasern brennt, wagt niemand, zu atmen. Dann bricht um mich herum frenetischer Jubel aus.

Die Professoren Robinson und Alator treten vor das Feuer, doch sie müssen noch lange warten, bis der Applaus so weit abgeklungen ist, dass die Ehrung beginnen kann. Sie rufen die Gewinner des Turniers auf. Domenik bekommt nur verhaltenen Applaus, Yorik jedoch und sogar Susan, die als Zweite und Dritte ins Ziel gekommen sind, gehen als Sieger der Herzen vom Platz.

Als Nächstes hält Domenik seine Rede. Sie ist leider richtig gut, muss ich zugeben, stilistisch und rhetorisch zumindest. Aber es schwingt eine Überheblichkeit und Aggressivität darin mit, die mir nicht gefällt.

Schließlich muss ich nach vorne.

Lautes Stimmengemurmel und einzelne Jubelrufe begleiten mich. Der Sand ist noch warm unter meinen bloßen Füßen. Als ich vor das lodernde Lagerfeuer ans Mikrofon trete, senkt sich angespannte Stille über die Schüler, in der das Knacken und Knistern der brennenden Scheite zu hören ist. Die Blicke von über 500 Augenpaaren lasten auf mir und machen mich nervös.

Diese Stille ist anders als das Geräusch einer Menge, in der jeder einfach nur ruhig ist. Es ist der Klang von Menschen, die alle auf das

Gleiche lauschen, die zuhören und empfänglich sind für die richtigen Worte. Es ist der Klang einer bevorstehenden Veränderung. Es hört sich an, als stünde ich genau hier und jetzt am Anfang von etwas Gewaltigem, das meine Vorstellungskraft übersteigt.

Die Stille dringt mir unter die Haut. Ich habe solche Angst davor, zu versagen, aber auch ein enormes Verlangen, diese Menschen mit den Gedanken, die ich in mir trage, anzustecken. Das Verlangen überwiegt.

»Bevor ich hierher kam, wollte ich die Welt verändern.« Ich grinse. »Wer will das nicht?« Einzelne Lacher, schnell wird es wieder still. »Diese Welt ist nicht in Ordnung. Es herrscht Krieg und Leid. Millionen Menschen hungern, werden terrorisiert, gewaltsam unterdrückt. Und über allem schwebt die Bedrohung des Klimawandels. So wie wir leben, zerstören wir den Planeten. Wer würde das nicht ändern wollen?« Ich mache eine kurze Pause.

»Aber wie? Ich weiß nicht, wie es euch damit geht, aber ich … Ich hab solche Angst. Ich fühle mich so klein angesichts der übergroßen Probleme, die ich lösen will. Oft denke ich, es ist unmöglich. Oft denke ich, es ist zu viel, zu schwer und ich bin nicht gut genug. Oft versucht die Angst vor dieser Aufgabe, mich zu lähmen. Dann will ich am liebsten wegschauen und weglaufen. Die Probleme den anderen überlassen.« Mein Herz schlägt fünf Mal, bevor ich weiterspreche. »Aber das würde bedeuten, es Leuten wie Savant zu überlassen.« Die Stille verändert sich, knistert nun voller Erwartung, wie das brennende Holz hinter mir.

»Vor vier Wochen wurden wir angegriffen. Hier, in unserem Zuhause, wo wir uns sicher fühlten.« Innerlich zittere ich, doch meine Stimme klingt überraschend kräftig und klar. Ich glaube, ich halte das nicht mehr lange durch, dennoch muss ich mir Zeit nehmen, damit sich jeder daran erinnern kann, wie es sich angefühlt hat.

»Viele Menschen, unschuldige Menschen, die in Kriegsgebieten wohnen, erleben das täglich. Auch wir wissen jetzt, wie es sich anfühlt, doch *wir* sind vorbereitet. *Wir* können uns schützen. Die meisten Menschen auf diesem Planeten können das nicht.« Ich sehe Betroffenheit in den Gesichtern der Zuhörer.

»Der Krieg unterscheidet nicht. Männer sterben, Frauen, Kinder. Frauen verlieren ihre Männer, Kinder verlieren ihre Eltern.« Wellen schwappen leise an den Strand und ein Scheit knackt. »Sie brauchen uns.« Ich sehe zustimmendes Nicken im Publikum und vereinzelt Tränen der Wut und des Zorns.

»Doch wie können wir Frieden schaffen?« Ich schaue meine Mitschüler an, lasse meinen Blick über die Menge gleiten. Nun spreche ich gerade so laut, dass ich von allen gehört werden kann. »Asker Savant, ein Mann, der von sich sagt, dass er der Welt Frieden bringen will, hat versucht, die Menschheit auszulöschen. Er sagt, nur so kann es gehen. Er sagt, die Menschheit ist nicht in der Lage, sich zu ändern. Er sagt, die Mehrheit ist zu schlecht und zu böse.« Ich blicke in grimmige Gesichter. Einzelne schütteln den Kopf.

»Aber ich sage, die Mehrheit der Menschen ist gut, friedlich und trägt Liebe im Herzen. Es sind Einzelne, wenige, die Hass und Angst verbreiten, und wenn wir sie gewähren lassen, werden sie mit diesem Hass andere anstecken. Das dürfen wir nicht zulassen! Es ist unsere Aufgabe, die Menschen dieses Planeten zu schützen, damit sie in Frieden leben und Frieden verbreiten können!«

Ich warte, bis die vereinzelten zustimmenden Rufe abklingen.

»Savant ist immer noch da draußen. Er und andere, *die so sind wie er*, werden versuchen, uns daran zu hindern. Sie sind bereit, über Leichen zu gehen, um ihre Ziele zu erreichen. Er jagt uns und er will uns zu seiner Waffe machen.« Ich mache eine Pause. »Wir müssen ihn aufhalten«, füge ich leise hinzu.

Falls es überhaupt geht, wird es noch ruhiger. Die Stille lässt meine Nerven vibrieren. »Wir brauchen zwei Dinge, um diese Aufgabe anzugehen.« Ich lasse den Blick über die Reihen schweifen. Sie sehen mich erwartungsvoll an. »Das Erste ist Mut. Mutig sein bedeutet nicht, keine Angst zu haben. Mutig sein bedeutet, seiner Angst die Stirn zu bieten, wenn es sein muss. Genau das habt ihr getan, als die Nachricht von Savants Anschlagsplänen kam. Ich dachte, dass Panik ausbrechen würde, aber das ist nicht geschehen. Ihr hattet Angst, aber ihr wart gefasst, bereit, trotz aller Angst alles zu tun, um in der Katastrophe Leben zu retten.« Ich sehe Yorik und Sean, Yuan und

Xinru, Susan und Nina und all die anderen. Manche nicken, verschränken die Arme vor der Brust und alle hören weiter gespannt zu.

»Das Zweite ist ... manchmal noch viel schwieriger«, ich suche Domenik in der Menge, »aber wichtiger. Es ist unser Zusammenhalt. In unserer Unterschiedlichkeit liegt unsere größte Stärke. Wir müssen unsere Fähigkeiten kombinieren. Zusammen sind wir mehr als die Summe der Einzelnen, und das kann Savant nicht berechnen!« Noch einmal fünf Herzschläge Pause.

»Wir haben Talente, doch das allein reicht nicht«, ich hebe meine Stimme bei den folgenden Worten und werde immer lauter. »Wir müssen für das Gute kämpfen. Wir müssen hart arbeiten, *jeden* Tag, um unsere Talente zu nutzen. Und wir müssen zusammenhalten. Wenn wir über alle Grenzen und Unterschiede hinweg vereint kämpfen, dann können wir es schaffen! Zusammen können wir Savant aufhalten, *alle Savants* dieser Welt.« Meine Stimme ist jetzt Donner.

Vereinzelte Rufe der Zustimmung werden laut. Ich nicke ihnen zu. »Wir sind die Zukunft dieser Welt. Ich bin stolz, ein Teil davon zu sein, ein Teil dieser Familie zu sein.«

Sean steht auf und brüllt laut: »Yeah, Mann!«

»Ich weiß, es ist verdammt hart.« Gelächter kommt auf und die neuesten Verletzungen, die wir bei den Abschlussprüfungen davongetragen haben, werden prahlerisch herumgezeigt. Ich grinse.

»Wir haben noch viel zu lernen.« Ich atme tief durch, dann erhebe ich meine Stimme zum Finale. »Aber wenn wir *zusammen* für dieses Ziel kämpfen, für eine bessere Welt, für den Schutz der Umwelt und für Frieden, *werden wir es schaffen.*«

Immer mehr Schüler stehen auf, Fäuste werden nach oben gereckt, Jubel erklingt überall auf den Klippen.

Ich sehe in die Menge und nehme ihre Energie in mich auf.

»Seid ihr bereit, zu kämpfen?«, rufe ich.

Jas und Jubel schallen mir entgegen.

»Seid ihr bereit, *gemeinsam zu kämpfen?*«

Jetzt stehen alle. Ein Chor aus zustimmenden Rufen flutet den Strand.

»Dann lasst uns kämpfen, gegen die Savants dieser Welt, für

Toleranz und für Menschlichkeit. Ich weiß, wozu ihr fähig seid, und ich sage euch, eines Tages werden wir in einer Welt leben, die den Krieg besiegt hat!«

Als sich der Applaus entlädt wie ein Orkan, wie eine Naturgewalt, bricht etwas in mir auf. Es ist wie Feuer und Eis, wie Liebe und Sturm. Es ist gewaltig, es lodert in mir und es gibt mir Kraft. In diesem Moment weiß ich, dass ich ihn gefunden habe.

Meinen Weg des Lichts.

DANKSAGUNG

Ein Buch zu schreiben ist eine ganz besondere Reise, die ohne die richtigen Wegbegleiter nicht zu schaffen ist. Den Menschen, die mich auf dieser Reise inspiriert, begleitet und unterstützt haben, möchte ich meinen tiefsten Dank aussprechen.

An erster Stelle steht dabei meine Lektorin Simona Turini, die mit ihrer Professionalität, ihrem Talent und viel Einfühlungsvermögen die Schwachstellen des Manuskripts gefunden und grandiose Verbesserungsvorschläge gemacht hat. Danke auch für die aufmunternden Kommentare – du hast ja keine Ahnung, wie sehr sie mich beflügelt und über die schweren Tage getragen haben.

Ein besonderer Dank geht an das Team von BoD, insbesondere an Annika Bauer, die das gesamte Projekt so zielstrebig und gewissenhaft zum Erfolg geführt hat, sowie der Grafikdesignabteilung für das wunderschöne Cover. Danke an alle für die genialen Services rund um die Veröffentlichung und Vermarktung von »Die Talente von Eos«.

Ganz herzlich danke ich auch meinen Freundinnen und Testleserinnen Kathrin und Alexandra, die sich tapfer durch die erste Fassung gequält und ehrliches Feedback gegeben haben. Eure kritischen Worte aber viel mehr noch eure Freundschaft waren und sind so wertvoll.

Und jetzt bekomme ich ein großes Problem, denn ich möchte so vielen Menschen danken, dass es einfach unmöglich ist, alle namentlich zu erwähnen. In meinen mittlerweile dreizehn Dienstjahren als Lehrerin sind mir so viele Schülerinnen und Schüler begegnet, die talentiert, rebellisch, mutig, inspirierend und einfach tolle Menschen sind und so viele Kolleginnen und Kollegen, die Licht und Energie in die Schule tragen und jeden Tag aufs Neue für ihre Schülerinnen und Schüler kämpfen. Auch etliche Schulleiter, die mich beeindruckt und mir gezeigt haben, worauf es bei unserer Arbeit ankommt. Alle Namen kann ich nicht nennen, dafür die drei Schulen, an denen ich diese beeindruckenden Menschen gefunden habe: das Gymnasium Feuchtwangen, das Steller-Gymnasium Bad Windsheim sowie das RSG Rothenburg ob der Tauber. Über 2000 Einzelnamen müssten hier stehen – euch allen danke ich für das Licht, das ihr in die Welt tragt, euren Mut und euer großes Vorbild.

Ein ganz großes und dickes Dankeschön ist wie immer für die wichtigsten Menschen reserviert, Niklas und Linda, Lichter meines Lebens – weil ihr seid, wie ihr seid, die besten, die tollsten und die coolsten Kinder, die man sich wünschen kann.

Allen Freunden, Kollegen und Familienmitgliedern danke ich für die vermeintlich kleinen Gesten, die aber so viel ausmachen. Allen, die mir immer wieder aufmunternde Worte schenken. Allen, die mir nicht böse sind, wenn ich so viel Zeit am Schreibtisch verbringe. Allen, die mir Mut zusprechen und Freundlichkeit schenken, für jedes Lächeln und jedes motivierende Wort.

Von Herzen bedanke ich mich zum Schluss bei den wichtigsten Wegbegleitern: den Menschen, die meine Bücher lesen und weiterempfehlen. Ohne euch gäbe es diese Geschichte nicht. Jedes Feedback, jedes gute Wort von Lesern, die Spaß an meinen Texten haben, jede Rezension tut so gut. Ich danke euch so sehr und hoffe, ihr bleibt bei mir.

Bis zur nächsten Reise
Eure Mirjam